産学連携によるものづくりイノベーション

事例から学ぶ成功のカギ

西田新一・田中洋征・野田尚昭

MANUFACTURING INNOVATION THROUGH INDUSTRY-ACADEMIA COLLABORATION:
THE KEY TO SUCCESS LEARNED FROM CASE STUDIES

アグネ技術センター

Manufacturing innovation through industry-academia collaboration:
The key to success learned from case studies

by

NISHIDA Shin-ichi, TANAKA Hiroyuki and NODA Nao-Aki

AGNE Gijutsu Center, Inc., Tokyo

「序言」本著の目的

周知のごとく，とくに製造業の場合，「研究開発能力」を抜きにしては，持続的に生き残ることが困難である．このことは，多くの製造業の経営者達から聞かされている言葉でもある．しかしながら，言うまでもなく研究開発を行う場合，常に経済的リスクがつきものである．また，自社で製造する商品に対して，すべての技術を自社で準備できるのであれば問題はないが，それを実行しようとすると，自社製品の商品化のタイミングを逸する恐れがあるとか，あるいは技術者不足のために，採用しようとした技術の一部が欠けている場合も起こり得る．そこで，かかる場合に，「**産学連携**」によって，切り抜ける方策を採用することも，実用上賢明なやり方ではなかろうか．

すでに，産学連携に関する著書は，かなり出版されてきているが，「何のために産学連携を行うのか」，「産学連携によって得られるメリットはどのようなものか」あるいは「具体的にどのようにやればよいのか」等の疑問点については，必ずしも明確な回答が示されているとは限らない．そこで，本著は，かかる疑問点をより明らかにして，これから産学連携に対して，積極的に取り組みたいと願っている研究者，技術者達に，ひいては会社の経営者達にも，実用的観点から，その指針となるような内容を提示したいと考えた次第である．すなわち，産学連携を進めたいと願っている関係者達にとって，実用的な観点から，必要にして十分な内容のものを提示したいと考えた結果，上梓に至った次第である．

なお，「産学連携」と類似の言葉として，「産学官連携」があるが，これは一般的には，官が主導し，事業規模もかなり大きいものが多い．ここでは言及しないが，その目的等については，「産学連携」とは，主旨には大差がないと考えている．

第1章では，産学連携の背景とその重要性とについて言及している．その中において，企業および大学の立場からのメリットおよびデメリットを述べている．第2章では，産学連携の具体的推進方法について触れており，大学内における体制との関係において，もっとも推進しやすい方法についても詳述している．また，第3章では，産学連携を失敗しないための注意事項について，言及している．とにかく，本来異質なグループに属する産と学とが連携して，特定の課題について，共同研究を行い，成果を挙げて行こうとするものであるから，お互いにとって貴重な成果を得ることができ，有意義な期間を過ごすことができた，と必ずしも満足することばかりではない．むしろ，関係した産や学の一部あるいはすべてが，期待外れの結果しか得ることができなかったと，判断せざるを得ないようなことも起こり得る．

第4章では，外部資金（研究助成金）獲得への挑戦について言及している．一般的に，研究開発を行おうとした場合，予想以上のお金がかかる．それらをすべて自前で賄おうとした場合，できにくい場合が多い．とくに，「学」においては，そもそもそのようなお金は最初からないというのが実態を表している．また，「産」においては，中小企業の場合は，毎月の資金繰りに追われて，研究開発費にまで回せるゆとりがないというのが正直のところであろう．そこで，頼りになるのが「外部資金」であるが，これを獲得することがかなり困難である．できるだけスムーズに獲得できるような指南書をここに示す．また，第5章では，外部資金獲得とコーディネーターの役割について言及している．コーディネーターとは，「産」と「学」の研究者たちの間に立って，産学連携がスムーズに行われるように「仲介」を務める人のことである．とくに，ある研究テーマに対して，適当な研究者・技術者同士を引き合わせたり，あるいは外部資金を獲得する場合，第三者的立場から有用なアドバイスを行うようになっている．

第6章においては，「産学連携による具体的成果の事例」を紹介している．事例は，合計12例（うち，1例については，6.9節 直列型ハニカム構造と6.10節 並列型ハニカム構造とに分割している）について，言及しているが，いずれも極めて最近の内容について詳述しており，これらの事例から，研究開発の重要性の一端を理解していただければ幸いである．

第7章は，全体の総括について，言及している．

以上につき，本著の特色は以下のとおりである．

(1) 原則として，各節に最低1以上の図，表または写真等を併用して，理解を助けるように工夫していること．

(2) 本書で取り扱っている事例は，すべて実体験に基づいた内容で，説得力に富むと考えている．

(3) 3人のそれぞれ経歴の異なった経験豊富な著者による共著で，必要にしてほぼ十分な内容を網羅しているつもりである．

(4) これからも産学連携を積極的に進めたいと願っている1人でも多くの人達を対象にして，彼らに読んでいただくために，でき得る限り簡明な内容で，実用的で，かつ論理的な表現を心掛けたつもりである．

ぜひ，ご一読していただき，ご意見等いただければ幸いである．

以上，　著者一同

目　次

3 産学連携を失敗しないために———— 田中洋征 ・29

1
産学連携の背景とその重要性

周知のごとく，わが国の経済力 (GDP) は，かつて世界第二位を誇っていた立場から第三位に後退してしまっている．さらに，失われた 30 年間や世界最速とも言われている少子高齢化等のために，わが国経済の先行きは決して明るくはない．

しかしながら，以前のごとく産業の振興を成し遂げ，それによってわが国の存在感を高め，抱えている問題点の解決を計りつつ，世界的に貢献できる立場を取り戻す方策はないのであろうか．限られた人材および資源のもと，これらを実現するためにはどうすればよいのであろうか．その一つとして，個々の持っている能力をうまく活用しながら，それをできるだけ伸ばしていくことである．それに付け加えて，「**自分の持っている能力**」と「**他者が築いている成果**」とをうまく**融合させる**ことによって，今までになかったような「新製品」を開発することができるかもしれないことに気づくべきであろう．すなわち，「**1 プラス 1 が 3**」になり得る方法である．その例にぴったりなのが「**産学連携**」と考えられる．換言すれば，自分の得意分野と他者の得意分野との結びつけにより，単独では成し遂げることが困難と思われるような分野について，より「**高度な成果**」を上げることも可能となる．かかる観点から，「産学連携の背景とその重要性」について，以下に言及することとする．

1.1　産学連携とは？

「産学連携」と呼ばれる言葉が盛んに聞かれるようになってから久しい．本節では，まず産学連携の定義について考えてみよう．「産」とは，産業のことである．より手短には，民間会社あるいは企業と呼ばれるものである．厳密にいえば，民間会社と企業とは意味が異なるけれども，通常は，同じように使われている場合が多いので，本節でも民間会社でもって産業を代表すると考えることにする．一方，「学」とは，大学を意味する．大学には，国立大学法人や公立および私立大学が存在する．それ以外にも，大学院も含まれる．さらに，高等専門学校，通称高専と呼ばれている教育機関も含まれるのは言うまでもない．ここでは，「学」の代表的表現として，大学を意味すると考えていただきたい．

さて，「産学連携」とは，民間会社と大学とがお互いに連携しあって，「新規の成果」を挙げていこうとするやり方であると言えよう．すなわち，民間会社単独では，やり遂げることができにくい，あるいはやり遂げようとした場合，長期間がかかるかもしれないことを，より効率的に結果を出そうとする一種の「研究開発に関するプロジェクト」である．かかる表現が少し大げさすぎると考えた場合は，単に「産と学との共同研究」であるとみなしても構わないであろう．さらに，産学連携以外にも，「官」，すなわち国や県などの公的機関を加えた「産学官連携」という言葉も使用されているが，目的や狙いは「産学連携と同じ」と考えてよいので，ここでは単に産学連携に限定して記述することにする．産学連携と産学官連携との相違は，一般的に後者の場合が，より大規模な「研究開発プロジェクト」として，構成される場合が多いと考えられる．

この産学連携の目的とするところは,「産」が受け持っている「社会的ニーズ」に応えるべく「商品」開発に対して，「学」の有する基礎的・論理的裏付けを付け加えることによって，商品の合理性・信頼性・汎用性等をより高めることにあると考えている（図 1.1 参照）．すなわち，「産」においては，社会的に必要な商品についての知識は豊富に修得しており，その大半の過程において必要な加工技術も備えている場合が多いが，基礎的あるいは理論的証明に対しては，乏しい場合も少なくはない．一方，「学」においては現実的な加工技術等は備えてはいなくとも，基礎的・論理的に解析する能力に長けている．したがって，産と学とが連携することによって，製造する商品に対して，基礎的・論理的根拠を提示することで，より合理的な商品に改善して製造することが可能となる．さらに，それを市販する場合，商品に対する基礎的・論理的根拠を明らかにしておくことが，「商品」の優秀性および信頼性を高める効果を発揮して，販売をよりスムーズに行うことも可能となることが期待できる．また，商品に対する基礎的・論理的根拠を明らかにしているので，初期のニーズに従って，販売を開始したとしても，さらにその汎用性から，より多くのニーズに答えるべき「新商品の開発・販売」へと結びつけることができよう．

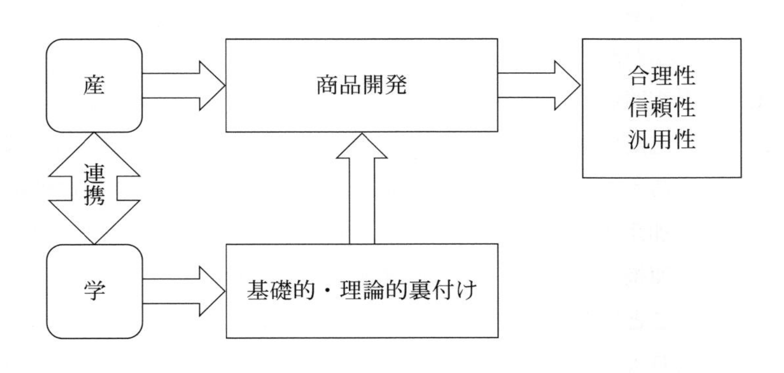

図 1.1　産学連携の目的．

1.2　産学連携の意義とその背景

1.2.1　戦後の経済発展における重要部門の変化 [1,2]

産学連携の目的が理解できたところで，産学連携の背景についてどのような事情が存在するのであろうか．すなわち，産学連携へと至った背景には，何らかの「必然性が存在」するはずである．そのバックグラウンドについて，以下に言及することにする．

わが国では，明治維新以後，「富国強兵」を合言葉に，ひたすら欧米先進国から技術の導入政策を取り続けることにより，従来の農業や漁業などの一次産業中心から工業化への転換をはかり，国力ひいては軍事力の増強を推進してきた．さらに，第二次世界大戦後は，敗戦により一面の焦土と化し，すっかり荒廃してしまっていた国土にもかかわらず，まずは衣食住の確保が叫ばれ，農業，漁業，林業等の「**第一次産業の復興**」がなされてきた．続いて，繊維，紙，セメント等の「**基礎資材産業**」，さらに鉄鋼，造船，機械，電気，化学等の「**主要産業の台頭**」を推進してきた．とくに，後者の場合などは，わが国産業の根幹を成し，今日の経済発展の原動力となっていったので，「**基幹産業**」と呼ばれ，世界に名だたる諸産業が育っていき，わが国を世界第2の経済大国にと押し上げることに大いに役立ってきた(現在は，世界第3位)．さらに，自動車，エレクトロニクス，精密機械，情報(IT)等の「**先進型産業**」が続くことで，日本がとくに経済面で先進国として，世界的に認知され，貢献してきたのは周知のとおりである(図1.2 [1,2] 参照)．

ところで，上記の基幹産業のある会社について，その会社における各部門の整備充実の過程に注目すると以下のようなことが理解できる．まず，欧米の先進技術の導入を計る必要があることから，それを理解・実行できるだけの能力を持った人材が必要となるので，「良き人材の確保・育成」という観点から「**人事部門**」の充実からスタートしている．次に，製造した「商品」の販売に重点が置かれ，「**販売部門**」が，やがて類似商品が現れたり，販売した商品に対するクレームに対処する必要性などから，あるいは製造した商品の品質管理という観点から，「**製造・品質管理部門**」が，そして，いまや

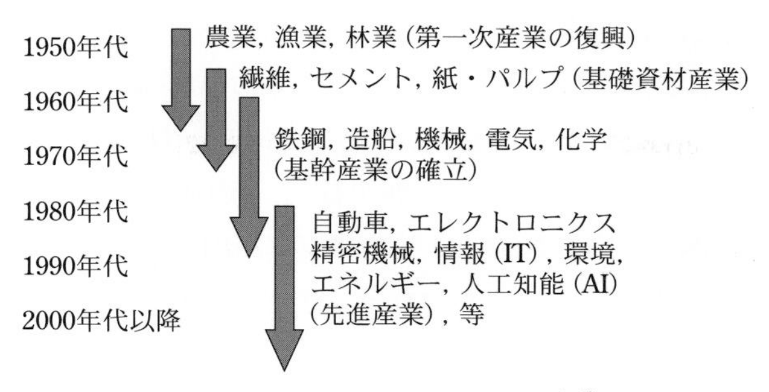

図 1.2　主な産業の発展の推移[1,2]．

内容	部門
先進技術の導入・人材の確保	人事
商品の販売	販売，経理
商品の製造・品質管理	製造・品質管理
技術力→商品の差別化	技術開発

図 1.3　会社組織の重要度の変遷[1,2]．

激しい企業競争に打ち勝つために，商品に技術力を持たせる，あるいは他との差別化を計る必要が生じてきて，「技術開発」が不可欠となってきた．したがって，「**技術開発部門**」の充実は，とくに製造業の場合，必須要件となってきている（図 1.3[1,2] 参照）．とりわけ，戦後わが国では，欧米技術の導入によって，商品を生産・販売する過程において，それらからさらに品質向上・機能充実を図ることを行い，逆に欧米への商品輸出を実現させて，今日の経済成長を遂げてきたが，かかる従来の方式が事実上期待できなくなった現状では，自らの力で「技術開発」を行い，新しい産業を切り開いていくべき必要性に迫られている．換言すれば，**わが国の将来は「技術開発」によってしか，生き延びる方向はない**といっても過言ではない．

また，会社における技術開発は，これまで「応用研究」に主力が置かれてきたために，欧米諸国から「基礎研究ただ乗り」論が起こり，一時は非難の対象とさえなっていた．これは，一つにはわが国の急激な経済成長が，欧米にとって大いなる脅威すら覚えるような存在になっていたことにも起因していると考えられる．しかし，その後，わが国産業の海外進出により，現地生産比率を高める努力を行ってきたこと，ヨーロッパにおける経済統合（EU），米国における自由貿易範囲の拡大，韓国，中国およびアセアン（Association of South-East Nations）等のアジア諸国の経済発展により，かかる非難はすっかり陰を潜めるようになってきてはいるが，わが国が持続的に経済成長を図っていくためには，「基礎研究」と「応用研究」とのバランスのとれた研究体制を整え，より積極的に研究開発にも取り組み，ひいてはよりレベルの高い「技術力」を具備するために，努力を重ねていくべきであるのは議論の余地がないと考えられる[1,2]．

1.2.2　戦後の経済発展に忍び寄る影とその解決に向けて

このように，一見順調に見えるかと思われるわが国経済の裏にも，「影」が忍び込んできていた．それは，1995年頃から，とくに顕著に認められる若年層の減少である（図1.4，図1.5参照）[3,4]．若者，とくに二十歳の若者達の数が，ピーク時は240万人を超えていたのが，現在ではその半分にも満たない数となっている．そして，その傾向は，**「右肩下がり」に減少**し，数の回復は今のところ見込めないのが実情である．さらに，30年後においても，この傾向は改善される見込みが全く立っていない（図1.6[4] 参照）．それに反比例したかのように，高齢者の数が増加している．労働人口の確保の観点からだけでは，定年延長と自動化・機械化などの省力化で，何とか補えるかもしれない．しかし，若者達が持つ特有の感性のようなものについては，かかる方法で，補完することは困難である．

一方，わが国内において，**研究開発に関して，「活用できる資源」**はないか，探すまでもなくすぐに見つかった．それは，大学等の研究者達で，約18万7千人もいる（表1.1[5] 参照）．この人達全員を産学連携に活用することはできなくとも，そのうちの何割かを産業の振興に活用できれば，国益に大いに寄与することは間違いない．企業においても，時代は，研究開発の重要性に向けられてきており，まさにベストタイミングといっても過言ではな

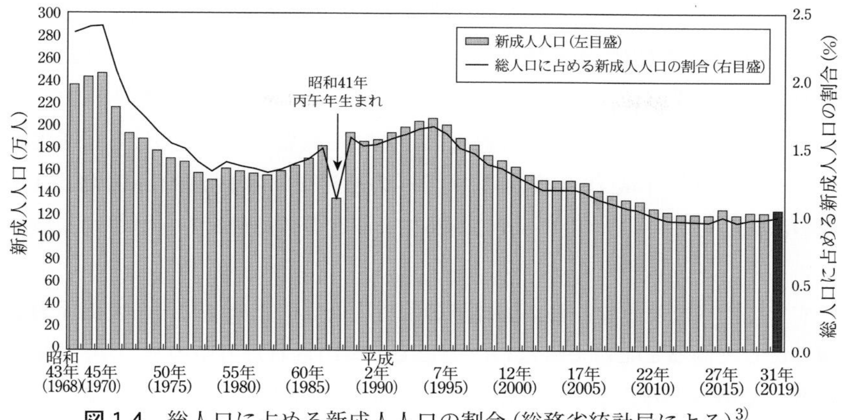

図 1.4 総人口に占める新成人人口の割合（総務省統計局による）[3].

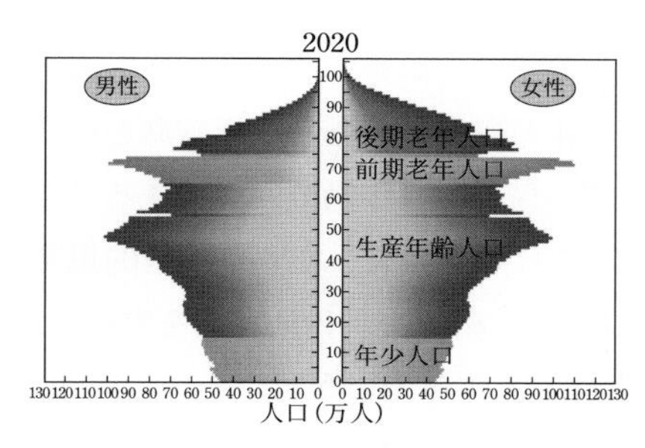

図 1.5 わが国の人口構成（2020 年, 国立社会保障・人口問題研究所による. 1965 ～ 2015 年：国勢調査, 2020 年以降, 「日本の将来推計人口（平成 29 年推計）」（出生中位（死亡中位）推計）[4].

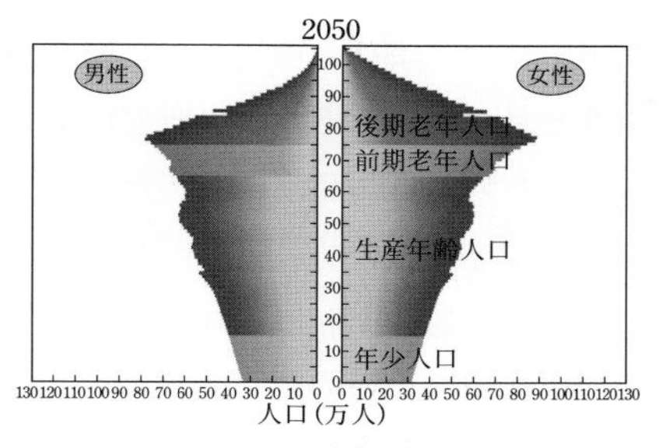

図 1.6 わが国の人口構成（2050 年, 国立社会保障・人口問題研究所による. 1965 ～ 2015 年：国勢調査, 2020 年以降, 「日本の将来推計人口（平成 29 年推計）」（出生中位（死亡中位）推計）[4].

い．さらに，文部科学省が，「産学連携」を推進します，と単に声を上げるだけでは「笛吹けど踊らず」で，研究者達に身を以って自覚してもらうことが一番手っ取り早い．折から，周知のごとく，国の財政事情は，毎年悪化の一途をたどっており，こ

表 1.1 大学等の教員数[5].

名称	人数（単位, 人）
大学	172,026
短期大学	10,130
高等専門学校	4,525
合計	186,681

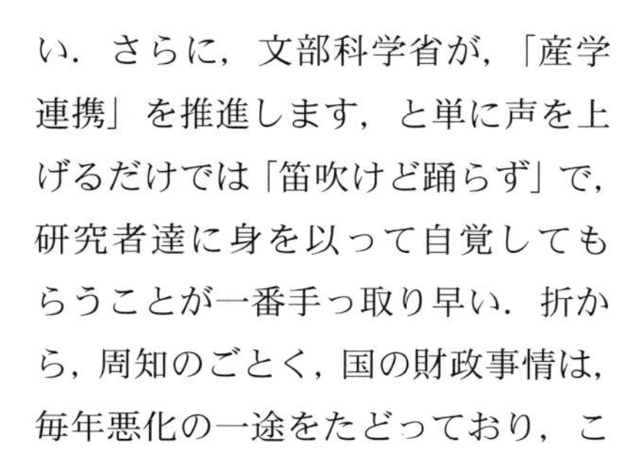

れが民間会社であれば，いつ倒産していてもおかしくはない状況である．さらに，高齢化のために，医療費等を含む「社会保障費」は増加の一途をたどっており，これを減額しようとしても困難な状態である．文部科学省においても，切り詰めれるところは，万難を排してでも減額していきたい事情を抱えている．例えば，**平成16年度から，大学への運営交付金予算額を毎年ほぼ1%ずつ減額**しており，大学関係者に対して，研究費の締付けを自覚させていっている[6]．

すでに述べたように，**わが国経済の維持・向上のためには，研究開発力を抜きにして語ることはできない．そこで，案出された方策の一つが，「産学連携」である**と考えられる．すなわち，前節でも述べたように，「産」の抱えている商品開発に対して，基礎的・論理的根拠を付与することで開発の期間を短くし，より合理的な・信頼性の高い商品へと改善すること，さらに汎用性を与えて，その商品の販売に対して，より説得力のある販売戦略を構築し，また幅広い商品構成を持たせることで，競争力を不動のものとすることが期待できる．一方，「学」においては，これまで研究してきた論理的思考の成果を，実用製品に反映させることによって，研究の具体的成果を実感し，その成果を国内はもとより国際的にも広く公表することができる．さらに，そこで得られた「研究資金」を，次なる研究等に向けて活用できるので，より能動的に研究活動を継続することが可能となってくる．また，「学」の経営者サイドに立ってみると，例えば国立大学では，国の財政事情が悪化の一途をたどっており，大学の研究者のために，研究費を増額したいと考えても，**「無い袖は振れない」の諺のとおり，予算の減額の道はあっても増額の道は考えられない**．一方，このような産学連携によって，大学の研究者にとって，工夫さえすれば，**実質的に研究費の増額への道**が開けているのは，歓迎すべきことであって，誰も反対するようなことではない．すなわち，**産学連携は，わが国の人口構成において，少子高齢化時代に突入したために，それまでの経済力の維持のためには，避けては通れない「苦肉の策」の結果生まれたもの**と考えられる．

1.3　産学連携の重要性

すでに，「産学連携とは」でも述べているが，「産学連携」の重要性については，議論の余地がないほどであろう．というのも，戦後わが国の産業が右肩上がりに発展してきて，このままその成長が維持できるのではないかと期待されていた．ところが，1995 年頃から，急激に若年層の数が右肩下がりに減少する，いわゆる「**少子高齢化社会**」に突入していることが現実的となった．このままでは，わが国産業の維持・向上を達成することが不可能となってしまうのは明白である．とくに商品に対する「研究・開発力」を低下させてはならないという至上命令のようなものが暗黙の裡に存在することである．そこで，案出されたのが，「産」と「学」との連携である．そこで，以下に，そのメリットおよびデメリットの詳細について言及することにする．

1.3.1　企業のメリット・デメリット

産学連携により,「産」が受けるメリットがある．当然, メリットがあれば, デメリットもある．一般的に，デメリットよりもメリットの方が大きいため，産学連携が受け入れられて推進されることとなっている．表 1.2 に，企業が受けるメリットを示す．企業が開発し，商品化しようとした「商品」に論理的な裏付けがなされておれば，その販売戦略上，有力な武器となることは明らかであろう．もちろん，企業においても，かかる論理的な裏付けを自身で準備することも可能であろう．しかし，かかる点は，学の方がはるかに長けており，学で解析した方が「第三者に対する説得力が大きい」のも事実であろう．そのような論理的裏付けによって，商品への信頼性を確保することができ，いずれは商品に対するブランドの確立へと，向上させることも可能となる．さらに，開発した商品の汎用性を拡大することにもつながり，それはその企業の今後の成長戦略を支える大きなツールの一つとなってくるであろう．

一方，デメリットも当然考えられ，それを表 1.3 に示す．これは，企業からの不満の言葉であるが，研究費を提供しても，期待したほどの成果が得ら

表 1.2　企業のメリット．

(1) 商品の「理論的な裏付け」が得られる
(2)「理論的な裏付け」による信頼性確保
(3) 商品に対する「ブランド」の確立
(4) 企業の成長戦略の増大，等

メリット＞デメリット

表 1.3　企業のデメリット．

(1)「研究費」を提供しても，それだけの成果が得られない
(2)「人材」の獲得が困難
(3) 研究期間の長期化
(4) 機密情報の漏洩の恐れあり，等

れないとのこと．そのようなこともあるかもしれないが，学の相手先の選択を間違った，あるいは期待が大き過ぎたことが原因であるのかもしれない．また，産学連携の結果，親しくなった大学からの「人材」を当てにしていたが，獲得することができなかった，との期待外れの声．これは，その大学の学生から見て，相手先企業が魅力的でなかったことによるのかもしれない．また，大学の研究成果に関する「レスポンス」は必ずしも良いとは限らないので，学期のスタートや卒業時期等とも関係し，場合によっては研究成果の企業への提示が遅れ，即応性に欠けることもある．また，大学は，本来オープンであり，種々の外部の人達が自由に出入りするので，機密情報が洩れる恐れもあることは確かであろう．このようなデメリットに関しては，事前にキチンと相互で契約を結んで確認しておけば，ほとんどを防ぐことができると考えられる．

1.3.2　大学のメリット・デメリット

産学連携により，「学」が受けるメリット・デメリットについて言及する．まず，メリットとして，実用的な研究課題に取り組めることである（表 1.4 参照）．例えば，大学の工学部の場合，現実の世界を知らなくては，話にならない．現実の世界を知らずして話をしようとしても，それは机上の学問であるとそしられても抗弁することができないであろう．実際には，産学連携と無関係の工学部の研究には極めて学術的ではあるが，非現実的な研究も多い．また，産学連携によって獲得した研究資金は，大学の実験設備の充実や，研究成果の発表などのための活動資金として，有効に役立てることができる．さらに，研究成果は，学生たちへの教育にも反映でき，種々の論文の公表は，

表 1.4　大学のメリット．

(1)「実用的な研究課題」に取り組める
(2) 財政基盤の強化による研究範囲拡大と深化
(3) 研究成果を教育に反映
(4) 研究し成果の公表→大学の「発信力」の増大，等
メリット>デメリット

表 1.5　大学のデメリット．

(1)「スパンの長い研究」に支障が発生？
(2) 研究資金獲得およびそのまとめに時間が食われ，核心の乏しい研究成果に偏る
(3) 実用的研究にシフトして，基礎的研究を阻害
(4)「企業の下請け的研究」に流れやすい，等

大学の社会への「発信力」の一つとして評価されるであろう．このように，産学連携を進めることで種々のメリットを得ることができ，今後とも産学連携の推進がますます盛んになることは間違いないと考えられる．

また，デメリットとしては，大学は民間企業ではできにくい将来役に立つかどうかわからないような「**スパンの長い研究**」についても手掛けることができるが，もし，産学連携研究のような実用的な研究を優先して進めると，息の長い研究に支障を来たす恐れが生ずることが挙げられる（表 1.5 参照）．また，研究費の獲得を優先するあまり，それらに時間を取られて，核心の乏しい研究をターゲットとして取り組むようになってしまい勝ちとなる．また，極端な場合，企業の下請け的研究に流れやすいので，「学」の研究者は，かかる点に留意して進める必要があろう．いずれにしても，これらのデメリットは，大学人としての研究者たちの自覚の問題で，当人がバランス感覚を保ちつつ，キチンとした研究に対する姿勢を構築しておれば，発生しにくいようなものばかりである．

1.3.3　企業の成長戦略と成果の分配

企業の目的は，自社で製造する商品をできるだけ高い付加価値を付けて販売し，自社利益の増大を図ることにある．しかし，このことは必ずしも容易なことではない．というのも，自社ブランドを付けてはいても，類似の商品がすでに販売されている場合が多く，他社商品との差別化を計らないと，値段による勝負という名の廉売合戦となってしまうからである．そこで，それを解決する方法の一つとして，自社商品に関する基礎的・論理的裏付けの確立である．このような課題に対して得意といえる「学」と連携することによって，より客観的なデータを確保することができる．また，基礎的・論理的データを確保することによって，商品の「汎用性」が広がり，そこをベースにして，より広範な商品分野の開発に結び付けることも可能となる．このように，新たな商品の成功体験により，さらに次なる成功体験を目指して，新商品の開発にも手掛けることができる（図 1.1 参照）．

それには，なんといっても企業で「技術力」を付けておかなくてはならないが，それを一朝一夕に達成することは困難である．**「優れた技術の確立」には，長期に渡る努力と創意工夫が必要**であるのは，言うまでもない．図 1.7 に，技術力確立へのステップを示す[7,8]．詳細は，文献を参照していただきたいが，**第Ⅰステップとは，技術力確立のための初歩**で，商品に対する工学的知識の習得から始まり，商品に対する問題点の軽減をねらっている．**第Ⅱステップは，技術力確立への実行**で，商品の「合理的設計」へのアプローチを目的としている．**第Ⅲステップは，高度な技術力の確立**で，差別化商品の提供，そして世界的ブランドの確立を志向している．そこには，オープン・イノベーションの活用も，考慮されている．さらに，図 1.8 に，企業の成長戦略を簡略的に示す．企業の成長戦略としては，技術力の向上を計り，それによって蓄積してきた研究開発能力を開花させる方法の一つとして，新商品

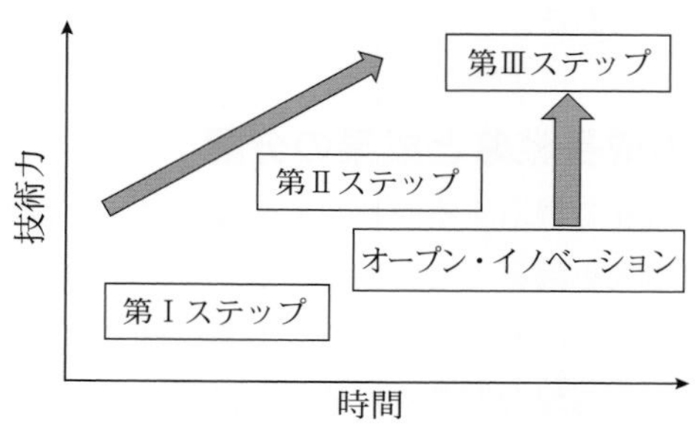

図 1.7　技術力確立へのステップ[7,8]．

の開発・販売にあると考えられる．それに，産学連携，あるいはオープン・イノベーションも活用しつつ，次々と新商品を市場に送り込み，売上高を伸ばすことが，最も重要であると判断できる．もちろん，企業の成長戦略は，必ずしも売上高のみで判断できるものでないことは充分に承知しているが，まずは売上高で評価するやり方が最も分かりやすいので，このような表現を採用している．

いずれにしても，産学連携によって得られた成果は，通常，両者間の契約書による取り決めに従って処理すれば，法律上の問題は発生しなくなることは言うまでもない．しかし，契約時における期待値と実際に実行した後の結果とは，かなりの差が発生することは往々にして起こり得る．そのようなときに**大事なことは，利益を「独り占め」しないこと**にある．「産」で得られた予想以上の利益の一部を「学」にも再分配することである．また，「学」で得られた研究成果を，「産」の関係者をも連名にして発表することである．このように，**産と学の関係者双方がお互いに譲り合う**ことによって，さらに一層「産学連携」の効果が発揮され得る結果を招くと考えられる．すなわち，学は，期待値以上の研究費が得られることで，今後の研究推進への起爆剤となり得るし，産は学による連名発表で，開発した商品の販売促進が加速される結果を招くと期待できる．**産と学の双方が，相乗的効果により，より「ウィン・ウィンの結果」**が得られる，これが産学連携の主旨であろう．

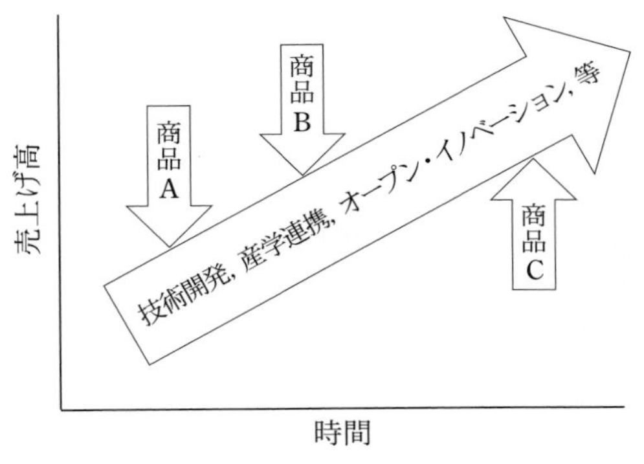

図 1.8　企業の成長戦略．

1.4　まとめ

以上述べてきたことなどを総括すると，以下のごとく提示できよう．

(1) 産学連携により，**「産」の開発する商品に対して，「学」の有する解析能力を駆使**して，基礎的・論理的裏付け等を行うことで，**商品の信頼性・汎用性の拡大**につなげることが可能となる．

(2) かかる産学連携は，わが国の経済力を維持するためには，欠かせない政策の一つとして生みだされてきた．というのも，産においては，研究開発抜きにしては，生き残れないとの自覚が広まっていること，**国の財政事情は，「少子高齢化」が原因で，毎年悪化の一途**をたどっており，大学への研究費の増額は考えられない時代となっていること，などから産と学との連携は，上記の問題解決の主要な方法と考えられる．

(3) 産学連携により，「産」が開発する**商品の信頼性・汎用性の拡大**，さらに**ブランド力の向上**につなげることができ，**学は不足する研究費の確保により，さらなる研究の促進に活用**し，成果の発表等の費用に充てることが可能となる．

(4) このように，**産学連携を契機に「産」は，技術力の向上を図ることによって，企業の成長戦略を推進**することができる．そして，継続的に新商品の開発・市場への投入等を通じて，わが国**産業の振興，経済の発展に寄与**することが可能となる．

参考文献

1) 西田新一：産業界を生き抜くための技術力，アグネ技術センター，(2018)，pp.2.
2) 西田新一：金属，**86**-8，(2016)，734.
3) 総務省統計局によるデータ，SNS，(2021) から引用.
4) 国立社会保障・人口問題研究所によるデータ，SNS，(2021) 同上.
5) kenkyu.chu.jp/qapay9.html から検索，SNS，(2021) 同上.
6) SNS，(2021) 同上.
7) 西田新一：金属，**86**-10，(2016)，937.
8) 前掲 1) の pp.56.

2
産学連携の具体的推進方法

第１章において，産学連携の意義と背景等について，詳述してきた．それらをベースにして勘案してみれば，産学連携に前向きになってきたと考えられる読者諸兄にとって，以下のような疑問点が浮かぶのではなかろうか．すなわち，それでは，産学連携を具体的にどのようにして進めたらよいのであろうか，と．そこで，本章では，産学連携の具体的推進方法について，言及してみることにする．

2.1 産学連携のタイプと進め方

2.1.1 会社側から大学へのアプローチ

ご承知のごとく，現在ほど「必要な情報」を簡単に入手できる時代は，かつてはなかったと言えよう．それゆえ，産学連携に前向きになった場合，例えば企業側から「ある課題」に対して，どの大学のどの先生[注1)]と接触すればよいのか．まず，「インターネット検索システム」を活用すれば，比較的簡単に情報を得ることができると考えられる．その際は，できるだけ身近に存在する大学の門をたたいて，最適の研究者を探すことからスタートすることをお勧めしたい．確かに，現在のように情報システムが発達しておれば，リモートによる連絡が簡単に取れるので，双方間の距離は何ら障害にはならないという意見の人もいるかもしれない．しかし，なんといっても微妙な点や詳細については，直接面談による意思の疎通にかなう方法は存在しないと考えられる．それゆえ，距離的に近い方が比較的簡単に相互訪問することができるし，それに伴う費用および時間等も節約できるので，意思疎通を十分に取ることができよう．とかく人は，近くのものを高く評価しない傾向が極めて強いが，このような考え方は改めるべきであろう．また，両者の志がほぼ同じ方向に向いているのであれば，やはり地元のもの同士で助け合いたいという意思が働きやすいのも道理であろう．それゆえ，まず近くの大学のホームページを開いてみて，検索してみよう．

そこで，ある課題に関して，それに関連する研究者を見つけることができた場合，当該の大学を訪問することとなるが，その場合直接当該の研究者を訪問するのがよいのか，あるいはどこの大学でも設置している「産学・地域連携推進機構（リージョナル・イノベーションセンター，Regional Innovation Center[注2)]）」を訪問してから，そこから紹介してもらって，「ある課題」に最適と考えられる研究者を訪問するのがよいのか，それはケース

注1）大学側の研究者には，教授，准教授，講師，助教に加えて，客員教授，特命研究員などの研究者がいるので，それらを総称して「研究者」と呼ぶこととした．

注2）大学によって，その名称が異なるかもしれないが，業務内容はほぼ同様と考えられる．

バイケースで選択すればよい．図 2.1 に，その流れを示している．また，「ある課題」の解決に関して，比較的急いでおり，かつ会社にとって研究費の支払いに少し余裕がある場合，「産学・地域連携推進機構」を経由せずに直接当該研究者の研究室を訪問すればよい．なお，表 2.1 に，大学に設置している産学連携のための組織と業務内容例を示している．この表からわかるように，大学では，従来の研究と教育に加えて，「社会貢献」を業務の主要な一つであると位置づけて，産学連携を積極的に推進する体制を取るようになっている．それゆえに，何か業務上の問題を抱えており，それを社内のみでは解決できにくいような場合，まず近くの大学の訪問をお勧めする．

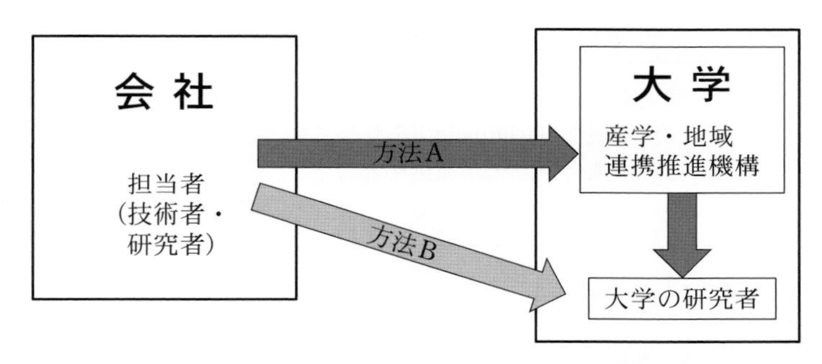

図 2.1　会社から大学の研究者への接触．

表 2.1　大学の産学連携のための組織と業務内容例．

「産学・地域連携推進機構」
リージョナル・イノベーションセンター（Regional Innovation Center）
スタッフ： コーディネーター（Coordinator）
　　　　URA 職員（University Research Administrator）
業務活動内容の概要：
①研究戦略推進：学内研究情報の把握・分析，企業情報の把握・分析，知財関連，ベンチャー創出支援，等
②産学連携推進：共同研究・受託研究，地域連携プロジェクト参画・支援，研究プロジェクト企画立案，等
③研究推進支援：科研費申請支援，競争的研究資金申請支援，等

一方，「ある課題」の解決に関して，じっくりと時間をかけて，充分な検討を行い，かつ説得力の豊富な結果を得たいような場合，さらに国や県などの公費による「研究助成金」を獲得してから，研究に取り掛かりたいような場合は，「産学・地域連携推進機構」を訪問して，適当なコーディネーター(Coordinator) または URA 職員 (University Research Administrator) [注3] の協力のもとに，一種の研究プロジェクトを結成して，種々の公的資金の申請を行い，研究に取り掛かることをお勧めする．ただ，公的資金を獲得するには，表 2.2 に示すような条件を満足していないと難しいと考えられるので，その方向に沿ったような商品開発を目指すことが望ましい．なお，図 2.2 に，各

表 2.2　産学連携推進のための条件.

満足すべき 3 つの条件；
(1) 新規性 (Originality) を有していること
(2) 将来の製品化が見込めること
(3) 製品の市場におけるニーズが見込めること

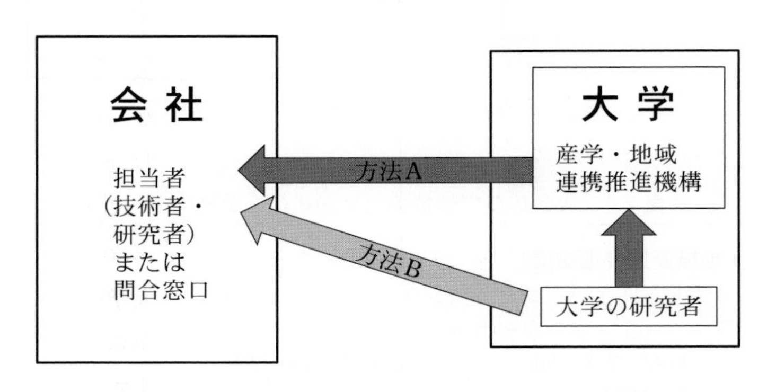

図 2.2　大学の研究者から会社への接触.

注 3) コーディネーター (Coordinator) または URA 職員 (University Research Administrator)：大学によっては，上記の両方または URA 職員のみの場合もあるが，業務内容に関しては，表 2.1 に示すとおりである.

注 4) 佐賀大学に設置されている「産学・地域連携推進機構」のホームページに記されている内容を参考にして，記載している.

大学に設置されている「産学・地域連携推進機構」のスタッフおよびその業務内容を紹介する[注4]．これらは，上記にも触れてきた各大学のホームページを開いてみれば，記載されているので誰でも簡単に見ることができる．

繰り返すことになるかもしれないが，門外漢が想定するほどは，大学の敷居はけっして高くはない．それゆえ，何か「課題」に悩んでいる会社の人がいれば，思い切って門をくぐってみよう．「門扉を叩けよ，さらば開かれん」「案ずるよりも，産むが易し」かかる諺は，現在においても立派に通用すると考えられる．

2.1.2　大学側から会社へのアプローチ

一方，大学側から，これまで行ってきた研究成果をぜひ具体化して，それをできれば製品として世の中に販売していきたいというようなことも起こり得ると考えられる．そのような場合は，どのように進めたらよいのであろうか．

基本的には，図 2.1 に示す矢印に対して，逆向きにすればよいと考えられる．図 2.2 に，大学の研究者から会社への接触ルートを示す．言うまでもなく，現在は「情報検索システム」が完備しているので，当該「研究成果」に関して，それを具現化する場合，どこの会社がふさわしいか，ということに関しては，ある程度「当たり」を付けて絞り込むことはそれほど難しくはない．しかし，問題は，そのようにして見つけ出した会社が，はたして期待通りにそれを商品化に賛同してくれるかどうかは，交渉してみないとわからない．もし，その会社内に知人・友人がいる場合，あるいは大学の卒業生が就職しているような場合，まずはその人達に内容を説明してから，会社のトップに打診を依頼するか，あるいは訪問して内容を詳しく説明する方法が最も妥当なやり方であると考えられる．しかし，上記のごとく，その会社に友人・知人もいない，また卒業生もいない場合は，どうしたら良いであろうか．

その会社のホームページを開けてみよう．会社のホームページには，ほとんどの場合，「問合せ」の項目が記載されている．そこに「用件」を書き込めば，当該の会社から正式に E-mail または必要であれば手紙で返事がもらえるようになっている．万が一，その用件と会社での業務内容とがマッチングしない場合であっても，その旨必ず回答があると期待できる．したがって，このシステムを利用すれば，簡単に，当該の会社と接触することができる．また，当該会社と，具体的な接触を計る前に，ある程度その会社の雰囲気のようなものを肌身で感じ取ってみたいと願った場合，それを実現するにはどうしたら良いのであろうか．その一つの方法は，大学には学生がたくさんいる．彼らのうち見学を希望する学生を募って，その会社の見学を申し込むことである．会社にとって，学生達のような若い人達の見学は，会社のPRにもなるので，普通大いに歓迎してくれる．それを先生が引率するという形で訪問すれば，その会社の雰囲気を感じ取ることができる．当然，訪問中は，会社側からしかるべき人が工場案内に立ってくれるので，自然と何人かの従業員達と顔見知りになれる．訪問後，学生達にも会社の印象についての感想を聞けば，より一層その会社の雰囲気を理解することができよう．そこで，納得できれば，その会社とコンタクトを取って，改めて，研究成果の具体的な商品化について提言すれば，より一層現実味を伴ってくることは間違いないであろう．言うまでもなく，研究成果が会社で採用されて，商品化されるには，少なくとも，上記表2.2の条件を満足していなければならないと考えられる．すなわち，研究成果にはオリジナリティ(Originality)があること，具体的な商品化できる可能性があること，および市場のニーズが見込めること，が必要であると考えられる．

なお，これは米国の教授から直接聞いた話であるが，欧米では「委託研究(Contract Research)」のために，少なくとも毎年全体の1/3程度のエネルギーを費やしていることを，業務の一環のごとく考えている，とのことである．すなわち，外部資金を獲得するために，全エネルギーの1/3もの時間と労力を割いているとのことで，わが国の大学の研究者達は，果たしてそれほどのエネルギーを割いているのであろうか，大いに疑問に思われる．彼らが，まず行動を起こそうとはせずに，いたずらに研究費の少なさに嘆いているばかりでは，「未来」が拓けないのではなかろうか．

2.2　産学連携とオープン・イノベーション

オープン・イノベーション（Open Innovation）とは，「革新的な技術を公募する」．すなわち必要な技術をオープンすることによって，広く募るという意味である[1]．それと産学連携とは，どういう関係なのであろうか．そもそも産学連携は，「産」と「学」とが連携して，これまでにない新しいものを生み出そうとするやり方である．したがって，多くの「課題」に関しては，双方の提携によって，解決することができるかもしれない．しかし，産学連携を進めていくうちに，二者だけでは解決することができないような課題であることが分かった場合，当初加わっていなかった者（第三者または第三の技術）を加えて解決していくことが，最も賢明な方法ではなかろうか．オープン・イノベーションとは，かかる方法であって，やり方そのものは別にそれほど新規であるとは言えないかもしれない．すなわち，最初に掲げた「課題」について，如何に効率よく，よりレベルの高い結果を達成することができるかにかかっていると考えられる．したがって，初期の目的を達成さえできれば，その構成ややり方などについては，問題とはならないと判断できよう．

図 2.3 に，産学連携とオープン・イノベーションの概念図を示す．また，表 2.3 および表 2.4 に，オープン・イノベーションの勧めおよびオープン・イノベーションによるメリットの概要を示す．ところで，産学連携とオープ

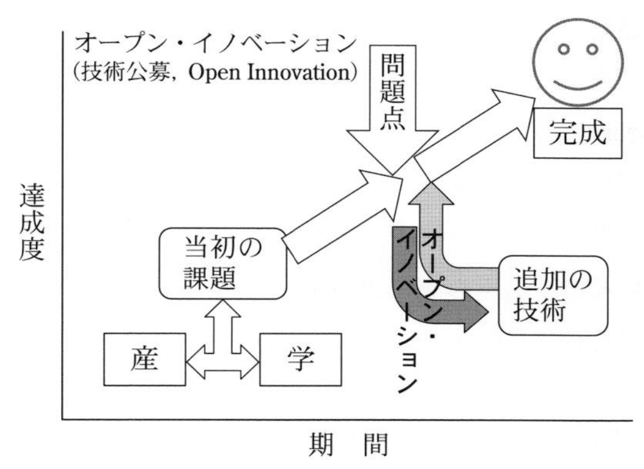

図 2.3　産学連携とオープン・イノベーション．

表 2.3　オープン・イノベーションの勧め[1].

Open Innovation（技術公募）
オープン・イノベーションを技術公募と訳したが，これは必要な技術を公募によって調達（導入）し，新製品を開発しようとする試み方である．この方法により，自社資源の活用を計れることができ，外部との連係を強化する等，のねらいがある． →①開発期間の短縮， ②開発費用の低減（技術料を支払っても）， ③ニーズの先取に伴う市場占有率の拡大が計れる，等.

表 2.4　オープン・イノベーションによるメリット[1].

(1)　開発期間の短縮
(2)　自社技術の活用
(3)　開発費用の低減
(4)　商品の市場への投入時期
(5)　他社との協力関係構築

ン・イノベーションの関係について，そのやり方として，多少は珍しいといえる方法との印象を持つ人がいるかもしれない．しかし，その中身を聞いてみたら，別にそれほど新規なやり方とは言えないので，ここで改めて取り上げるほどではないのではないか，と思う人もいるであろう．一般的に，当初「課題」を掲げてスタートした場合，何が何でも当初の計画通りに進めて，そしてしかるべき結果を上げなければならない，と考えている人達にとって，途中から，課題の達成ができにくいと判明した段階で，その課題への挑戦を諦めてしまうであろうか．「産学連携」は，一種の「研究プロジェクト」である．言うまでもなく，「研究」とは最初から，よく調べて，考えて真理を追求することである．そのために，ある程度時間とお金，および要員を投入すれば達成できるような仕事（このような場合をやっつけ仕事と呼ばれている）ではない．「産学連携」の遂行は，一種のプロジェクト研究である．それゆえ，いわゆる「やっつけ仕事」とは異なるので，プロジェクト研究を推進中に思わぬ障害物に出くわすことはあり得るであろう．一般的に，研究者は，新しいことに対する好奇心と未知なるものへの挑戦の気持ちが旺盛な性格の人達ばかりである．それゆえに，考え方も柔軟性が豊かであり，当初の固定観念に捕らわれることなく，「研究体制」を維持することが大事か，「課題の解決」が大事か，と問われた場合，それは議論の余地がないと考えられる．

2.3　産学連携の具現化

すでに述べてきたように，図 2.1 または図 2.2 の方法によって，産の考え出した技術を学の解析力が加わって，新しい商品の開発が可能となりそうな場合，それにはいくつかのルートがあったとしても，わが国産業の進展のためには，ぜひ進めなければならない．言うまでもなく，ある程度の成果を上げようとした場合，自分一人で成し遂げる成果には限界がある．換言すれば，個人ではほとんど何もできないといっても過言ではない．他の人の力を借りてこそ，偉大なる成果を成し遂げることができる．他の人の力を借りることに躊躇していては，何も実現できない．産学連携は，そのための一つの仕組みである．「産」から，「学」へのアプローチ，あるいは「学」から「産」への働きかけによって，それまで暖められてきた「技術」，あるいは「構想」が具現化されて，新しい価値を生み出し，ひいては社会に貢献することにつながる．

それゆえ，産学連携の具現化は，「産」または「学」のどちらかが，それに向けて一歩踏み出すことからスタートする．上記表 2.2 に示す 3 つの条件を備えているのであれば，課題にいくつかの問題点を抱えていても，具体的な実現に向けて乗り出してみよう．問題点を解決するのが，産学連携の一つの狙いである．また，どのような課題であっても，何らかの問題点を抱えているのが普通であって，問題点を抱えていないような課題というようなものは存在しないといっても過言ではない．「産」とくにその企業規模がそれほど大きくない場合，「学」へのアプローチを行うには俗にいう敷居[注5)]が高いという印象が強いかもしれない．しかし，2.1 節でも述べてきたが，大学の業務として，研究と教育のみならず，「社会貢献」が重要な使命として加わってきており，そのための組織も少しずつ充実させるようになってきてい

注 5)「敷居」とは，昔の家の玄関に相当する入り口のドアを開閉する場合に使われていた木製のレールで，通常，溝が掘ってあり，その溝に沿って，ドアを左右にスライドさせる仕組みとなっている．したがって，その家に入る場合，敷居を跨がなければならないが，敷居が高いとは家に入る場合に，足を高く上げるようにしてまたがなければならないという意味である．

る．したがって，会社が抱えている技術的な問題点解決のためには，積極的に相談に乗ってくれるべき体制もとるようになっている．繰り返すことになるが，「門扉を叩けよ，さらば開かれん」「案ずるよりも，産むが易し」．大学の門は意外と低く設定されていることに気が付くであろう．また逆の場合，「学」の方からも何かのとっかかりを機会ととらえて，気軽に「産」を訪問してみよう．そうした場合，「産」の人達も，大学から声をかけられることを待ち望んでいるようなところもある．そして，かねてから抱えていた問題について，この際洗いざらい相談してみようということにつながるかもしれない．このようにして，いざ取り掛かってみたら，意外とスムーズに「産学連携」に漕ぎつけることができた，ということになるであろう．

2.4 産学連携の評価と締めくくり

さて，ある課題が設定されて，それについて産と学との連携によって，要員，お金および時間の投入が行われて，初期の「目的が達成」できたとする．当然，その成果に関して，評価を行わなくてはならない．その評価に関して，産学連携に参画した関係者だけで評価をする場合，なるほど関係者が一番その中身を熟知しているので，ふさわしいかもしれないが，その一方で「身内の身びいき」の可能性も起こり得る．そこで，できれば産学連携に参画した関係者は除いて，比較的産学連携の中身を知っている人および産学連携プロジェクトに全く関係のない人達を加えて，第三者的な評価を下しておくことが重要と考えられる．このような第三者的な評価がなぜ重要か，というのはここにおけるキチンとした反省点を得ておくことで，改善が行われ，その結果をその次における産学連携に活用することで，より効率的に運営することができるからである．人間が関与することにおいて，最初から完璧であることはあり得ない．したがって，「実行」→「評価」→「反省」→「改善」→「進展」→「実行」の繰り返しによってますます効率化が行われていくのではあるまいか．図 2.4 に，産学連携の評価と改善を示す．このような工程は，今後の発展のためにはぜひ必要な工程の一つであると考えている．

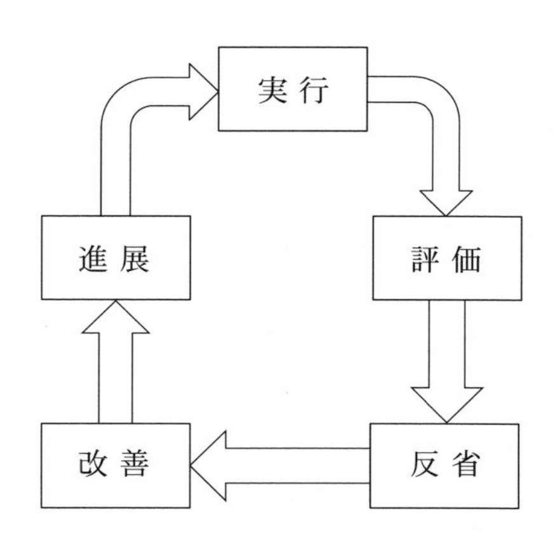

図 2.4　産学連携の評価と改善.

また，かかる第三者的評価の結果を，同時期に推進される「産学連携」に活用されることが望ましい．「机上」検討だけでは，何も目に見えてこないことであっても，実際にやってみた場合，当初予想もしなかったような思わぬ問題が発生してくる場合もある．かかる問題に対して，どのように対処してきたかは，今後類似の課題に取り組む人たちにとっては，貴重な経験談となるのではなかろうか．

産学連携による共同研究の課題を終了した段階で，できるだけ記憶の新しいうちに，結果をまとめておくことが望ましい．多くの関係者たちは，一つの研究プロジェクトが終了する前から，次の課題に向けて，その気持ちが移っているかも知れないが，少なくとも以下のような項目については，ぜひまとめておくことをお勧めする．「記憶」は，時間とともにその内容が薄れてはいくが，「記録」は，時間の経過の影響を受けにくいし，第三者にとっても貴重な参考文献となり得る．したがって，「結果の記録」の有無が，後に続く人達にとってどれだけ有用なことか，それは歴史が知っている（表 2.5 参照）．

(1) 産学連携の成果報告書：この種の成果報告書は，その作成が義務でない場合もあるかもしれないが，ぜひとも記憶に新しいところを記録しておくべきである．とくに，成果ばかりを強調するのではなくて，失敗した項目についても記録しておけば，今後のためにも活用できるのではなかろうか．

(2) 知的所有権の確保：とくに特許申請は，産学連携の進行途中であっても，できるだけ早い時期に行っておかなければならない．また，特許に関して，必ずしも 1 件申請を済ませただけで満足するのではなくて，追加申

表 2.5　産学連携の締めくくり．

(1) 成果報告書の作成
(2) 知的所有権の確保
(3) 学会等への発表と公表
(4) 残された課題と今後の予定の明確化

請も含めて，常に知的所有権に留意しておく必要がある．それは，開発した商品の販売に関して，有力な武器の一つとなるであろう．

(3) 学会等への発表と公表：上記 (1) および (2) が整ったところで，学会等への発表も行っておきたい．学会発表を行った論文は，開発した商品のその後の PR 活動の際には，説得力のある説明文章の一つとして，活用することができる．また，広く学会発表することによって，商品への引き合いにつながることも期待できよう．さらに，マスメディアに取り上げられることによって，商品への宣伝効果は，倍増することが期待できよう．

(4) 残された課題と今後の予定：当初から産学連携の期間は，限定されており，その期間中にすべての問題をクリアすることは困難な場合が多い．そこで，上記 (1) の成果報告書にはぜひとも残された課題と今後の予定を明文化して残しておきたいものである．取り組んできた課題に対して，一応は期間内に解決できたとしても，その過程中に「派生したアイデア」等，有用なものも多く案出されることがある．そこから，さらにまた発展が期待される商品等も生ずるので，重要な項目と考えられる．

2.5　まとめ

以上述べてきたことなどをまとめると以下のごとく総括できよう．

(1) 産学連携推進のための条件がある．それは，新規性，製品化が見込めること，および製品の市場におけるニーズが見込めることである．

(2) 上記 (1) を満足している場合，会社から大学の研究者への接触は，まず近くの大学の「産学・地域連携推進機構」に相談して，最もふさわしい研究者を紹介してもらって，産学連携を実現する方法がある．

(3) 大学から会社への接触は，当たりを付けた会社の知人，もしくは問合窓口等を通じて，最適部門の技術者・研究者へとつながる方法がある．

(4) 産学連携を進めている途中において，オープン・イノベーションが必要な場合，いくつかのメリットがあるので，できるだけ積極的に取り組んでいくことをお勧めする．

(5) 産学連携の締めくくりとして，成果報告書の作成や知的所有権の確保など，「立つ鳥跡を濁さず」の例えのように，キチンと始末をつけておきたいものである．

参考文献

西田新一：産業界を生き抜くための技術力，アグネ技術センター，(2018)，pp.58.

3
産学連携を失敗しないために

産学連携で成功するためには，企業と大学で「win-win」の関係をつくることである．

事業化に大学が果たす役割は，研究費を貰える期間のみではなく，その後も企業に協力し，事業化が可能となるように支援の継続が望ましい．継続した支援をしてこそ信頼関係ができるし，新たな研究資金の獲得にも通じる可能性がある．

この3章では産学連携を失敗しないためにを「テーマ」にして，最初に失敗した事例を述べ，成功するために必要な条件等をいろいろな角度から検討している．最後に著者の一人が所属した小規模大学である九州工業大学の産学連携の初期の実績を全国の大学と比較しながら紹介する．

3.1　ベンチャービジネス失敗の実例

株式上場が極めて難しかった1990年代，山本隆洋氏はベンチャー企業「電子技研㈱」を立ち上げて，株式上場に果敢に挑戦した．電子技研は福岡県の「フクオカン・ベンチャー育成支援事業」第1号に選ばれるなど順調に発展し，従業員は約100名，株式公開の直前まできていた．しかし，最後は倒産せざるを得なかった．その経緯について，山本隆洋氏に九州工業大学の「企業家育成塾」で，講演をしてもらった．産学連携を通じてベンチャービジネス（VB）を目指す方々にとって非常に有効と考えられるのでここに紹介する．

3.1.1　創業時の開発商品「カラス撃退器の開発」

電子技研の創業時の開発資金は自前であり，極めて少額である．山本隆洋氏は，失敗を避けたいとの思いから，開発分野のテーマは，コスト競争を避け，事業化が早期に期待できる「人命」や「安全」あるいは「環境分野」から選びたい．さらに個人相手ではクレームがつきやすく，すぐ飽きられ駄目になる可能性があることから，「大手企業」が求めるものを対象にしたいと考えていた．そのような折，電力会社がカラスの被害に困っているとの情報を得たので「カラス撃退器」を開発することにした．

山本隆洋氏は，カラスを3羽飼い，掘立小屋でカラスのみと半年間生活しカラスの生態を観察した．カラスは，苛めたり叩いたりしても鳴かないが，精神的恐怖感を与えると鳴き声が変わることを山本隆洋氏は発見し，これだと直感がひらめいた．こうして「カラス撃退器」は2年後に製品化できた．国内の電力会社に情報を送ると，すぐに東京電力ホールディング㈱（以下，東京電力と称する）から「本当にカラスが逃げますか」と連絡がきた．山本隆洋氏は「99％逃げます」と回答すると，「実験したい」といってこられた．この時点で（山本隆洋氏は資金が底を尽きかけており，実験するだけでは，東京まで行けないとの思いから）本当にカラスが逃げたら買っていただけますか，と必死に頼み込んだ．

図 3.1　カラスの大群．危険を感じて大空に逃げたカラス．
カラスは，苛めたり叩いたりしても鳴かないが，精神的恐怖感を与えると鳴き声が変わる．この変化の声はカラスが仲間に危険や助けを呼ぶ鳴き声といえる．

東京の郊外の電柱に止まっているカラスで実験したところ，全部逃げてくれた．東京電力関係者のほうが感激して，50 万円で 5 台すぐに買ってくれた．涙が出るほど嬉しかった．その後，東京電力に売れたことで，全国の電力会社に 1,000 台ほど販売できた．原価 10 万円，販売価格 50 万円（40 万円が付加価値：カラスが仲間に危険や助けを呼ぶ鳴き声）である．

図 3.1 に危険を感じてカラスの大群が大空に逃げた写真を示す．

3.1.2　複数商品の開発

起業するためには一つの商品のみではあぶない，すぐに行き詰まり発展しない可能性がある．複数商品の開発が必要である．山本隆洋氏は，なにを開発すれば良いか，ニーズを捜していたところ，東京電力より観察用の「画像処理センサー」開発の提案があった．全く構想がなかったが「やります」と手を上げたところ，東京電力は事前に開発資金を用意してくれた．山本隆洋氏は，事前に開発資金を貰えたことで東京電力に深い感謝の気持ちを持つとともに必ずなし遂げるとの信念をもって取り組み，「画像処理センサー」の開発に成功した．原価 60 万円で販売価格 250 万円である．電力会社，警察庁や警備会社に売れた．警視庁に採用された画像処理センサーは，クリントン米国大統領が訪日したおり警備に用いられた．禁止区域に侵入した不審人物を感知するセンサーとして活躍をしたことで広く知られるようになった．官庁，電力会社は，特許があるため，こちらがつける値段で買ってくれた．

山本隆洋氏は，開発した画像処理センサーの評価を知りたく福岡県や国に応募し，福岡県からは最優秀発明賞を受賞できた．これを機に，これまで抱いていた上場を目指すことになる．画像処理センサーの高度化・高機能化を図るとともに新たな製品を開発するため電子技研は，研究体制の強化と販売体制を整えた．従業員は100名ほどになった．

さらに，経済産業省のVEC（ベンチャーエンタープライズセンター）にこれからの事業計画を提出した．経産省のVECは，半年間かけて事業内容，マーケティング調査をして採択を決めてくれる．経産省から採択されなかった場合は，事業化できる玉ではなかったと判断し，さっとあきらめ次の事業を探すつもりでいたが，幸い採択された．経産省より，5,000万円の支援（債務保証）があり，これにより銀行が担保なし融資をしてくれた．採択されると，成功確率が高いということで，銀行も独自に融資（特許を担保に，銀行から8,000万円）してくれた．さらに福岡県の「フクオカン・ベンチャー育成支援事業」第1号に選ばれ財政的に支援してくれた．

3.1.3　忍び寄る倒産の危機

このようにして山本隆洋氏は電子技研を立ち上げて，研究・販売体制の強化を図ったが，画像処理センサーは，100名体制を維持できるほど売れず，第3の製品開発もうまくいかず次第に経営が行き詰まっていった．行き詰まっていった大きな原因の一つは，まず，マスコミに取り上げられたことで，経営者と社員が舞い上がり浮き足たったことである．まさにマスコミにあおられた感じで経営者も社員も冷静さをなくした状態が続いた．次に，経営者の山本隆洋氏は，外部との接触・交渉が増えるとともに経営者の多忙による事業内容の見損ない，見落としなどタガのゆるみが起こっていた．さらに悪いことに，社長の代理ができるNo.2の不在と，初期に一緒に苦労した社員と大量採用した社員間の意志の疎通が悪くなった．また，後者の大企業病があり会社全体に一体感がなくなるいわゆる「ベンチャービジネスを支える経営マネジメントの人材不足」が顕著になった.

過剰投資と販売不振さらに資金繰りの悪化が重なり，銀行交渉の難題と貸し手の追加融資の拒否が起こった．公的資金の貸し出し拒否，銀行の貸し渋りと貸し剥がしも起こり，倒産が起こるべくして起きてベンチャー企業の株式上場の夢が崩れ落ちた.

3.1.4　倒産から学ぶ教訓

これから見習うことは，まず，ベンチャービジネスとして開発対象を決める場合の決め方である．事業化が早期に期待できる「人命」,「健康」,「安全」あるいは「環境分野」から選んでいる．専門家もこれにIT（情報技術）分野を含めた案を紹介している．さらに，複数商品の開発への決断に，ビジネスに賭ける勝機とセンスの良さがある．第1号製品の「カラス撃退器」，第2号の「画像処理センサー」はベンチャービジネスとして，前者はローテクでアイデア商品であり後者はハイテク商品である．ローテクこそリスクが少なく成功確率が高い，確実なニーズがある．第2号は認証技術を取り入れたハイテクで，企業の要請に基づいて開発しており確実にニーズが存在する.

しかし，ベンチャービジネスとして順調に成長していたが，最後に組織のタガの緩みと資金繰りの悪化が重なったうえに，リーダーシップの欠如が起こって倒産を加速している．技術開発には，リーダーの存在は極めて重要である．リーダーが開発すべき技術の中核，あるいは開発の方向性を示すことができないプロジェクトでは烏合の衆となりやすい．組織がバラバラでは間違いなく，失敗へ繋がって行く．下(現場)から発案したプロジェクトであれば，提案者を含め一生懸命頑張り活路が見えてくる場合が多いが，上からの命令あるいは指示であれば，仕方がないと受け止め，現場は体裁を整えて格好だけになり，うまくいかなくなる可能性がある.

ここでやる気の法則を表3.1に紹介したい.

やりたくない人に無理やりにやらせても，良い結果がでるとは限らない，仕事をしている振りをしている可能性がある．成功するためにはまず手を挙げる人にやらせることである.

表 3.1　やる気の法則.

1 と 1.6 と $(1.6)^2$ の法則
人の気持ちの持ち方とアウトプットの関係 人が嫌々やるときのアウトプットは最大「1」，納得してやると「1.6」，さらに興味を持って創意工夫をすると「$(1.6)^2$」つまり 2.56 のアウトプットが出る.

表 3.2　事業化に成功する会社.

①リーダーシップがある ②チームワークが良い ③フェイス・トゥ・フェイスのコミュニケーションができている ④士気が高い リーダーシップとは「情報の優位性」と「率先垂範」である．情報の優位性とは，メンバー全員に影響を与える情報を持つこと.

経済産業省　新原浩朗氏「日本の優秀企業研究」より

次に事業化に成功している会社について，経済産業省の新原浩朗氏は著書の『日本の優秀企業研究』なかで，事業化に成功する会社を次のように述べている (表 3.2 参照).

リーダーシップとは「組織のメンバーが強制されてではなく，自主的にリーダーの指示に従うこと」とのカリフォルニア大学のベンジャミン・ハーマリン (Benjamin Hermalin) 氏の説を紹介している.

電子技研は，まさにリーダーシップをなくし，チームワークが悪い，士気が低い状態に陥り，これに経営危機が重なって，これまでの努力を無にするような失敗となっている．非常に参考になる事例と言える.

ここで事業化におけるリーダーシップを考えたい.

ソニー時代に世界初のデジタルテレビの開発を手掛け，これまでに全ての開発に成功してきた九州工業大学 HIT (ヒット) センター山田久文教授は，リーダー論で表 3.3 のように語っている.

筆者が大学に転職する前に所属した福岡県工業技術センターでは，革新県政が長かったため，組合運動家の研究職員がセンター長になった．まともな研究もなく，論文も書いたことがないレベルのセンター長である．プロジェ

表 3.3　山田久文教授のリーダー論.

①ユーザーの目線で着眼点を持ち，どういう方向にもっていけばうまく行くかを部下に指導した.
②部下は自分よりも優れていると認識し，あとは任せた.
③同僚・部下とコミュニケーションを常に図り，常にチームワークで創意工夫した.
④出来るわけないと先輩に言われても粘り強く試みて成功に導いた.

クトを号令するもいつも失敗した．企業であれば，責任を追及されるところであるが，公務員はそれがない．ありがたいところでもある.

電子技研の倒産から学ぶ第二の教訓は,ベンチャー企業を立ち上げる時は,まず倒産することを，先に考えておくことが必要である．と，山本隆洋氏は強調している．さらに氏は，倒産は当たり前，家族，親戚，友人等親しい方々に迷惑をかけないように，絶対に保証人に立ててはいけない，特許のみを担保にすべきであると，断言している.

子供のために親が保証人となれば，倒産すれば親子諸共丸裸になり，帰る場所・寝る場所もないことになる．その後の生活をどうするのか怖い話である.

保証人を奥さんにして倒産した悲劇（実例を紹介）

九州工業大学情報工学部のある教授は，ベンチャー企業を起こし株式上場を目指した．銀行から資金の提供があり，その際保証人を奥さんにした．仕事が順調にすすんでいる間は良かったが，うまくいかなくなったときに返済の期間が迫ってきた，資金繰りの悪化，追加投資での銀行との交渉そして追加融資の拒否がおきた．先生は大学をやめるのではとの噂がながれたことで筆者は心配もあり，先生に会いに行きそして尋ねた．「なぜ奥さんを保証人にしたのか」，先生はしたくなかったが，銀行が「奥さんを保証人にできないくらいつまらない事業なのか，それなら投資できない」と脅されたので仕方なく保証人になってもらった．その後，大学を去り，奥さんとは離婚されたのか，詳細はわからない．学者の道を閉ざされた無念はいかばかりか．いまだに，心が痛むできごとである.

3.2 特許の重要性と再起するための戦略

特許は担保になる．さらに特許があると，随意契約ができ，こちらの希望の値段で売れる．これは当然であるが，ここで重要なのは倒産した時である．特許が担保であれば当然，倒産すれば同じ事業はできなくなる．これを防ぐために，特許出願は社長といえども，権利人は再起できるように会社と社長個人名の両方でしておくことを，山本隆洋氏は勧めている．銀行に担保としてとられても個人名をいれることで再起できる．銀行は，特許をもっていても専門家がいないため事業化をしきれない，宝の持ち腐れである．

さらに，山本隆洋氏は，融資を受けて倒産した場合は，保証協会には融資してもらった金額は必ず返しておいた方が良いと語っている．融資を返さないで踏み倒すと，二度と貸してもらえない，再起するためにも公的融資（借金）は返済しておくことが必要である．

銀行は，特許の価値を正確には評価できない．順調にいかなくなると資金回収に動き結果としてベンチャービジネスを潰すことになりかねない．銀行が，ベンチャービジネスに投資する場合は長期的スパンを考えるべきである．さもないと，ベンチャービジネスを倒産させるのが銀行になると，山本隆洋氏は厳しい評価をしていた．

3.3 産学連携のためのニーズ

3.3.1 産と学との認識の違い

産学連携で重要なニーズは連携の必要性である．企業側は大学の知を使うことができるので事業化競争力の向上，期間の短縮とリスクの軽減が期待できる．大学側は，研究資金と実践的教育が得られる．

人材もいない，資金もないなかで，中小企業が大競争に生き残るために大学の知を技術の源泉として活用することは，企業にない基礎研究能力の利用と人件費が不要で優れた設備の使用が可能であることである．さらに，企業にとって，産学連携で公的資金をとり，研究のスピード化，リスクの回避ができることが最も重要なニーズである．一方 大学側は，産業界と相互関係を持つことにより，興味深い研究課題や研究資金獲得に繋がる．産業技術の最先端の分野でトレーニングを受けた実践的で基礎学力がある質の高い大学院生の供給が可能となる．

平成 20 年度の経済産業省の中小企業白書では，挑戦する研究開発型中小企業（全体の 20%）は，大企業の平均賃金を上回っている．と報告している．ここに産学連携の必要性と可能性が認められる．一方，九州経済産業局は産学連携が機能しているか，九州の大企業等 500 社と 15 大学を調査した．こ

表 3.4 九州経済産業局の産学連携に関する調査見解.

産の大学に対する認識 ①研究スピード感がない（遅い），コスト意識がない. ②事業化に対する意識・責任感が乏しい. ③リーダーシップを発揮して事業全体を進めてほしい. 学の企業に対する認識 ①大学は教育機関であり組織に対する理解が足りない. ②短期間に成果を求められすぎであり，事業管理はプロジェクト管理能力がある企業がすべきである．お互いに信用欠如が認められる．このようなケースで，うまくいくのが不思議である.

れによれば大学と企業に相互に認識の違いがあり，そのことが大きな要因となって，まだうまく行っていないのではないかと結論づけている．

表 3.4 に九州経済産業局の産学連携に関する調査見解を示す．

筆者は，産学連携の魅力はこれまで言及してきたことも含めて，もっと別のところにもあると思っている．それは，大学の研究室が持つ魅力（人材，情報量，ネットワーク）である．

3.3.2　大学研究室の実力と見えない魅力

大学研究室は一般に教授，准教授（または助教）と学部の 4 年生，大学院博士課程前期（修士）後期課程（博士）などから構成される．さらに，他の大学に転出した OB それに企業に就職している卒業生が常に多数が出入りする知の集団である．世界の学問の流れや技術の動向がわかるところでもある．企業は長期に大学と繋がることで，高度な技術と情報を習得することも可能である．筆者は，産学連携の具体的事例 6.2 で示すように，インテリジェント 3 次元研磨ロボットの開発において人を育てるために，佐賀大学の博士課程に研究者をおくりこみ，大学で鍛えてもらった．学位を取れた段階で国の事業に応募し，開発に成功した．研究者は，大学に在籍することで多くの専門家と交流することができ，個人レベルで習得できる以上の知識と技術，さらにはネットワークを得ることができた．このことが自信となり，社会に雄飛することになる．同じように，中小企業の技術者が，大学で自社の技術開発に必要な高度な知識と学位を修得し，人材のネットワークをつくることができれば，技術者にとっても企業にとっても，有形・無形の大きな財産となり，企業の商品化と発展においても強力な武器となると言える．産学連携は，目の前の小さな成果より，もっと長期視点にたって連携することで，企業の高度化，技術革新が可能であり，中堅企業へ成長できると考える．

3.4　企業が選ぶ学者（先生）

学者は，一般に極めて高い学歴を有している．優れた業績を出せるゆえんである．しかし，自己研鑽を怠ると，教育はできても先端的研究は不可能になる世界でもある．少し話はそれるが，筆者が勤務した九工大の学長が退職される際の講演会の質疑応答で，学長が頭に描いている理想の大学にするにはどうすれば良いか，との問いが発せられた．学長からは教師を半分程度入れ替えたいと発言があり，会場にどよめきが起こった．身分保障されると，大学でも努力をしなくなる学者がいるのも間違いない事実である（50％であれば，大学として十分機能しており健全な大学なのではとの意見もある）．大学と連携して事業化する場合は，学者を選ぶのは間違いなく重要である．

産学連携で選ぶ学者は，まず地元の大学から選べれば一番良いが，適任者がそう簡単に見つかるものではない．日本では学者の利用は，特許ではなく専門知識や分析力，技術的指導をお願いするケースが多い．㈱香蘭社の栗田純彦氏は，その意味で，学者（先生）の選定が極めて重要であり，全国規模で最適の学者を探すことを勧めている．論文から探すのがベストであるが，インターネット，研究所便覧，大学が公表する研究テーマあるいは工業試験場や大学関係者に相談して探すことも可能である．コンタクトをした時，多忙な学者（今週または来週はこの日しかあいていない，この日であればお相手できるが宜しいか）を選ぶことを勧めている．なぜなら，忙しい学者は企業との付き合いも多く視野が広く良いアイデアを豊富に持っているケースが多い．相談はいつきても良いと言われる学者は，フランクであるようであるが内容が伴わないケースが多い．このような知識人は選ばないことを，栗田純彦氏は経験から示唆してくれた．

日本科学技術振興機構（JST）の目利き人材研修（表 3.5）では，産学連携で大学の知を事業化する場合においては Inventor Profile（発明者の人柄）が最も重要であると説明している．「発明者は事業化に積極的に参加できるか，報酬に対する期待が現実的か，学会，産業界から高い評価と尊敬は受けているかチェックしておく必要がある．」としている．

表 3.5　技術移転に成功するための 4 つの重要因子.

① Inventor Profile（発明者の人柄）
② Technical Merit（技術的強さ）
③ Protectability（知財保護）
④ Commercialization Potential（商業化の可能性）

JST 目利き人材研修より（米国の場合）

① Inventor Profile（発明者の人柄）はさらに次の 3 つのチェックを薦めている.

- 技術移転プロセスに積極的に参加してくれるか.
- 技術移転プロセスからの報酬に対する期待は適切か：過大な報酬要求をされる方は避ける方が良い.
- 学会，産業界での高い評価と尊敬は得ているか:評価は高いほどよいが,人柄との関係もある.

② Technical Merit（技術的強さ）

- 発明に対する適切な記述がなされているか
- 新規性，有用性，独創性の証明はされているか
- イノベーションの特長は限界を突破しているか
- 産業界の資金による研究支援の可能性は高いか
- マイルストーン到達が短期間に可能か

③ Protectability（保護可能性）

- 特許性は（新規性，進歩性，類似特許との比較）
- リバースエンジニアリングの困難性は破られにくいか
- 訴訟に耐えられるか
- 侵害は容易に発見できるか
- 特許以外にノウハウ等があるか

④ Commercialization Potential（商業化の可能性）

- 製品，顧客の特定が可能か
- ライセンシー候補の特定ができるか
- ライセンシー候補が関心を示すか
- 潜在需要や商業的価値の大きさ
- 市場規模の大きさ
- 競合技術がないか

3.5　学者（先生）へのコンタクトの仕方と研究の進め方

香蘭社の栗田純彦氏は，大学人と初めて連絡する場合は，インターネットではなく，生の声で話ができる電話での連絡を勧めている（表 3.6 参照）.

企業の多くが，研究課題を丸投げし，次の会合までにすべき仕事を決めていない場合が多い，多忙な先生ほど決めておかないと結局失敗することになる．milestone は年に 2 ～ 3 回実施し，次の会合はいつするかお互いに必ず決めること．さらに 2 ～ 3 週間前に開催することを改めて連絡しておくと良い.

実は，来社していただくおり，全員が話をきけることはかなり重要である．先生に対していろいろの反応がある．筆者は，肯定と否定半々，あるいは否定が多い案件が事業として面白いと感じている.

筆者はかつて，UFB（ウルトラファインバブル）の共同研究をしませんか

表 3.6　学者（先生）へのコンタクトの仕方と研究の進め方.

直接電話し，選んだ理由や文献等を読んでいれば感想を述べる（文献を読んだ，興味をもった，面白かった，是非お会いしたい）.
来ていただく前にこちらから出向いて話しをする.
親しくなるために会食する．だが高くならないこと，会社の製品をお土産にし，全員が話しを聞けるように来社してもらい講演に対しては謝金を払う.
研究テーマや具体的課題について説明し，先生の課題解決策を聞くことが重要である.
ここで先生の熱意・知識・能力がある程度くみ取れる.
大学との研究開発を失敗しないために，大学の研究課題を丸投げせずに具体化する.
研究の進め方を工夫する.
milestone（次の会合までにすべき仕事を決める）を作成し，定期的に会を開き，進捗状況や課題について，ディスカッションをする.

㈱香蘭社の産学連携　栗田純彦氏講演より

と地元中堅企業の部長に電話で連絡し，簡単に内容を説明した．さらに，できれば開発課の全員に詳細に説明したいと伝えたところ，まず自分が聴いてからにしたいとのことであった．部長は大学まで来てくれたので，資料を準備し説明した．ポジティブな回答を期待したが，これができたらわが社が潰れると全く期待と正反対の返答に驚いた．後日，この企業への説明を助言してくれた学長に説明したところ，やれやれ，そんな部長がいると会社も困ったことになるなと呆れていた．全員に説明できれば違った結果になっていたのではと，今でも思っている．部長は国からきた職員で，失敗を恐れてなにもしなかったのではと想像している．

農耕民族である日本人は，リスクのある仕事を率先してやりたがらない傾向がある．特に成功体験を経験した年齢層は，形式的平等主義，創造力が評価されない教育システムで学んでおり，進取の気風に乏しくリスクをとらないケセラセラ（成るように成るさ）族でもあることが多い．このことが現在最も必要な日本の経済活動（行政や社会のデジタル化推進による日本経済の生産性の向上と国際競争力アップ）に鈍感であり，遅れを招いている原因の一つなっているような気がする．無能なトップに頼っていてはなにも生まれない「異能な人を入れて全員で組織を活性化」することが，社会発展の入り口である．

3.6　産学連携の課題

3.6.1　産学連携に関わる大学の課題

大学は高い学歴と優れた研究実績を持つ学者は多い，その知（業績）を知ることはできても，大学の経営に関してはほとんど知られていない．国立大学が独立法人化し，国立大学法人になったおり，大学の役割がこれまでの教育・研究から第三の使命として社会貢献が求められるようになった．この産学連携の運営をどのようにするのか，社会から高い関心が寄せられることになる．

大学が国立大学法人になったのは2004年である．この前後から，大学は第三の使命として社会貢献を意識するようになり，文部科学省は円滑に産学連携が活動できるように，各大学に地域共同研究センターと知的財産本部を設置し運営に当たらせている．前者は技術相談の受付，共同研究の斡旋，産学官技術交流会の開催などのリエゾン機能と大学発ベンチャーの促進と育成を目的としたインキュベーション施設の管理等の業務である．後者（知的財産本部）は特許の発掘，発明の届け出の受付，出願審査事務，特許の管理・売り込み，学内への知的財産に関する啓蒙活動などを行っている．さらに，学長直轄の利益相反に関する利益相反委員会を設け，利益相反マネジメントポリシー，利益相反委員会規則等のルールを定めており，課題が発生した場合はこれに基づいて評価することになっている．

平成18年度に策定したライセンスポリシーでは，国際間のライセンスは，国内外企業が競合関係にある場合は，納税者である国内企業を優先するとしている．

このような制度のもとで，大学は，大学の知を移転するために共同研究の推進，大学研究成果や特許の紹介あるいは地方公共団体との共催または補助金を得て，技術交流会，展示会，講演会等イベントを多数実施して地域間ネットワークをつくるなど産学連携への活動を少しずつ広げてきている．しかし，産学連携の運営に関しては，多くの大学で指南役の不在（適任者または専門家がいないこと）と活動の方向性が明確ではないため，この時期は，各大学が戦略性をもって運営するより，他大学が何をするか様子見をする模索の時であったようである．このような時期に戦略性をもって活動し，少しばかり成果をだした九州工業大学の産学連携について述べたい．

九州工業大学は，国立大学で小規模な地方大学であり，創立して100年ほど経っている．教育・研究に関しては世間の評価はほぼ定着しており，トップテンになることは間違いなく困難である．しかし，スタートが同時に始まる産学連携では，やり方次第ではトップテンにはいることは可能である．九州工業大学は，この産学連携が一斉に始まるスタートを好機と捉え動き出していた．スタートダッシュで飛び出し，トップテンにはいることを目指す先行戦略である．その陣頭指揮をしたのが，松永守央理事（後に学長，現公益財団法人北九州産業学術推進機構理事長）でいくつかの先進的な試みを実行した．その中核は，わが国最初の「モードⅡ（社会が必要とする実践的研究）」を実践する新しい形態の産学連携を推進するため，IT（情報技術）分野の特許を重視したHIT（ヒット）センターを設立したことである．

全国の国公立大学で情報工学部をもつのは九州工業大学のみであり，IT分野の特許は容易に事業化しやすいことを重視してこの分野の教授を招聘した．招聘されたHITセンターの教授，准教授は全て企業出身者かベンチャ創設者であり，教育，論文のための研究は不要とする，モードⅡの実践的研究（売れる特許）を実行してもらった．さらに，もう一つの切り札は，知財のインプットとアウトプットのバランスの重視と実践的特許出願を奨励し，教員に対するロイヤリティ配分を考慮して全国的にみても教員に対するロイヤリティの配分を多くしたことである．

（備考1）特許料収入（累計）が1,000万円までは発明者とその研究室への配分は70％とし，大学は30％である．1,000万円を超える部分は発明者とその研究室への配分を50％，大学へは50％である．

（備考2）

インプット…教員に対する知財インセンティブを高め，実践的特許出願の奨励

…全国的にみても教官に対するロイヤリティの配分が多い

アウトプット…少ない人数・費用で効率的知財を運営し成功事例を創ることが重要

人件費の削減：知財に精通した九州工業大学 OB の活用

技術移転活動の促進と安いコストでの運営

設立した HIT センターが実施した 7 つの事業は全て成功した．さらに，音を極める先端研究で事業化しオーディオ銘機賞を 2 度受賞するとともに，㈱東芝とは高音質化技術の共同研究で音楽プレーヤ，ワンセグ機器など 8 機種へ技術移転した．㈱ケンウッドにはオーディオプレーヤに圧縮技術を技術移転した．日立マクセル㈱（現 マクセル㈱）にも高音域補完技術を技術移転したブレソンシリーズを製品化した．沖電気工業㈱とは音声合成 LSI を開発し製品化した．全てが大企業対象の共同研究である．その結果として，九州工業大学の 2007 年度からのライセンス等の収入の 5 割以上は HIT センターからである．さらに産学連携ではいくつかの分野でトップテンをはたした．

表 3.7 に平成 16 年度（2005 年）から 3 年間の国立大学法人の特許出願件数を示す．

表 3.8 に平成 17 年度と平成 18 年度の 国立大学特許料収入ランキングを示す．

HIT センターの佐藤寧教授の音声技術がいくつかの大企業への技術移転で特許収入を得ることができたことで，九州工業大学は，全国の国立大学法人の中で，平成 17 年度に第 15 位，平成 18 年度には第 9 位に躍進している．

表 3.9 に平成 19 年度の九州工業大学の産学連携の実績を示す．

表 3.10 に，平成 18 年度の大学の産学連携部門，TLO（Technology Licensing Organization）等に対する産業界からの評価を示す．

九州工業大学は，教員数は 400 名弱の小規模大学である．大学発ベンチャー創出数は全国 9 位であるが教員人数当たりでは，国立大学では全国 1 位である．産学連携に関しては，産業界からの評価は全国 5 位と高い評価をいただいている．

表 3.7 3年間の国立大学法人の特許出願件数（平成16～18年度）.
（文部科学省「平成16～18年度大学等における産学連携実施状況報告書」）

	平成16年度		平成17年度		平成18年度	
1	東北大学	313	京都大学	536	京都大学	552
2	京都大学	296	東北大学	443	東北大学	544
3	東京工業大学	217	東京大学	377	東京大学	487
4	東京大学	216	東京工業大学	352	大阪大学	388
5	北海道大学	204	大阪大学	280	東京工業大学	307
6	大阪大学	199	北海道大学	272	北海道大学	269
7	広島大学	168	名古屋大学	240	広島大学	227
8	名古屋大学	157	東京農工大学	182	九州大学	200
9	信州大学	118	九州大学	172	山口大学	196
10	名古屋工業大学	106	広島大学	153	名古屋大学	186
11	山口大学	104	名古屋工業大学	147	**九州工業大学**	**168**
12	東京農工大学	102	山口大学	146	岡山大学	151
13	千葉大学	84	信州大学	127	名古屋工業大学	145
14	**九州工業大学**	**81**	千葉大学	125	信州大学	143
15	九州大学	80	徳島大学	100	奈良先端科学技術大学	133
16	静岡大学	79	筑波大学	95	東京農工大学	131
17	徳島大学	78	群馬大学	90	千葉大学	126
18	奈良先端科学技術大学	71	東京医科歯科大学	89	静岡大学	124
19	神戸大学	69	**九州工業大学**	**89**	徳島大学	118
20	群馬大学	67	奈良先端科学技術大学	87	香川大学	113

表 3.8　平成 17 年，18 年度国立大学法人の特許実施料収入ランキング．
（文部科学省「平成 16 ～ 18 年度大学等における産学連携実施状況報告書」）

平成 17 年度（千円）			平成 18 年度（千円）		
1	名古屋大学	199,354	1	名古屋大学	163,852
2	岩手大学	47,630	2	東京大学	160,108
3	筑波大学	35,660	3	東京工業大学	28,324
4	北海道大学	20,087	4	金沢大学	21,444
5	東京工業大学	17,995	5	奈良先端科学技術大学院大学	20,268
6	東北大学	10,957	6	京都大学	16,183
7	京都大学	9,814	7	大阪大学	12,948
8	金沢大学	8,567	8	静岡大学	11,136
9	岡山大学	7,434	9	**九州工業大学**	11,081
10	大阪大学	7,304	10	岡山大学	9,731
11	東京大学	7,208	11	東京医科歯科大学	9,131
12	長崎大学	6,470	12	長崎大学	8,577
13	広島大学	6,356	13	北海道大学	8,158
14	熊本大学	5,268	14	東北大学	8,053
15	**九州工業大学**	5,175	15	広島大学	7,904

九州工業大学は小規模大学である．産学連携では早期にトップテンを目指す先行戦略を実行し，平成 18 年度にベスト 10 を占めた．

表 3.9　九州工業大学平成 19 年度産学連携実績．

大学の特徴：情報工学部を有する唯一の国立大学
　　　　　　教官数 400 名弱，産学連携に積極的
○大学発ベンチャー創出件数………全国 9 位（40 社）
　教員人数当たりでは，国立大学法人では 1 位
○ IT 関連ベンチャー創出件数 ……全国 1 位
○大学に対する産業界の評価………全国 5 位
○共同研究・受託研究数……………九州で 2 位（231 件）
○総予算に占める外部資金比率……全国 11 位
○特許料収入…………………………全国 13 位

表 3.10　大学等の産学連携部門，TLO 等に関する産業界からの評価．
2006 年経済産業省発表

順位	大学 / 政府系研究機関	評価点	A 評価 (%)	B 評価 (%)	C 評価 (%)
1	立命館大学	143.75	43.75	56.25	0.00
2	東京農工大学	120.83	20.83	79.17	0.00
3	徳島大学	120.00	45.00	30.00	25.00
4	京都大学	109.30	18.60	72.09	9.30
5	**九州工業大学**	106.33	6.67	93.33	0.00
6	九州大学	102.33	11.63	79.07	9.30
7	産業技術総合研究所	100.00	10.42	79.17	10.42
8	大阪大学	94.03	10.45	73.13	16.42
9	広島大学	93.75	0.00	93.75	6.25
10	筑波大学	90.91	13.64	63.64	22.73

TLO は経済産業省主導の知的財産活動に関する公的組織．北九州 TLO は (財) 北九州産業学術推進機構内にあり，九州工業大学を含め北九州地区の 7 大学 1 高専が参加している．平成 12 (2000) 年スタートしている．

3.6.2　産学連携の課題（大企業との共同研究の課題）

HIT センターの佐藤寧教授は，教授自身の研究である高音声域の技術や音声圧縮で起こる音の劣化による音質技術等で多くの大企業と共同研究を継続的に実施して，知的財産を技術移転し特許料を得ている．これまでの HIT センターの活動に対して大学での産学連携に関する評価委員会 (学内 3 名，学外 2 名) においても，以下のような高い評価を得た．特に大企業との共同研究で継続した研究が多いことが高く評価されている．

表 3.11 に評価委員会での学外委員の評価コメントを示す．

表 3.11　評価委員会での学外委員の評価コメント．

真の意味での産学連携を実行した． 知財との連携でライセンス契約を大学に有利な形にできたことは評価する． 企業のリピーターが多いことは佐藤寧教授に対する評価が高いからだ． 企業の事業化に数多く貢献したことを評価する．

中小企業との共同研究は，学者が持つ知識情報量と学問の深さにおいて企業とは圧倒的に違いがある．そのため，事業化において主導的役割を発揮でき，継続的に協力できるが，大企業それも研究所を備えていれば，一度は共同研究できても継続した共同研究はなかなかできないものである．このような課題に対して佐藤教授に大企業との共同研究をどのように克服してきたのか課題・心構えについて伺った．

①大企業との共同研究において，中小企業との大きな違いは大学からみれば「知の戦い」の世界であることである．例えば，研究所を持つ企業は製品の基本的な機能は，自社で研究開発できる．しかし，電気製品にみられるように基本機能を備えるだけでは他社との差別化が難しい．これから必要とされる先端技術・差別化技術を把握した上で，今後，必要とされる技術を研究しないと継続した連携は困難になってくる．

②大企業には優秀な技術者がいる．
技術（特許）を公開すると……内容が全て理解されて会社のみで高機能化が実現し，大学にとって二度と共同研究契約はできなくなる恐れがある．契約を継続するために，大学も高性能化に向けて研究を進めるが，大企業よりさらに先の先の研究を手掛けて特許をとる．このことを心がけて常に研究を続けてきた．

③企業との接触がなくなると，企業の研究方向が見えなくなる．
見えなくなると……それは趣味の世界に陥りやすく，論文を書き特許も出願できるがどこの企業からも相手にされなくなる恐れがある．まさに知の戦いである．

3.7 まとめ

この章は，産学連携を失敗しないために

(1) まず，最初にベンチャービジネス失敗の実例を取り上げた．
ベンチャービジネスは，事業化が早期に期待できる「人命」「健康」「安全」「環境」等の分野から選ぶことを進めている．現在では「IT」分野も良いと言えるだろう．

(2) ベンチャービジネスは，「転ばぬ先の杖」ならぬ失敗を前提に考え，再起ができるように，担保は特許とし，その権利者に社長といえども，会社と社長個人名で出願すると良いと提言している．

(3) 事業化にはリーダーシップが重要であり，リーダーシップとは，組織が強制されてではなく，自主的にリーダーの指示に従うこととし，「情報の優位性」をもつことと「率先垂範」を挙げている．

(4) 学者は高い学歴を有し，優れた業績を出せるが，自己研鑽を怠ると，教育はできても先端的研究ができなくなる恐れがあり，大学と連携して事業化する場合には，学者選びが重要である．

(5) 大学の知を事業化する場合は，Inventor Profile (発明者の人柄) が最も重要であると，JST の目利き人材研修では教えていた．

(6) 九州工業大学は，小規模な地方大学である．産学連携では全国の大学でトップテンにはいることを目標にした先行戦略を実行した．大学独自の施策として，IT (情報技術) 分野の特許を重視した HIT (ヒット) センターを設立し，HIT センターの教授，准教授は全て企業出身者で，教育，論文のための研究は不要とする，モードⅡの実践的研究 (売れる特許) を実行してもらった．さらに，学者に対するロイヤリティの配分を全国的にみても厚くして，九州工業大学の学者に産学連携の研究を加速させる政策を実施した．

その結果，いくつかの産学連携の分野でトップテンにはいることができた．産業界の評価は全国 5 位，大学発ベンチャー企業数は全国 9 位であるが，教員当たりでは，国立大学では 1 位であり，IT 関連のベンチャー企業数も全国 1 位である．特許料収入は，全国の国立大学法人の中で，平成 17 年度に第 15 位，平成 18 年度には第 9 位とベストテンにはいることができた．

4

外部資金獲得への挑戦

産学連携では，事業化資金（大学が担う研究開発）は企業が負担することは当然であるが，企業は資金負担を軽減するためにできれば公的資金をいただくことが望ましい．公的資金をいただけることは，国から事業化することにお墨付きを得たと言えるからである．公的資金を獲得できないようでは，申請事案は事業化を避けた方が望ましいかもしれない．

第 4 章では，外部資金の獲得を目指して，申請に必要な事項等を記述した．

4.1 研究・事業化のジレンマ

事業を始める場合，リスクを避けるため，公的資金をとって開発するのが当たり前になっている．それとともに，国が時間をかけて内容を検証し，事業が可能か，可能であればどの程度か等いろいろ調べてくれるので，国に採択されれば「事業化」のお墨付きを得たことになり，採択されなければ「このテーマでは事業化は困難」と諦めるべき，と自覚する事業家もいる．

ともあれ，アイデアがあっても資金なし，銀行も相手にしてくれない零細企業や中小企業あるいはベンチャー企業は，国の事業に応募し，採択されることは，事業化するための最も基本的スタートとなる出来事である．しかし，国の事業は魅力的であるがゆえに採択されるための競争倍率は高い．採択されなかったからといってそう簡単に諦められるものではない．落ちた原因を分析し，ブラシュアップを図り再度挑戦ということになる．それが一般的である．筆者の経験では，1回のみならず，5回連続不採択もあった．最終的には起業家の諦めない姿勢が成功に導いた．事業化の課題は，こだわらないと成功しない，こだわりすぎると失敗し倒産する．極めてデリケートな課題であり，失敗と成功は紙一重である．

ものづくりにおいて，最初にするのが設計である．設計は経験工学である．このため，新しく物を作る場合は，経験が通用しない未知の領域があり，そこが失敗の原因となることである．一般に，「壊れる・改善する」を繰り返して，経験を重ねて設計技術が成熟し安全性が向上する．

設計においては，未知の領域を含めて大きく（厚く）すれば安全性は高まるが，コストが上がり経済的ではない．小さく（薄く）すれば，コストは下がるが安全性は低下する．安全性と経済性のバランスを取る意味において，科学的根拠に基づいて最適設計するが，未知の領域がある以上，壊れないという保証はできない．後進国において，物まねのレベルに留まる場合や，未知の領域を過少評価して事故を起こすことが多いのはこのためである．

大企業では，失敗事例は財産であり，失敗を恐れる必要がないと言われる経営者の方々が多い．大企業には多彩な人材がおり，失敗の要因を徹底分析し，原因を明らかにすることで対策ができる．対策ができれば，再挑戦し最終的に成功に導いていける．一方中小企業では，失敗はしない方が良い．失敗すると，社長の陣頭指揮でも研究開発意欲が低下し，再度の挑戦は不可能になりやすい．社長の陣頭指揮ではない場合，犯人捜しが起こり，職場は分裂するなど職場全体の雰囲気が悪くなり，日々の仕事にも影響する．失敗しないことが重要である．しかし，こだわらないと成功しない．失敗しても開発資金は借金しないことである．とにかく採択を目指し再度挑戦すべきである．産学連携で挑戦しよう．

表 4.1 研究・事業化のジレンマを示す．

表 4.1　研究・事業のジレンマ．

研究・事業化の前提条件として，いつまでに何をするかを決め，実行することが重要であるが，
こだわらないと成功しない こだわり過ぎると失敗しやすい ↓ 借金してまでやらない ↓ **産学連携による外部資金の獲得**

4.2　新規事業化のための産学連携の開始はいつからか

企業が成長するためには，事業化が必要である．しかし，事業化には必ずリスクが存在する．事業化に挑戦するにおいて，失敗を避け成功を目指すために，関係者らの意見を聞き，意志の統一をはかることが必要と言える．

筆者は，かつてパン業界で係長・課長に最も若くして就任し，50 歳になる前に次長に推されながら，会社を辞めた山崎製パン㈱の小川壽幸氏にいろいろ開発の苦労話を聞いたことがある．係長になりたての頃，パンの包装紙を中身が見える透明な包装紙にすることを提案した．会議では紛糾した．見えない方が良い，見えた方が良い，まさに，議論紛糾し結論がなかなか決まりそうになかった．そのような時，営業課長が，そのアイデアは面白い．実験すべきと前向きの提案がなされた．繁華街と郊外の店を選んで 1 週間ほど実験した．中身が見える包装紙のパンが圧倒的に売れて結論がでた．透明な包装紙はカラー包装紙より，1 円弱ほど安い．しかし，大手のパン業界では全国で数百万個毎日焼く．包装紙を変えただけで無駄な費用がなくなり大きな利益が出たそうである．

リーダーでも決められないケースがあり，多くの関係者が議論する方向でよい方向にいったケースであるが，悪い場合もあるそうである．課長になったおり，新しいパン（菓子パンを含む）を開発したいと提案した．有能なベテランほど，失敗したらどうすると最初から反対してきた．課長もある程度自信があるから，提案を下げるわけにはいかない，ここから戦いを始めた．反対者に無理強いをせず，賛成してくれる人を集めてやることにした．時間がかかったが良い方向に動きだし応援してくれる職員が増えてくると，今まで反対していたベテランも協力的になって，全職員が協力して売れるパンができたそうである．

6.7 節で述べている「焼嵌め接合で構成されためっき鋼板用セラミックロールの開発」は，ロールの鉄人と言われた日立金属㈱（現 ㈱プロテリアル）の佐野義一技師長（当時）が，現在のステンレス製ロールは欠点が多すぎる．次世代のロールと言われているセラミックロールを開発したい．多くの関係者が実現不可能と思っているが，開発に自信がある．トップの許可をもらっていないので，産学連携で外部資金を取り開発したいと大学に相談に来られた．筆者らも，会社の若手に，産学連携の仕組みや特許の扱い等採択されるメリット等を説明するなどして，外部資金獲得を目指し応援した．結果として最初は採択されず二度目に採択が決まった．いまでも強烈におぼえているのは，審査が終わった後，親しくしていたセラミックスを専門とする複数の審査委員から，「課題が多すぎる」「間違いなく失敗する」と言われた．会社の実力を知らないからと聞き流した．結局2年間で企業と大学が持つ力量が発揮されて大成功し，研究開発チームは，日本設計工学会2019年度論文賞と，平成22年度(財)素形材センター産業技術賞を受賞した．これらのことから，成功するには，核になる人材(リーダー)とチームワークが重要と改めて感じた．

事業を始める前に会議を開き，新規事業のテーマを従業員に説明し賛否を取ったら，表4.2のような結果になった．「あなたならどうする」を示す．一般に，常識の延長線上の技術は高い評価をされる傾向にあるが，ブレイクスルー技術は評価が低くなる可能性がある．筆者は，リスクはあるが基礎から研究でき，成功すれば知財と商品を独占できるので，賛成が低い方を選びたい．

表4.2　従業員の事業化に対する賛否の結果「あなたならどうする」．

①賛成	70％	：事業的にはやりやすいが，技術的には真似されやすいのではないか，自社だけでなく競争会社も同じものをつくっている可能性がある． (自社のみが開発するのではない，競合会社は必ず存在する)． 常識の延長線上の技術に高い評価をされる可能性がある． 長期に売れる保証はない．在庫の山にならないか．
②賛否	50％ vs 50％	：議論的にはいろいろの意見は出て面白いと思うが，可もなし不可もなし．
③賛成	30％	：賛成が低いのはブレークスルー技術を評価できないからではないか． 提案者の意見を十分聞く必要がある． リスクはあるが基礎から研究でき，成功すれば，知財と商品を独占できる．競合会社は少ないのではないか．

4.3 申請書作成のポイント

外部資金を獲得するためには，申請書の書き方が最も重要である．筆者は，初期の申請書の作成は，国が決めた基準に基づいて記入してきた．その際，これが成功すれば，どのような技術革新が起こるか，安全・安心の製品として社会に貢献できるか，など素晴らしい未来の夢を描くように努めた．いわゆる真実の拡大をして，実現できる最大効果を説明した．その後，いろいろと思索し，官の意見を聞き，自分なりに修正しながらやってきて，最も良いと最後に落ち着いたのは，九州工業大学松永守央理事からいただいたメモに集約される．松永守央理事は，国の競争的資金の審査委員の経験から，要点を簡潔にまとめているので，表 4.3 に申請書の書き方を参考にしていただきたい．

九州工業大学では，若手学者が科学技術研究費に申請する際は，経験豊富な先輩に見てもらうことを推奨し，検証してくれた先輩学者には謝金として書籍費を出すシステムを取り入れた．このような仕組みは若手研究者にメリットがあり，ある程度の効果があったと聞いている．一方で，科研費やその他の事業費において，採択されるには，研究の中身（新規性，優秀性）が重要である．申請書の書き方は，本来採択されるべき中身のあるテーマが落ちないようにするためであり，駄目なものが，書き方が良いからと採択されることはないと理解してほしい．筆者は，申請書は難しい専門用語を避け，優秀な高校生程度に理解されるように，絵を入れてやさしい文章で書き興味を持ってもらえるようにすることを勧めている．

表 4.3　申請書の書き方（九州工業大学理事 松永守央氏メモより）.

そのⅠ　実施する事項を明確に記述する.

「こんなことをする.」という主張を明確にし，従来技術との優位性（相違）を明確に記述する．ポンチ絵を誰にでも理解できる内容にする.

そのⅡ　社会，産業などにおける波及効果，貢献等を明確に記述する.

「実施予定の計画」が実現すれば，どのような産業や技術として社会に貢献するのか．またその市場規模や市場占有率等を述べる.

特に，具体的な例を挙げることや，研究成果により市場がどのように変わるのかという点を強調できると効果的である.

そのⅢ　事業計画を達成するのに必要な要素を明記する.

「何が」あればできるか．「何が」ないからできないのか．が理解しやすいことも重要である.

そのⅣ　「今やればできる理由」を明記する.

「昔は何がなかったからできなかった．しかし，今はこれがあるからできる.」という説明が必要である.

そのⅤ　「自社だからできる.」ことを強く主張する．（最重要項目）

誰でもできるならば申請は認められる可能性は低い．研究実績，知的所有権，新規なアイデア，特殊な装置・備品の所有と活用など，申請者でなければできない理由を強く主張することが最も重要である.

4.4　ベンチャーキャピタルの投資条件

外部資金を獲得する必要条件は，事業として成功する確率が高いことである．その意味でベンチャーキャピタル等が投資する条件を調査することが近道である．筆者は，これまでの経験やいくつかの講演等から調査した．ここでは，スタンフォード大学アジア米国技術経営研究センター所長リチャード・ダッシャー氏が平成15年飯塚キャンパスでの講演「ベンチャーキャピタルが投資する新規事業の条件」を中心に述べたい．その条件は以下のようである．

その1　開発の必要性（このテーマでお金をかせげるか）

ニーズには社会が困っておりなくてはならないもの（頭痛薬，モードⅠ）とあった方が良く便利なもの（ビタミン剤，モードⅡ）に分かれる．

中小企業やベンチャーは社会になくてはならないもの（頭痛薬，モードⅠ）の分野を目指すべきである．あった方が良く便利なもの（ビタミン剤，モードⅡ）は旬の期間を過ぎると売れなくなるし，コスト競争になりやすい．リチャード・ダッシャー氏は，社会にあった方が良く便利なもの（ビタミン剤，モードⅡ）は避けることを勧めている．ここで，頭痛薬は，頭の痛い患者は人口全体としてそれほど多くはないが，絶対に必要であることから，社会が困っておりなくてはならないものの総称として使っている．またはモードⅠとも言っている．ビタミン剤は，健康弱者には必要であるが，健康良好な人にはなくても良く，不必要であることから，あった方が良く便利なものの総称として使っている，またはモードⅡとも言っている．

その2　市場性・占有率（市場性とは，対象とする市場の規模，市場の成長性と需給バランス等である）

市場の規模について

大企業が進出できない小さい（ニッチ）市場を目指すべきか．

ニッチ市場は優れた競合製品がでると敗退も早い．大きな市場こそ魅力的である．大きな市場は一つの製品では市場のすべてに対応できない．事業領域を絞り製品の差別化を図ることで対応できる．

リチャード・ダッシャー氏は，外部資金を獲得するためには，市場が大きい方が有利である．と説明しているが，ニッチ市場が全て駄目というわけではない．優れた製品が出ると衰退も早いので撤退を含めて短期戦略を立てて成功を目指すことを勧めている．

占有率：成功すればどのくらいのスケールか．

開発するテーマの市場における占有率はどの程度を目指すのか，初めての製品でも製品のマーケティング調査を含めたデータの裏付けがあると良い．

知的財産の保護がないものは，全く対象にならないが，特許出願における出願者は工夫が必要である．3.1.4「倒産から学ぶ教訓」で述べたように，特許が担保となる場合，会社名のみを出願者にすると，倒産すると再起不可である．再起するために，社長個人名も出願者に入れておくことを勧めたい．

その 3　製品・技術の特徴と発展の可能性（この技術は今後どう展開するのか）

類似商品との差別化をはかっているか．

製品の寿命はそれほど長くない，発展するためには次製品の開発が必要であり，自社の得意領域（コア技術）からの展開が望ましい．コア技術がない異分野への進出はリスクが大きすぎる．と リチャード・ダッシャー氏は指摘している．

外部資金獲得には直接必要性は少ないが将来の需給バランスとして，競争相手の出現を考慮しておくと良い．なぜなら，競争相手が出現すると，在庫が増え会社が危うくなるからである．駄目な場合はすぐに撤退できることが望ましい．

その 4　技術開発・事業化能力（誰がこの事業に参加しているか）

経営責任者，技術顧問等の人材バックグランドの重要性がある．必要な人材はどのような専門家か，事業化のためにチームの人材が問われる．

ベンチャーや中小企業が大企業と決定的に違うのは，信用力がないことである．事業に参加しているメンバーや技術顧問の人材も重要な判断材料であり，有識者や専門家が参加していれば有利となる．

その5　どのようなリスクがあるのか

事業にはリスクがつきもの，致命的リスクでなければ，リスクがあることを認めた方が良い結果をもたらす場合が多い．リスクがあるから，外部資金（公的資金）を取りにいくのであり，単なるデータとりや，スケールアップのみでは外部資金は取れない．

その6　知的財産の保護はあるか

知的財産がないものは，全く対象にならない．

特許の優秀性として，類似商品と差別化されているか，破れない特許はないので基本特許と周辺特許を取得して破れにくくする必要がある．

どこの国に出願しているか．市場性を考慮した特許出願が必要である．

製品の寿命はそれほど長くない，発展するためには複数製品の開発が必要であり，自社の得意領域（コア技術）からの展開が望ましい．コア技術がない異分野への進出はリスクが大きすぎる．

4.5　助成側の審査における着眼点

経済産業省所管の国立研究開発法人新エネルギー・産業技術総合開発機構（NEDO）が研究助成事業での申請のポイント / 審査委員の評価の例示をしている．このNEDOでの申請のポイント / 審査委員の評価内容は，筆者が経験した，助成金を申請した際，審査側から受けた質問や意見とほとんど変らないようである．

なお，〇は評価する意見であり，×は評価しない内容の意見である．×の内容を十分吟味し，申請書を記入する必要があると感じている．

①研究テーマの新規性・研究段階：他にない新規性の高いテーマであることが有利である．

〈評価例〉

〇実用化に関しては，将来の実用化を見据えていれば，現時点で基礎的な研究レベルにあっても問題はない．

〇新しい試みであるとともに，市場が大きいのも魅力である．チャレンジングではあるがトライさせたい．ただし，基礎的なところはしっかりとやっていただきたい．

〇研究内容が挑戦的なのでちょっと理解できない部分があるが，研究の進捗状況に応じて必要ならば計画変更をさせながら進めればよい．

②技術的ニーズ：ニーズを的確に捉えていること．

〈評価例〉

〇技術面の課題はあるかもしれないが，ニーズの高さを最重視したい．

〇ナノテク分野の技術の発展をサポートする研究と判断して推薦する．

〇技術的に必要であるにもかかわらず研究が不足している分野であり，期待したい．

③実用化・波及効果：実用化への道筋，実現性を明示すること．

〈評価例〉

良い評価例

○すでに一部実用化されている技術を，普及に向けて進める姿勢を評価した．

○要素技術自体の新規性はそれほど高くはないが，実用化すれば非常に有効と考えた．

○良い技術と思う．他分野への波及効果という点からも役に立つと評価した．

悪い評価例

×アイデアは良い．ただ，寿命，信頼性等についての言及がなく，実用化へ向けた具体的道筋が見えない．

×考え方は面白い．ただし，この方法では実用化時のコストが課題．

×事業性の観点から，認可取得や技術面の完成時期など，実用化が困難である．

×研究推進の意義は認められるが，産業界への波及性に疑問がある．

×興味があるが，一般的な場面ではなく特殊なところで使われると思う．

④産業界との連携：研究の段階に合わせ，連携を進めること．

〈評価例〉

△後半の実証研究においては企業との連携が必須であるように思う．実用化の方向性を見据えて企業連携を進めて欲しい．

×提案書の主張が正しいならば，なぜ企業との連携がないのかが疑問である．

×内容そのものも大事だが，産学連携に触れていないテーマは低評価とした．

⑤知財：的確に知財が取得されていること．

〈評価例〉

○面白い技術であり，海外特許も取られていることも高く評価できる．

○取組状況，権利取得状況などから産業技術や実用化への貢献ができると判断．

×特許所有者と本人との関係が分からない．本人が出願人に入っていない．

×すでにかなり研究しており，目標の5割近くまで進んでいる印象ながら，連携企業や特許出願がないことは懸念材料である.

⑥競合技術との差別化・優位性：優位性を明確に表現すること.

〈評価例〉

×既存技術との優位性が明確に示されておらず検討が足りない.

×提案書では，目的が異なる技術と比較している.

×目標値は現時点でも産業レベル. 他の方法に比べての優位性はあまりない.

×提案している応用には無理がある. 他の応用例を探した方がいいのでは.

⑦省エネ・代エネ効果：著しい効果があればプラス. 明記すること.

〈評価例〉

△産業技術への寄与が同レベルの提案については，省エネルギー効果または石油代替効果を勘案して判断している.

×エネルギー分野の研究としては，省エネ効果が低い点は大きくマイナスである.

4.6 まとめ

この章は外部資金を獲得するために，申請に必要な事項を他者の知恵を借りながら，知っておきたい事項を記入して，以下のようにまとめた.

(1) 事業化は，こだわらないと成功しない，こだわりすぎると失敗し倒産する. 失敗と成功は紙一重である. 倒産しないために「産学連携」で外部資金をとることが意味のあることである.

(2) 事業化の賛否を従業員に諮ることは，意識をひとつにすることで良いことではあるが，賛成が多いのが優れたテーマとは限らない. 賛成が少ないのはブレイクスルー技術を見逃し評価していない可能性がある. 産学連携で外部資金を獲得するためには，ブレイクスルー技術で挑戦するのが望ましい.

(3) 産学連携で外部資金を獲得するために，申請書の書き方と注意すべきことがある.

- 制度の趣旨や経緯を調べ，公募要領，申請書作成要領に合わせて作成すること.
- 従来技術との優位性 (相違) を的確に記述する.
- 社会，産業などにおける波及効果，貢献等を明確に記述する.
- 外部資金をとるために最も重要なことは，自社だからできることを記入すべきである.

  誰でもできるならば申請は認められる可能性は低い. 研究実績，知的所有権，新規なアイデア，特殊な装置・備品の所有と活用など，申請者でなければできない理由を強く主張することが最も重要である.

(4) ベンチャーキャピタルが新規事業に投資する条件は事業として成功する確率が高いことであり，以下の要件がある.

- 開発の必要性：社会が困っており，なくてはならないものがベストである.
- 市場性：大きな市場こそ魅力的である. 大きな市場は一つの製品では市場のすべてに対応できないからである.

- 占有率：マーケット調査等をしてどの程度占有できるか記入できると良い.
- 製品・技術の特長：自社の得意領域（コア技術）からの展開が良い.
- 技術開発の人材（事業化に必要な専門家，有識者はいるか）
  ベンチャーや中小企業が大企業と決定的に違うのは，信用力がないことである．事業に参加しているメンバーや技術顧問の人材も重要な判断材料である．有識者や専門家が参加していれば有利である.
- 知的財産権：知的財産がないものは，全く対象にならない.
  特許の優秀性として，基本特許と周辺特許を取得して破れにくくする必要がある.

(5) 助成側の審査として，新エネルギー・産業技総合研究開発機構（NEDO）の研究助成事業での申請のポイント / 審査委員の評価を示した.

- 研究テーマの新規性・研究段階：他にない新規性の高いテーマであること.
- 技術的ニーズ：ニーズを的確に捉えていること.
- 産業界との連携：研究の段階に合わせ，連携を進めること.
- 知財：的確に知財が取得されていること.
- 競合技術との差別化・優位性：優位性を明確に表現すること.

5

コーディネーターの重要性

国（文部科学省）は，産学連携を推進するため，産と学を繋ぐコーディネーターを各大学に配置した．さらに大学の教員でも事務職でもない「第3の職種」と呼ばれるユニバーシティ・リサーチ・アドミニストレーター（URA）を創設し，外部資金の獲得，研究者と企業あるいは行政とをつなぐ産学官連携活動の支援を強化してきている．

産学連携の活動において，とりわけ外部資金の獲得や事業化において，コーディネーターやURA職員は，リーダーシップを発揮して中心的活動をするのか，それとも名前だけで終わるのか，コーディネーターやURA職員の能力と志にかかっている．

第5章では，頑張れコーディネーターとして，コーディネーター等の創造性と必要性あるいは醍醐味等を記述した．

5.1　第 3 の義務としての産学連携

1990 年代の東西体制の崩壊は，世界経済をグローバル化させ資本や技術の移動を自由にした．製造業は，経済合理性から安い所に売れる所に，生産拠点を建設するようになり，中国が「世界の生産工場」として台頭し君臨してきた．その結果，日本の多くの産業は国際自由競争の真っただ中にあり，世界に負けない成長産業の模索が続いている．

1980 年代，米国の経済は衰退の淵に喘いでいた．繁栄を模索する米国で，復活のバイブルと言われた「大統領産業競争力委員会報告」いわゆる「ヤングリポート」（ジョンヤング，米ヒュレッドパッカード社長）が 1995 年の初めにレーガン大統領に提出された．当時米国は，繊維，鉄鋼および自動車等に代表されるように産業政策は，輸入制限等業界の保護が中心であった．ところが，ヤングリポートは，大統領に発想の転換を促す内容である．日経新聞によれば，大統領は興味深い内容だね，と言ったのみで沈黙したそうである．大統領にとっても衝撃的な内容であったのであろう．

ヤングリポートは，輸入制限等の保護主義から競争インフラ整備等へ大戦略を展開するとともに税制改革，知的財産権の保護と活用，公的資金による基礎研究の強化，人材育成（理数科教育）の強化，情報技術の革新等情報ハイウェイの強化を示していた．さらに，知的財産を武器に，経済の復活と成長産業である IT（情報技術）部門の発展を目指す方向を示していた．表 5.1 および表 5.2 に米国のプロパテント戦略 I および戦略 II を示す．

これによると米国は，ヤングリポート提出以前から知財に関しては日本には極めて厳しい要求を突き付けてきている．

知的財産に関して，最初の発明は米国であったのが，いつの間にか，産業の段階では日独に逆転されている．このことに対し，米国は，産みの親の不満と焦燥および日独の追い上げに対する危機意識から知的財産権の保護と権利の主張を矢継ぎ早に打ち出してきている．

米国は，日本に不公正慣行があるとして，要監視国に指定し監視する対策をとるとともに，日本に均等論を要求している．均等論とは，わずかな置換

表 5.1　米国のプロパテント戦略Ⅰ.

知財を武器として米国経済復活を目指す …生みの親の不満と焦躁…	
1979 年	日独の追い上げに対する危機感から知的財産権の保護と権利強化
1980 年	バイ・ドール法（1984 年に修正法） 政府の研究資金による研究開発の特許権を，大学，企業に付与
1982 年	CAFC（連邦巡回控訴裁判所 / 特許係争専門）設立 特許係争専門の裁判所を設立 米国では 70%で特許所有者が勝訴 日本の知的高等裁判では 70%で所有者が敗訴

表 5.2　米国のプロパテント戦略Ⅱ.

知財を武器として米国経済復活を目指す	
1985 年	ヤングリポート提出 輸入制限等の保護主義から競争インフラ整備へ 税制改革，知的財産権の保護，公的資金による基礎研究の強化 教育（理数科）の強化
1986 年	国研が自由に共同研究契約，共同研究者に独占的にライセンスを許諾する権利を付与
1988 年	不公平慣行国に対する制裁措置発動を決定 スペシャル 301 条を制定し日本を監視国とする 監視国 25 カ国と 2 国間交渉…日本に均等論を要求 提訴案件を簡略化し，多くの日本企業を提訴

変換の結果，請求の範囲の文言道理でなくとも等価であると見なされる行為形態である（言い換えれば，被侵害品が特許発明と同じでなくても，均等と評価できる場合には特許権の効力が及ぶとする考え方である）．その際の置換の容易さは侵害時に裁判官が判断し，機能・効果が実質同じであれば均等であり，権利範囲に入ると判断するものである．均等論を適用されて日本側が負けた実例を示す．

図 5.1 は均等論が適用されて米国が勝ったコーニング光ファイバー事件の

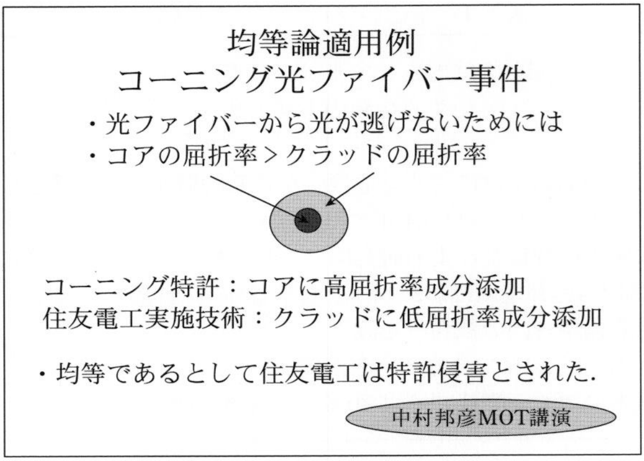

均等論適用例
コーニング光ファイバー事件

・光ファイバーから光が逃げないためには
・コアの屈折率＞クラッドの屈折率

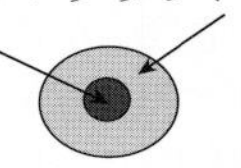

コーニング特許：コアに高屈折率成分添加
住友電工実施技術：クラッドに低屈折率成分添加

・均等であるとして住友電工は特許侵害とされた.

中村邦彦MOT講演

図 5.1 日米で争った均等論の適用例.

内容である（知財本部中村邦彦教授提供）.

光ファイバーは光が逃げないように 2 層（コアとクラッド）になっている.

コーニング特許は，光が逃げないためには，コアの屈折率はクラッドよりも大きい方が良いとしてコアに高屈折成分を添加して作成している．これに対し，住友電気工業㈱はクラッドに低屈折率成分を添加して，特許紛争になった．結論は均等であるとの判定で，住友電気工業は特許侵害であると判断された.

なお，米国は，2000 年に要監視国リストから日本を除外している.

ヤングリポートから 30 年，米国は IT（情報技術）を中心にして経済を復活させ世界を牽引し，大繁栄を謳歌して現在に至っている.

現在（2021 年）IT 産業の雄である GAFAM（グーグルの親会社アルファベット，アップル，フェイスブック，アマゾンドットコム，マイクロソフト）の 5 社は世界を席巻し，時価総額は 2 兆 3,000 億ドルで日本の全産業のそれをはるかに越えている.

2021 年 8 月 27 日の日本経済新聞によれば，マイクロソフトを除く GAFA 4 社の時価総額は 7 兆 500 億ドル（約 770 兆円）に対し日本株全体の時価総額は 6 兆 8,600 億ドルにとどまり，8 月以降はさらに差が開きつつある，と報じている．GAFA の特長は高い成長力にあり，米株式市場の中でもその存在感は際立っており，解体論もくすぶっている．

アジア諸国の急激な成長，中国の台頭と米国の完全復活の中で，日本は，コスト競争において優位性を喪失し，技術革新の加速，複雑化，高コスト化から，徐々に開発競争力の低下をきたしてきた．さらに，研究開発においても，基礎から実用化までを自社のみで行う自前主義は，大企業においてもリスクが高く困難な状況になってきている．

国は，2004 (平成 16) 年，国立大学を独立法人化させ，これまでの大学の教育・研究の使命から，社会貢献を第三の使命とする産学連携活動を義務付けるとともに 2008 年に「科学技術基本計画」を作成し，大幅に研究開発費を増やして，「ものづくりナンバーワン国家」の実現と「イノベーター日本」を大目標に掲げてきた．しかし，わが国は，科学技術立国を目指してきたにもかかわらず産業界を含めて研究予算は減少しているし，産業界には，成長産業が少なく国際競争力も弱くなり，低迷した状態が続いている．ものづくりナンバーワン国家，イノベーター日本は，幻の目標である．日本では，ほぼ 30 年間，労働者に支払う給与はほとんどあがっていない．

表 5.3 に 2008 年に小泉内閣によってつくられた科学技術基本法を示す．

経済協力開発機構 (OECD) によると，過去 30 年間で企業の設備投資は，

表 5.3　日本の科学技術基本法．

政府研究会開発投資総額	
第 1 期 (平成 8 年～ 12 年)	17 兆円
第 2 期 (平成 13 年～ 17 年)	24 兆円
第 3 期 (平成 18 年～ 22 年)	25 兆円
	(平成 18 年度　3 兆 5,733 億円)
大目標	イノベーター日本 革新を続ける強靱な経済・産業を実現
中目標	ものづくりナンバーワン国家の実現 技術の歴史的進展からみて，これからの日本の産業発展に必要な世界トップレベルの技術開発を支援

米国が3.7倍，英国1.7倍，ドイツが1.4倍である．日本はわずか1%増と完全に横ばいである．バブル経済崩壊前の1989年には，世界の時価総額上位10社に日本の企業が7社入っていた．現在はゼロである．まさに「失われた30年」である．

企業と大学は全く文化が異なる． 企業は技術に強くとも科学的知見に弱く，大学との交流も少ない．通常，お互いが心がけないと出会うことは少ない．大学の知を活用する産学連携を新しい成長戦略とするには，企業と大学を結びつける組織の存在が重要になってくる．

国立大学の独立法人化後，大学と企業との共同研究件数は，飛躍的に増加してきている．コーディネーターもまだ少ないが多彩な人材を揃えつつある．文部科学省は，大学の教員でも事務職員でもない「第3の職種」と呼ばれるユニバーシティ・リサーチ・アドミニストレーター（URA）を創設し，外部資金の獲得，研究者と企業あるいは行政とをつなぐ産学官連携の要の領域の活動を期待しており，注目されるようになってきた．

問題は，コーディネーターであれURA職員であれ活動内容の中身が重要である．これまでに，いくつかの大学の関係者を見てきたが，彼らの活動は受け身になっていないか，ほとんどが大学内での活動に止まっていないか，気になるところである．大学に来るお客さんをみんなで対応しているようであり，自らの判断で外に出て行く活動がほしいものである．ノルマなし，使命感のない職員では困るのである．自発性を発揮してほしい．ものづくりが日本のお家芸なのに，中国が「世界の工場」となり日本はその地位を奪われ置き去りにされている．コスト競争に負けたとはいえ，なにを頼りに巻き返すか考えなければならない．願わくは，コーディネーターおよびURA職員は社会から求められ，期待されている大きさを自覚し，能動的活動を発揮してほしいものである．

5.2 日本のものづくりは世界で最も優れた伝統技術である

明治維新前，1853年ペリー提督率いる「アメリカ合衆国海軍東インド艦隊4隻」，いわゆる「黒船艦隊」が浦賀沖に現れた．日本に開国を強引に要求したことから，筆者は，ペリー提督は居丈高な米国人と思っていたが，彼は，滞在中に日本人の特性を見抜いていた．ペリー提督日本遠征記によれば「日本人は探求心と技能に優れた世界にも稀にみる人種」であり，必ず世界に雄飛するにちがいない．と洞察している（表5.4参照）．

日本経済新聞によれば，世界最大の半導体製造会社TSMC（台湾積体電路製造），ソニー㈱および㈱デンソーが熊本に建設する半導体の工場では，給与を大卒28万円，修士32万円，博士36万円で採用すると報道されている．ちなみに熊本県での大卒の初任給は21万円程度である．日本が技術・設備に投資しないため，最先端の製品開発ではなく量産技術でも負けた結果である．現在の日本は全体が老化して，労働生産性が低くなってしまったことを証明している．

まさに，これからがコーディネーターおよびURA職員の出番であろう．豊かな社会を創るためには，大学の知を利用し，付加価値が高く世界に通用する技術開発が急務である．新しいものづくり技術の世界を開くのに一番近くにいるのは，まさにコーディネーターでありURA職員である．新しい産学連携をつくるために，頑張ってほしいものである．

表5.4 ペリー提督の彗眼．

日本人は非常に巧緻な技術を持っており，その完全性を褒めている．さらに，日本は最も成功している工業国にいつまでも劣っていないだろう．日本人は，間もなく世界の最先端の水準まで達する．日本人が一度世界の技能を持ったなら，強力な競争者として，将来の機械工業の成功を目指す競争に加わるだろう．と述べている．まさに彗眼である．

——ペリー提督日本遠征記より—— 2012年日本経済新聞コラムを抜粋

5.3 日本のものづくりを巻き返すために

筆者は，コーディネーターやURA職員には，中小企業やベンチャー企業を訪問し会社が持つ知的資源と技術を把握する努力をまずお願いしたい．日本の中小企業は特長のある技術を持っているものである．一つ一つは特別優れた技術ではなくても，いくつかの技術を組み合わせて独自の技術に，それも簡単に真似ができないレベルまで引き上げている企業がある．そういう企業の経営者と交流し，信頼を得ることができれば，会社は新しい仕事や課題を抱えており，いずれ相談に来られることになるし，こちらから大学のシーズを示し一緒に外部資金を取って開発を誘うことも可能となる．さらに，学会に出席しあるいは大学の知を調査して，優れた学者を見出し，親しくなり，情報交換するなどの活動をしてほしい．それらを官や企業にも伝える活動をそれも組織的対応が望ましい．

地域には優れた技術や独自技術をもつ企業は必ず存在する．企業を支援したい学者も必ずいる．しかも，優れた技術や独自技術をもつ企業でも発展させる企画力が弱い分，大学との繋がりを求めている．

伸びるべき企業が，産業が，成長していないのは，産業界と学界を結ぶ橋渡し機能が弱いからである．大学と中小企業を繋ぐのはコーディネーターでありURA職員である．かれらに学の頭脳組織の要となり，産業界と学界に大きな橋をかけてほしい．それには，まず行動すべきである．大学と産業界への連携にもっと目を向け，市場性と実用性の高い魅力的な知を創出できるか，コーディネーターとURA職員の双肩にかかっている（表5.5参照）．

表5.5 産業連携マッチングの魅力．

技術の歴史を振り返れば，連続的に発展してきたように見えるが，一つ一つの製品の歴史には，社会的変化と小さいながらも必ず不連続の進歩がある． 例えば，水素社会は化石燃料が無くなるから生まれるのではなく，化石燃料の行き詰まりがある，そこには必ず不連続の進歩が発生する． コーディネーターは，最初にこの不連続な進歩に出会うことが可能である．

5.4　コーディネーターが未知のシーズを発掘し事業化することこそ特権

筆者(田中)は，15年間大学に在籍し，産学連携活動に従事して，北九州から世界に通用する技術を持つ中小企業を発掘し，支援してきた．ニーズとシーズのマッチングを含め15年間で300件ほどの外部資金を申請し，104件ほど採択された．成功したのは1/3ほどである．

産学連携の実績も増え，地元に少しばかり知られるようになり，九工大と連携するなら地域共同研究センターに行けといわれたと相談にくる企業の方も増えてきた．例えば，6.9節の「ハニカム構造によるウルトラファインバブル(UFB)生成装置の開発」は，銀行から丸福水産㈱に出向している幹部が，よその大学に断られた結果，最後の頼りとしてこられたことから始まる．気泡を超微細化するメカニズムは極めて独創的でしかも科学的根拠に優れている．感動すら覚えた．なぜ最初の大学は見逃したのか不思議である．かくして本学が事業化を支援することとなり，メイン研究を流体工学が専門である平木講儒准教授(現教授)にお願いすることにした．平木准教授は，東京大学航空・宇宙工学科卒業で宇宙航空研究開発事業団(JAXA)から九州工業大学にこられた流体工学が専門の秀才であり，礼儀正しく腰が低い．学者のなかで，産学連携をやりたいので，良いテーマがあればお願いしたいと，地域共同研究センターに挨拶にこられた唯一の人である．親しみを感じていたので，いつか良いテーマをと考えていた．以後6年間一緒に事業化研究を推進し，今も連絡をしあって繋がっている．事業化するには優れた学者が必要である．

最初は，福岡県科学技術振興財団が，応募するなら百万円の研究費をあげましょうと言ってくれたので，そこから始めるつもりでいた．しかし，財団の職員から，10万円以上の備品の購入は認めないと言ってきた．平木先生はこれでは研究はできない．研究費を返上したい，と筆者に連絡してきた．そのことを財団に伝えると，備品購入を認めるから，断らないでほしいと譲歩してきた．官の組織は，研究成果が発揮できるように配慮してくれるものと思っていたが，この職員は管理が先で逆であった．角を貯めて牛を殺すような発想は受け入れがたい．正式に断った．筆者は，財団を断ったことを吉として，国の事業に応募することにし，経済産業省の地域イノベーション創出事業(5千万円/2年)を目標にした．

まず研究会を組織して，事業内容の検討，それぞれの役割と予算を決定し，平成22年度経済産業省地域イノベーション創出事業に「ナノレベルの均一化を図るハニカム型混合器の開発と産業への応用」で応募し一発で採択された．共同研究機関は，九州工業大学，丸福水産のほかに福岡県醤油組合および福岡県工業技術センターである．筆者の一存で決めた．開発した超微細気泡生成装置は，ナノレベルの気泡生成数において予測通り圧倒的レベルのデーターを得た．科学的根拠が高く世界的にも極めて優れた装置であることが立証できた．世界最高の装置の開発に携われたことは，コーディネーター冥利につきると感じた．さらにシーズの発掘から事業化までの一連の仕事に携われたことこそコーディネーターの特権ではないかと思っている．

必要は発明の母である．イノベーションは困った人から発明されると言われている．6.11節に示した，掴まり立ちできれば自立歩行できる高齢者や障がい者が，自力で自由にトイレや浴槽あるいは室外へ移動できる「半自動引き戸装置の開発」はケイ・プロダクト㈱社長の久保義孝氏が父親の介護の経験から，開発の必要性を痛感し，3年の歳月をかけて開発したものである．しかし，過去3年間に5回連続不採択であった．不採択のなかに，開発の必要性を認めながら，ベンチャー企業であり，倒産すれば開発資金が無駄になるとのご宣託を受けた．

この装置は，寝たきりになる前の予防介護製品として必ず社会に必要になるとの信念のもとに，二人三脚で粘り強く事業化を進めてきたが，長期に支援する過程において，人としての信頼と希望と喜びが生まれる．楽な環境に身を置かず，ぜひ多くのコーディネーターやURA職員は踏み込んだ活動をしてほしい．自らの意志で，社会の発展に参加し微力ながら協力することは，小さいながら人生の生きがいでもあるはずである．

5.5 零細企業の宣伝費ゼロの販売戦略（正攻法の戦略）

20世紀における経営学の神様あるいは巨人と言われている「ピーター・ドラッカー」は，企業の存在意義は儲けるためにあるのではなく，社会が求め必要とするものを供給することにあると説いている．日本経済新聞連載の「私の履歴書」によれば，ドラッカーは尊敬する人物として幼少時代の女の先生をあげている．先生はドラッカーが字を書くのが苦手で苦労しているのを知り，あなたは，字を書く練習をするより，大好きな本をたくさん読みなさい，といって，苦労から解放させてくれたと書いている．その後，著書で，「苦手な分野を並にすることは，一流を超一流にすることよりも難しい」と述べ，好きなことをして業績を上げることを推奨している．

大学が独立行政法人化し，産学連携で研究費を稼ぐことが大学の当たり前の業務となったおり，九州工業大学は「武士の商法」と言われないように松永理事を筆頭に企業も役立つ産学連携を実践し，外部資金の獲得を目指した．HITセンターが，九州工業大学の2007年度からのライセンス等の収入の5割以上を占め，大学のトップ10にもなったことはすでに述べたが，松永理事は「ドラッカー」の信奉者でもある．

筆者も，「ドラッカー」のように高い理念のもとで行動したわけではないが，常に社会に必要なものであるか，なくても構わないものであるか，社会が必要とするものを目指してコーディネートをしてきた．いまは売れなくてもいずれ売れるようになるとの思いから，頑張る経営者を応援してきた．

中小企業が，人材も少なく，資金もない中で，大競争に勝つためには，知財と産学連携が新成長戦略であり，単独では取れない公的資金をいただいてきた．しかし，開発に成功しても，売れなければ，開発の意味がない，売れてこその事業化である．まず第1に，中小企業が，初めて開発した製品であれ，今まである製品を改良したものであれ，どちらもなかなか売れないのが実情である．売れない最大の原因はなにか，中小企業の製品は，品質においてバラツキが多く玉石混合であること．第2に，テレビ等のコマーシャルにおいて，科学的根拠のない宣伝，食品に見られる産地偽装など信用できないものが存在すること．第3に，開発した製品が，科学的根拠に基づいて安全で高性能である保証が証明されていないことである．第4に，開発した商品そのものが世間(対象とする企業)に知られておらず，宣伝力がほとんどないことである．つまりまとめると，技術的信用がないことと，無宣伝であることから社会に存在していないと同じ状態に置かれていることが原因である．ところが，筆者がコディネートした事業のなかで，宣伝費を使わずにみごとに短期間に商売として成功した事例があり，それを紹介したい．

5.6　宣伝費を使わずに販売に成功した実例

ねじは，ナットを工夫して緩みの防止を図ったものがほとんどであるが，ねじとナットの両方を工夫して緩みの防止を実現した最初の実例である（なお，ねじについては，6.4 節「極めて緩みにくいボルト・ナットの開発」で詳しく説明しており参照のこと）．このねじの対象とする市場規模は，2,000 ～ 3,000 億円程度である．このねじは，JR，地下鉄のレール止め，高速道路の防音壁，遊戯施設や輸送機器等に採用され，売り上げは，月に 500 万円程度（年 6 千万円程度）で，平成 19 年度の累計では 3 億円を突破している．これらのことから平成 19 年度の経産省「ものづくり大賞」優秀賞と中小企業基盤整備機構の産学連携成功事例 50 社に選ばれた．さらに，二重ねじを塑性加工で量産する技術は極めて困難であることから，これを解決したことで研究グループは平成 20 年度「塑性加工学会論文賞」を受賞している．

日本経済新聞は，平成 19 年 5 月 31 日 14 版「成長を考える」欄で，開発されたねじを以下のように報じている．

北九州市．顧客を韓国勢などに奪われ，廃業も珍しくない中，従業員 9 名の下請け零細企業である大喜工業㈱が新たな挑戦を始めた．社長の野田秀樹が目をつけたのは「ネジ」，溝の幅や形状を工夫し，時間が経っても緩まない究極の製品を作り上げた．三井物産㈱が販売権を取得．注文は鉄道会社や自動車メーカーだけでもなく海外からも舞い込む．長さ 6 センチのボルト（図 5.2 参照）は 1,500 円，汎用品の 25 倍の値段が付く（原文のまま）（図 5.2 参照）．

ねじは多種多用で色々なねじが普及しており，99％は緩む，緩むことで事故を起こすことがたまにある．その場合，かなり重大な事故になりがちである．緩んではならないところには，緩み難いねじが必要である．野田社長は開発したねじがいかに緩み難いかを証明するため，道路公団，JR，土木関係，輸送機器等の多くの技術者に日本品質保証機構へ来てもらい，そこで，世界で最も厳しい米国航空規格（NAS3350 規格）で公開実験をし，いかに緩み難いかを証明した（図 5.3）．さらに（ここが最重要）日本道路公団と特許の共同出願をしたことである．道路公団側からみれば，研究費不要で世界で最強の緩み難いねじが，コストゼロで使用できること．公団関連分野に使ってもらえれば，特許料収入も入る．まさに一石二鳥である．事実このねじの納入先はJR，地下鉄，公団，輸送機器・遊戯施設等である．大喜工業は宣伝費ゼロで最大の宣伝をしたことになる．

表 5.6 に開発したねじの仕様を示す．

実はこれにさかのぼること，1 年以上前．野田秀樹社長は，JR 九州の佐賀～長崎新幹線の採用を目指して，JR 九州の技術陣に働きかけていた．最終的に JR 九州に納入したいねじメーカー 3 社の性能比較を九州工業大学で実施することになった．JR 九州の技術陣は当初，大喜工業のねじは，当て馬であり，採用は考えていなかったようである．しかし，試験がすすむにつれ，優れたねじであることが証明されたので，かれらは見直し，このねじを推薦してくれることになった．しかし，悲しいかな零細企業である，最終段階で不採用になった．社長は政治献金できる企業ではないからなーとぼやいていた．しかし，宣伝費なしで，多くの企業から評価され製品に対する信用を得て短期間に売り上げを伸ばしてきた経営力は高く評価できるであろう．

図 5.2　スーパースタッドボルトの写真．
日本経済新聞で紹介された汎用品の 25 倍のコストで売れたギヤカップリング用スタッドボルト．

表 5.6　開発したねじの仕様.

従来製品	1. 摩擦力によるロック 2. 米国航空規格 NAS3354 規格でほとんどのねじが緩む 緩まなかったねじ（摩擦力を強化したハードロック）は高価（約 8 倍） 3. ねじの破損はゆるみが原因 4. 割ピン・溶接では繰り返し使用は不可でメンテナンスは困難
新しい製品	摩擦力＋機械的ロック NAS3354 規格で 10^6 回でも緩まず
NAS3354 規格	加速度 19.5 G，共振ストローク，19 mm 振動数 1780 回 /min，連続振動繰り返し数　3×10^4 回

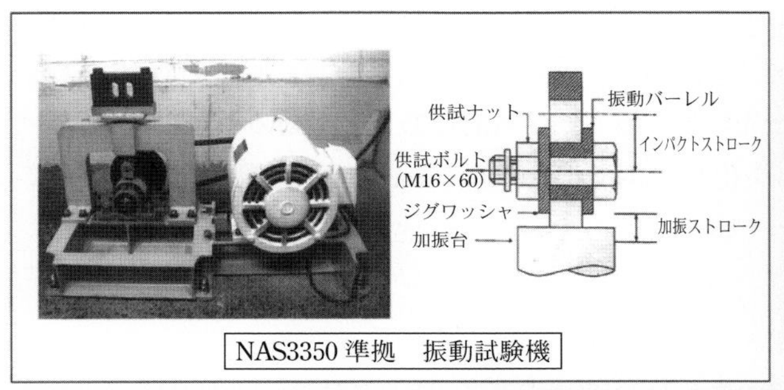

図 5.3　日本品質保証機構において，世界で最も厳しい米国航空企画 NAS3350 準拠に基づいて実施したねじ振動試験風景．道路公団を含めて多くの技術者に来てもらい，開発したねじがいかに緩み難いものであるかを証明した．

5.7 コーディネーターへの期待の言葉

一代で年商3千億円までに売り上げを伸ばしている分析機器や計測機器の会社である㈱堀場製作所最高顧問の堀場雅夫氏は，コーディネーターにまず「**行動**」することを呼びかけ，「**マッチングは欲から入って欲から脱した時に成功する**．人のシーズに面白いと感激したら，まず行動すべき」と述べている．表5.7に堀場雅夫氏のマッチング論を示す．

日本は，グローバル化，デジタル化そして脱炭素化，次々に起こる変化に対応しきれていないのが現状である．持続ある成長を図るためには，産学連携を含めた知の創造を，そして，これからの成長分野である人工知能，環境，自動車，5G等の分野，特に，環境（脱炭素，再生エネルギー，二酸化炭素の回収技術，水素利用と低コスト化等）と自動車は大変革のなかにある．これらの分野において世界に遅れない戦略とそれに基づく活動が求められる．

コーディネーターおよびURA職員は，産と学を繋ぐ唯一の存在である．不連続の進歩に真っ先に出会うことが可能であり，活動の場は広い，大学が持つ知を見出し，事業化への課題とその解決策を探し，外部資金を獲得して，未来を開拓し，創ってほしいものである．

表5.7 堀場雅夫のマッチング論.

マッチングは欲から入って欲から脱した時に成功する．
人のシーズに面白いと感激したら，まず行動すべき．
次に「自分ならこうする」を考える．
感激すると神経伝達物質のアドレナリンがドバーと出る．
しかし，日本人は，神経伝達物質を受ける受容体を持つ割合が，アングロサクソンに比べ少ない．彼らは50%の人にあるが日本人はわずか2%である．
だが，高等動物は，遺伝ではなく，育った環境，教育などの影響の割合が大きい．
経験と熱意の掛け算で行動力を高めよう．

㈱堀場製作所　最高顧問　堀場雅夫

5.8 まとめ

この章は，コーディネーターの重要性と必要性の背景等について記述した．

(1) 世界経済がグローバル化し資本や技術の移動が自由となった結果，中国が「世界の生産工場」となって君臨している．その結果，日本は多くの産業が国際自由競争の真っただ中に置かれている．日本は，ものまねではなく，独自技術による製品開発を求められるようになってきている．このような状況から，企業は，高度化された社会のなかで，基礎研究から製品化まで自社単独での開発が困難な状況が生じてきて，大学の基礎研究能力の利用，いわゆる産学連携の必要性が起こり，それとともに，産業界と大学を結ぶ人材として，コーディネーターの重要性が高まってきている．

(2) コーディネーターの必要性の背景として1980年代の米国の経済の衰退とその後の繁栄が影響している．繁栄を模索する米国で，復活のバイブルと言われた「大統領産業競争力委員会報告」いわゆる「ヤングリポート」が，レーガン大統領に提出された．ヤングリポートは，輸入制限等の保護主義から競争インフラ整備等へ大戦略を展開するとともに税制改革，知的財産権の保護と活用，公的資金による基礎研究の強化，人材育成（理数科教育）の強化，情報技術の革新等情報ハイウエイの強化および知的財産を武器にして経済の復活を図り今日に至っている．

(3) 日本は21世紀にはいると，アジア諸国の急激な成長，中国の台頭と米国の完全復活の中で，コスト競争において優位性を喪失し，研究開発においても，基礎から実用化までの自前主義は，大企業においてもリスクが高く困難な状況になってきた．国は，2004（平成16）年，大学の基礎研究能力を利用すべく，大学を独立法人化させ，大学のこれまでの教育・研究の使命から，社会貢献を第三の使命とする産学連携活動を義務付けるとともに2008年に「科学技術基本計画」を作成し，大幅に研究開発費を増やして，「ものづくりナンバーワン国家」の実現と「イノベーター日本」を大目標に掲げてきた．だが，わが国は，科学技術立国を目指してきたにもかかわらず産業界を含めて研究予算は減少し，成長産業も少なく国際競争力も弱くなり，低迷した状態が続いている．ものづくりナンバーワン国家，イノベーター日本は，幻の目標である．ほぼ30年間，労働者の賃金ははほとんどあがっていない．まさに，産学連携で研究開発する必要性と産と学を繋ぐコーディネーターの重要性が生まれてきている状況である．

(4) コーディネーターが中心となってまとめた，佐賀大学，九州工業大学および九州大学の大学グループと大喜工業の産学連携組織は，経済産業省より外部資金をいただいて「緩みにくいねじ」の研究と事業化に挑戦した．参加した大学は，学会で論文賞を受賞し，企業は経産省「ものづくり大賞」優秀賞と中小企業基盤整備機構の産学連携成功事例50社に選ばれた．さらには，宣伝費ゼロで開発したねじの優秀性を示し，早期に多くの企業に使われるようになったことを示した．

(5) 近年，大学と企業との共同研究件数は，飛躍的に増加してきている．文部科学省は，大学の教員でも事務職員でもない「第3の職種」と呼ばれるユニバーシティ・リサーチ・アドミニストレーター（URA）を創設し，外部資金の獲得，研究者と企業あるいは行政とを繋ぐ産学官連携の要の領域の活動が期待されている．

地域には優れた技術や独自技術をもつ企業は必ず存在する．企業を支援したい学者も必ずいる．しかも，企業は発展させる企画力が弱い分，大学との繋がりを求めている．

大学と中小企業を繋ぐのはコーディネーターおよびURA職員である．かれらに学の頭脳組織の要となり，産業界と学界に大きな橋をかけてほしい．それには，まず行動である．

6
産学連携による具体的成果の事例

「百聞は一見に如かず」という諺がある．これは，百回耳で聞くよりも，1回見た方が信じられる，というような意味である．すなわち，何度も何度も耳で聞かされて理解に努めようとしても，充分に納得できなかったようなことがあっても，1回実例を見せられたら，たちまち氷解するがごとく理解することができることは，我々日常生活においても経験している．（西田新一）

本章において，産学連携事例は，産業界の多くは，福岡県の中小企業である．驚くべきことは無名に近い技術者や企業が優れた技術を持ちながら，開発資金がないため今まで世に知られることがなかったことである．初めて産学連携を通じて事業化をすることができた．このようなことは，まだまだ全国には，興味ある未知のシーズがあることを示している．いずれにおいても，ほぼ最先端で日本初の製品開発である．読者の皆さまから興味を抱いていただければ幸甚である．（田中洋征）

6.1　食品用サニタリー
新型ガスケットレス管継手の開発

6.1.1　研究背景

管と管をつなぐ管継手は通常，ゴムや樹脂性のパッキンが挿入され，内部流体等の漏れを防止している[1)]．しかし，熱等の環境因子によりパッキンは必ず劣化し，いずれ漏れが発生する．このためメンテナンスに多大の費用を必要としている．一般に食品用の配管や継手は，バクテリアの発生を抑えるため，薬品，熱水，蒸気等による殺菌を毎日定期的に繰り返している．さらに，ジュース等の飲み物では香りの違う多品種の飲料等の生産を同じプラントで行うため，プラント内に付着している香りを除去する工程が必要であり，洗浄工程を頻繁に行っている（表 6.1.1）．このようにパッキンがいらないガスケットレス継手は，食品用として最適である．ここで紹介するサニタリー GL フランジ[2)]（図

表 6.1.1　乳業工場の典型的洗浄方式 CIP プログラム（Cleaning in Place）．

CIP プログラム	温度	時間
熱水によるすすぎ		10 分
アルカリ性洗剤の循環	75℃	30 分
熱水によるすすぎ		5 分
酸性洗剤の循環	70℃	20 分
冷水によるすすぎ		10 分

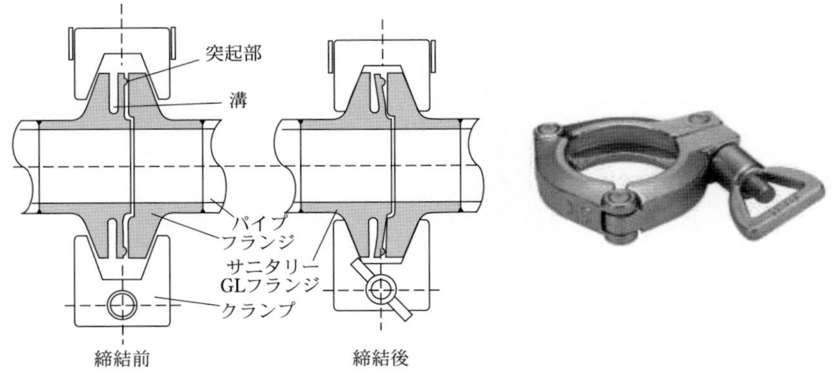

図 6.1.1　サニタリー GL フランジとクランプ．

表 6.1.2　技術開発のためのプロジェクトチームと役割分担.

技術課題	項目	対応策	分担
強度，設計	構造	構造検討，FEM	九州工業大学　高瀬康氏ら
製造	構造	製造技術 構造検討	㈱大創　尾辻啓志氏・名川政人氏ら 辰巳企画
耐劣化性・洗浄性	材料	SEM 電子線マイクロアナライザー	機械電子研究所 飯塚研究開発機構
	材料，構造	細菌試験 衛生試験 残香試験	オーム乳業㈱　農新介氏・武末与郎氏ら

6.1.1) は，平成 13 年度地域新生コンソーシアム研究開発事業「食品用サニタリー新型ガスケットレス管継手と締結装置の開発」の援助を得て行った．表 6.1.2 に，技術開発のためのプロジェクトチームと役割分担を示す．

まず，研究背景として，食品用開発以前に工業用として開発した管継手の例を紹介する（その詳細を補足資料 1 ～ 3 に示す）．図 6.1.2 は，工業用ガスケットレスフランジの例である．この製品は，図 6.1.2 に示すように，フラ

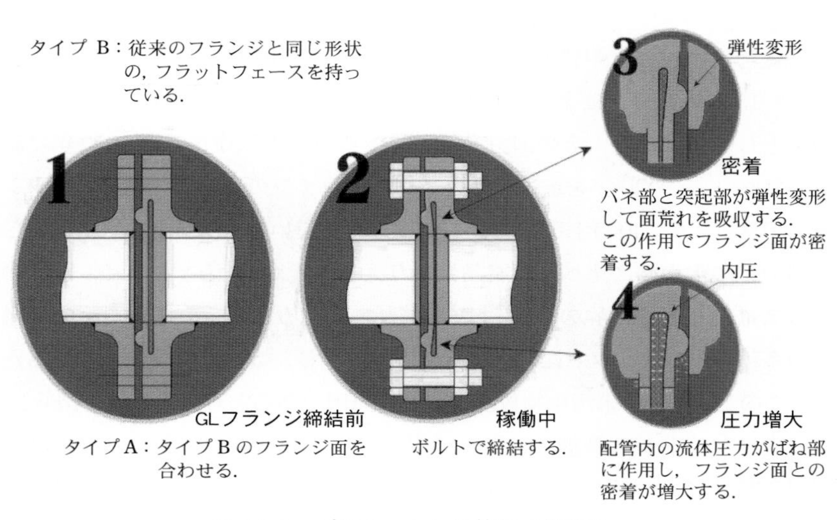

図 6.1.2　ガスケットレス管継手概略図.

ンジに突起と溝を設けることでばね効果を利用して漏れを防止し，パッキンを不要とした世界初の継手である[1)]．図 6.1.2, **1** は締結前，**2** はボルト・ナットで締結した状態，**3, 4** は円形突起がフランジに接触することで圧力がかかり，ばね効果が作用して漏れなくなる状態を示したものである．

流体輸送を目的とする工業用配管は，各種工業プラントに，数多く用いられている．接続のため配管継手は不可欠であり，漏れを防ぐために，必ずガスケットが挿入される．表 6.1.3 にガスケットの種類と形状を示す．用途と条件に応じて選定され，複雑多岐に及んでいる[3)]．適切なガスケットを使用しても，必ず経年劣化を伴うため，継手部から漏れが発生することは避けられない．定期的な点検と保守を必要としており，その損失と補修には世界的な規模で膨大な費用と手間が発生している．また高温流体や有害な物質を搬送する場合など，その漏洩事故やメンテナンスの作業には危険を伴うことも多い．したがって，永久的に使用できるシールシステムが開発され，使用可能となれば，環境保全や安全のための有力な手段となる．

近年，工業プラントからの揮発性有機化合物の漏れは，深刻な環境問題となっているが，ガスケットレスフランジは，その対策としても有用である．例えば 1987 年の米国の産業報告書では，毎年 27 億ポンド（122 万トン）の有害大気汚染物が大気中に放出されていたことが原因となって，毎年およそ 300 ～ 1500 件のガンによる死亡が生じていることが報告されている．その対策として米国では，その漏れを取り締まる改正大気浄化法が 1990 年に制定された[4)]．シベリアを走る天然ガスパイプラインの例では，漏れるメタンガスの量は年間 240 万トンにのぼると推定されている[5)]．メタンガスは同じ体積の二酸化炭素に比べ，温室効果に与える影響が 21 倍と大きく，温室効果ガスによる温度上昇の 20％はメタンガスによるとみられている．配管継手の多種類のガスケットには必ず経年劣化が生じ，ついには漏れを生じるため，このことが，有害汚染物放出の大きな原因であると考えられる．図 6.1.3 に，ガスケットレス管継手と従来のガスケットのヘリウム漏れ試験の結果（JIS Z 2331 に基づくヘリウム漏れ試験結果）を示す．図 6.1.3 より，ガスケットレス継手は，従来のガスケットよりも十分なシール性を有することがわか

表 6.1.3　ガスケットの種類と用途.

流体	標準使用範囲		ガスケットの種類
	圧力 (MPa)	温度 (K)	
水蒸気	5 ～ 15	773 ～ 873	金属リングガスケット
熱水	2 ～ 10	623 ～ 823	波形金属ガスケット 波形二枚合金ガスケット うず巻形ガスケット 鋸歯形金属ガスケット 平形金属ガスケット
	0.5 ～ 4	373 ～ 673	石綿ジョイントシートガスケット
	2 ～ 5	473 ～ 773	石綿ジョイントシートガスケット 金網入石綿ジョイントシートガスケット ゴム引石綿ガスケット ゴム引金網入石綿布ガスケット
	0 ～ 2	373 以下	ゴムシートガスケット 布入ゴムシートガスケット 金網入ゴムシートガスケット 充填処理した皮ガスケット
清水 塩水 塩化カルシウム水	0 ～ 5	563	石綿入金属被覆平ガスケット 石綿ジョイントシートガスケット ゴム引金網入石綿布ガスケット
		373	ゴムシートガスケット 布入ゴムシートガスケット 金網入ゴムシートガスケット 充填処理した皮ガスケット
空気	0 ～ 2	373	ゴムシートガスケット 布入ゴムシートガスケット 金網入ゴムシートガスケット 充填処理した皮ガスケット
アンモニア	10	773	うず巻形ガスケット
	5	773	石綿ジョイントシートガスケット
	2	203 ～ 533	テフロンガスケット

る.

表 6.1.4 にこのような種々の工業分野に応用可能なガスケットレスフランジに関する外部資金の獲得状況を示す.

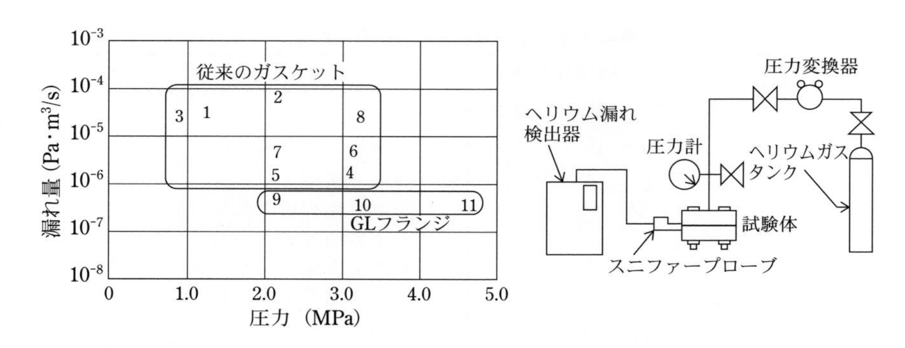

図 6.1.3 ガスケットレス管継手のヘリウム漏れ試験の結果 (JIS Z 2331 に基づくヘリウム漏れ試験結果).

表 6.1.4 外部資金獲得状況.

	外部資金
平成 9 年度	北九州市産学連携研究開発特別助成
平成 10 年度	(財) 新技術開発財団 (旧市村財団)
平成 11 年度	日本商工会議所の物作り事業
平成 13 年度	経済産業省補正「即効型地域新生コンソーシアム研究開発事業」

6.1.2 食品関係の配管の問題点

一般に，乳工場ではサニタリー配管等のガスケット結合部が数千カ所以上も存在している．衛生的な環境を維持するため，乳の殺菌機等設備や配管は，分解することなく洗浄できる定置洗浄方式 (以下 CIP 洗浄方式と記す，CIP＝Cleaning In Place) を採用している．すなわち，各工場では，CIP 洗浄用の大型洗浄液タンク (アルカリ洗剤液，酸洗剤液，温水) を備え，製品切替時および作業終了時に，殺菌機および配管内の循環洗浄を行っている．表 6.1.1 に定置洗浄方式の例を示す．表 6.1.1 に示す工程を，コンピュータ制御により，10 数ラインにわけて 1 日 3 時間程度の時間を使い洗浄する．このような CIP 洗浄下でラバーガスケットは劣化する．そのため，例えば，工場内に存在している約 2,700 カ所のガスケットを週末にかけて一斉に交換した場合，20 名の人員でのべ約 400 時間を必要とし，交換経費は人件費を含めて約200万円を要する．このように，費用をかけて定期的な交換を行っているものの，衛生面での十分な管理が必要であり，ガスケットレス配管の必要性が認識される．

図6.1.4は，CIP洗浄液がタンクに戻るラインに，ラインフィルター(5 μm)を取り付け回収した代表的な粒子のSEM(走査型電子顕微鏡)写真である．電子線マクロアナライザーにより定性分析を行った結果，これが有機物などのコゲではなく，洗浄時にガスケットから剥離した微粒な破片であることがわかった．すなわち，毎日のCIP洗浄の過程でガスケットが劣化していることが予測される．表6.1.5に食品用配管の問題点をまとめて示す[6,7]．

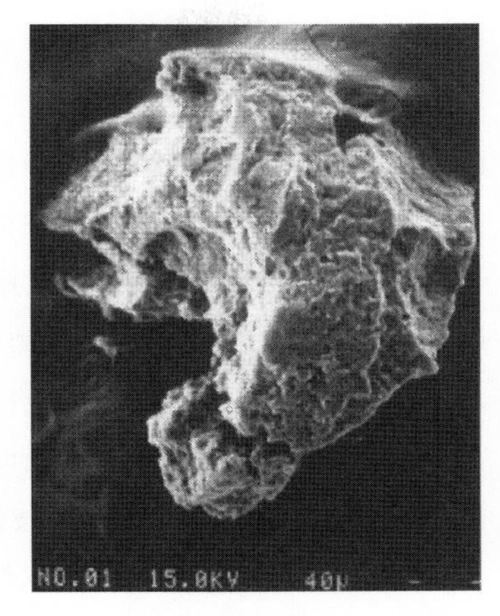

図6.1.4 黒色異物粒子のSEM像.

表6.1.5 食品用配管の問題.

	問題点
①	頻繁な殺菌や洗浄のためにガスケットが劣化しやすく，継手部からの漏れや，製品へのガスケット片の混入が生じる．
②	①の防止策としてプラントを停止して，定期的にガスケットを交換する作業に多大の労力と費用を要している．
③	構造上，継手部はガスケットとの段差や隙間があり(図6.1.2参照)，この部分に食物の残滓が付着しやすいために，殺菌や洗浄の面で細心の注意を払う必要がある．
④	バクテリアの発生を抑えるため，薬品，熱水，蒸気等による殺菌を毎日定期的(2～3時間)に行う必要がある[6,7]．
⑤	香りの違う多品種の食品や飲料等の生産を同じプラントで行うため，プラント内に付着している，残った香りを除去する工程が必要である．

6.1.3 課題解決

食品用サニタリー新型ガスケットレス管継手を開発した際のポイントは，以下の通りである．

(1) ラバーの劣化の対策として，ラバーガスケットなしの金属のみで構成すること．これにより，ガスケットから剥離した微粒な破片が，食品に混入する心配が無用となる．

(2) 洗浄性の対策として，継手部と突起部を滑らかな形状にした外溝構造とすること．これにより，従来の製品のように，ガスケットとの段差やすき間に食物の残滓が付着する心配が無用となる．

(3) 十分なシール性を得るための構造解析に基づく最適設計技術を用いたこと．工業用 GL フランジと同様に本製品おいても，実験と FEM 解析によって漏れが生じない条件を明らかにする[8~10]．

(4) 高精度の細菌・衛生試験技術を用いたこと．通常の ATP アナライザー検査および残液の細菌検査以外に，一般細菌数の測定，デソキシコレート培地を使用したかび・酵母数の測定などによって，ラバーガスケットと同等以上のサニタリー性を確保する．

6.1.2 項に示したラバーの劣化の対策として，上記ポイント (1) のガスケットレスに注目した．図 6.1.2 の重化学工業プラント等で用いられている，GL フランジを応用した．しかし，従来の内溝型 GL フランジ[8~10]では，突起部分の洗浄性が不良である．すなわち，6.1.2 項の洗浄性の対策として，上記ポイント (2)，(3) に注目し，GL フランジ継手部と突起部を滑らかな形状にした外溝構造 (図 6.1.1) に変更した．

図 6.1.5 に示すパステライザー (低温殺菌用保持タンク) に無脂乳固形分 13.0％の還元脱脂乳を 200 L 配合し，80℃に加温殺菌後，ガスケットおよびガスケットレス配管内を 4 時間循環する．その後，内容液を排出し，温水ですすぎ，工場と同条件にて CIP 洗浄を行ったあと，配管内部の新型ガスケットレス管継手の ATP アナライザー検査および残液の細菌検査を実施する．さらに，本実験では，標準寒天培地を使用した一般細菌数の測定，デソキシコレート培地を使用した大腸菌群，ポテトデキストロース培地を使用し

図 6.1.5 小型実機ライン.

たかび・酵母数の測定を行った．その結果，従来から使用しているラバーガスケットと，本プロジェクトで開発した新型ガスケットレス管継手を比較したところ，両者には衛生面での有意差はなく，新型ガスケットレス管接手は充分にサニタリー性を維持できることが確認された.

［1］外溝型（図 6.1.1）で，クランプ締結（図 6.1.1 参照）でも十分なシール性を有するガスケットなしの金属のみで構成されるサニタリー GL フランジを開発した.

［2］従来のラバーガスケット配管と新型ガスケットレス配管で，その配管接合部に洗浄後も香気成分が付着していないことを，ガスクロマトグラフィーで確認できた.

6.1.4 事業化への取り組み

これまでに工業用と食品用が開発され，平成 14 年度までに工業用売り上げ約 1,500 万円，食品用は，大手メーカー等に有償サンプル出荷工業用は売り上げが少しずつ増え，企業の収益に寄与してきている．また，平成 17 年 3 月，大手化学メーカーが，性能試験において長期にわたって漏れないことを実証し，この製品を高く評価し自社のプラント装置に採用が決定するなど，会社の収益に寄与してきだした.

6.1.5 まとめ

(1) ガスケットは，適切なガスケットを使用しても，経年劣化を伴うため，継手部から漏れが発生する．定期点検と保守が必要であり，その損失と補修に世界的規模で膨大な費用と手間が発生している．

(2) ばね効果を利用するガスケットレス継手は，従来のガスケットよりも十分なシール性を有することがヘリウム漏れ試験で確認できる．

(3) 食品用配管継手部は，段差や隙間があるため，殺菌や洗浄の面で細心の注意を払う必要がある．バクテリアの発生を抑えるため，殺菌を毎日定期的に行う必要がある．

(4) 洗浄性対策として，外溝形構造とし，クランプ締結でも十分なシール性を有する金属サニタリーGLフランジを，産学連携プロジェクトとして開発した．細菌試験・衛生試験・残香試験により十分なサニタリー性を有することを確認できた．

以上，これまでに，サニタリーGLフランジ[2)]（図6.1.1）の産学連携による開発を紹介した．その研究背景として，他の工業用GLフランジを，食品用に先んじて開発したことを簡潔に述べた（6.1.1節参照）．以下の補足資料1～3では，食品用以外のGLフランジを，産学連携により開発した際の重要なポイントを紹介する．これらの補足資料は，GLフランジのシール効果がどのようにして得られるのか，そのメカニズムをまとめたものでもあり，新しい工業分野へGLフランジを応用する上でも重要である．

この研究は初めて産学連携研究として行ったが，日刊工業新聞社第11回中小企業優秀新技術・新商品賞を受賞できた．

補足資料1：工業用配管におけるシール効果を発揮する弾性変形部の寸法について

図 6.1.6 に，世界初の GL フランジ開発のため，最初に検討された形状を示す．ここでは，蒸気配管用の管の呼び径 50A をターゲットとした．図 6.1.2 や図 6.1.6 に示すように，GL フランジのシール効果は，突起変形部のばね効果，すなわち弾性変形により発揮される．そこで，表 6.1.6 の 4 種類のモデル，Type A，Type B，Type C および Type D を比較検討して，最適寸法と，シールのメカニズムを調べた．ここで，Type A は溝のない場合であり，Type B は変形部の厚さ $h = 5$ mm で変形部の溝の深さ $l = 13$ mm の場

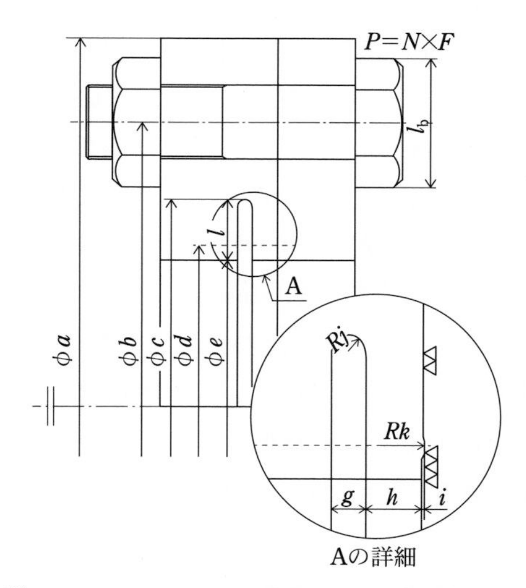

図 6.1.6 工業用配管用 GL フランジの開発のための変形部の重要寸法 h（変形部厚さ）と l（変形部溝深さ）決定のための実験モデル．

表 6.1.6 蒸気配管用 GL フランジ開発のためのモデル（図 6.1.6）の各寸法とその実験結果（mm）．

	Type	a	b	c	d	e	f	g	h	i	Rj	Rk	l	実験結果
溝なし	A	155	120	—	67.0	61.0	24.0	0	∞	0.2	1.5	4.0	—	△
$h = 5$ mm	B	155	120	87.0	67.0	61.0	24.0	3.0	5.0	0.2	1.5	4.0	13.0	○
$h = 3$ mm	C	155	120	87.0	67.0	61.0	22.0	3.0	3.0	0.2	1.5	4.0	13.0	●
$l = 8$ mm	D	155	120	77.0	67.0	61.0	22.0	3.0	3.0	0.2	1.5	4.0	8.0	—

合，Type C は $h = 3$ mm で $l = 13$ mm の場合，Type D は変形部の厚さ $h = 3$ mm で $l = 8$ mm の場合である．材料は S25C を用いて，NC 工作機械で加工した．本実験では，突起部の表面粗さが $R_{max} = 4$ μm で，相手側フランジの表面粗さは $R_{max} = 80$ μm になるように加工した．ただし，表面の仕上げがこれより多少粗い場合でもシール効果が有効であり，同様の結果が得られることを確認した．ここでは，変形部のばね効果（弾性変形）を支配する，変形部の厚さ h と変形部の深さ l のシール効果への影響を明らかにする．このとき，突起部の形状寸法を変えると，基準となる接触応力状態が変わるので，突起部の寸法 $Rk = 4.0$ mm, $i = 0.2$ mm と固定して，h と l を変化させる．

図 6.1.7 にシール効果の実験装置を示す．ボルト締付後，水圧 4.9 MPa 作用させた．フランジの締付は，M16 のボルト 4 本を，各々締付トルク 98 Nm で締付けて行った．テスト時間は 10 分で，この間圧力の低下が生じなければ漏れなしとした．漏れが生じない場合，一度取外した後，再度締結して，先程と同じ条件で水圧を作用させて，圧力の低下を観察した．実験結果を，表 6.1.6 の右端に○△●で示す．○は漏れが生じない場合，△は最初の締結では漏れないが取りはずし再度締結すると漏れが生じる場合，●は最初から漏れが生じた場合である．すなわち，溝のない Type A では，最初の締結では漏れは生じないが，一度取外して再度締結すると漏れが生じる．一方，$h = 5$ mm の Type B の場合は取り外し後，使用しても漏れが生じず，繰り返し使用可能である．$h = 3$ mm の Type C では最初から漏れが生じる．

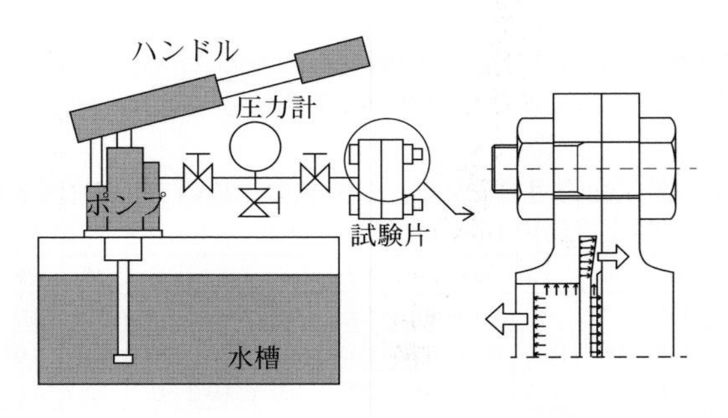

図 6.1.7　工業用配管用 GL フランジのシールの効果の実験装置．

実験と並行して有限要素法 FEM による解析を行い，シール効果に最も重要な接触部の応力やひずみから，シール効果の支配因子を調べた．FEM 解析より，Type D では△と予想できるので，実験を行っていない．

図 6.1.8 に，Type A ~ D をボルトで締付したときの変形部のミーゼス相当応力分布を示す．材料 S25C の降伏応力 255 MPa を超える，最も黒い部分が塑性域である．ミーゼス相当応力 σ_{eq} の最大値は Type A，Type B，Type C ともほぼ等しく $\sigma_{eqmax} \cong 286$ MPa である．一方，軸方向最大接触応力 σ_{zmax} は Type A と Type B がほぼ等しく $\sigma_{zmax} \cong -1200$ MPa であるが，Type C はそれよりおよそ 25% 小さい $\sigma_{zmax} = -888$ MPa となっている．また，TypeC は，図 6.1.8 (c) に示すように σ_{zmax} ＝が小さいばかりでなく，接触部の塑性域もごく小さい．つまり Type C が最初から漏れが生じるのは軸方向垂直応力が小さく，塑性変形も不十分で，加工による表面粗さに対して，十分な密着状態が得られていないことが理由と考えられる．

塑性域の大きさは変形部の厚さが厚いほど大きく，溝がないとき最も大きい．よって，実験で Type A が一度取外し後の再使用が不可であった原因として塑性域の広さが考えられる．つまり図 6.1.8 (a) のように広い部分が塑性変形すると最初の締結では強固な密着が得られるものの，一度取外して再度使用するには塑性変形が大きすぎて漏れが生じると考えられる．

結局，締結時に $\sigma_{zmax} \cong -1200$ MPa 程度となることと，突起部の塑性域の大きさが図 6.1.8 (b) に示す程度で，適度であることが繰り返し使用においてシール効果を得るために必要となると考えられる．なお，溝の深さ l はできれば小さい方が，加工が容易となり望ましい．このような観点から，表 6.1.6 の Type D の $h = 3$ mm，$l = 13$ mm が検討された．すなわち Type B と Type C の比較から $h = 5$ mm，$l = 13$ mm の Type B が望ましいが，変形部の厚さ $h = 3$ mm でも溝を浅くすることで変形部の剛性を高めれば締結時の突起部の応力 ($\sigma_{zmax} \cong -1200$ MPa 程度が得られることが予想され，実際，図 6.1.8 (d) に示すように Type D で突起部の $\sigma_{zmax} \cong -1300$ MPa が実現できた．しかし変形部根元では溝を $h = 3$ mm と浅くしたため全断面が降伏しており，この塑性変形により一度取外すと再使用するのは困難であると考えら

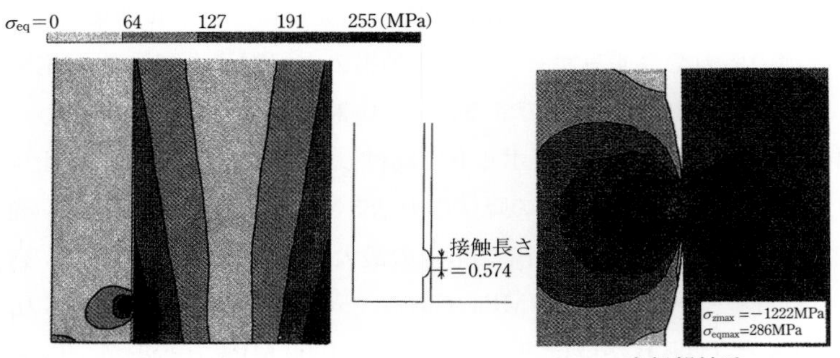

(a) Type A のミーゼス相当応力分布 σ_{eq} と突起部の接触応力の最大値 σ_{zmax} = −1222 MPa

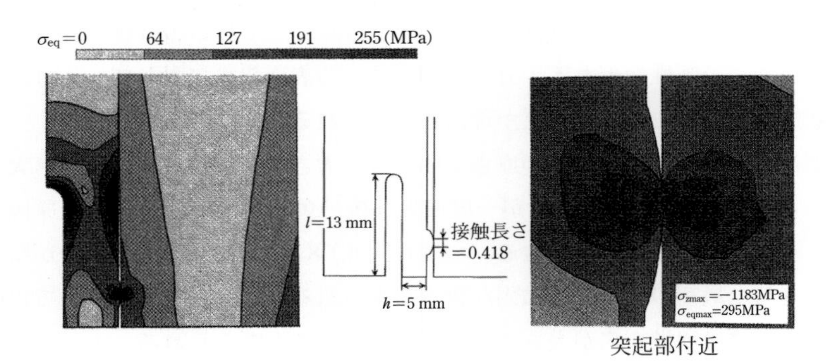

(b) Type B のミーゼス相当応力分布 σ_{eq} と突起部の最大接触応力 σ_{zmax} = −1183 MPa

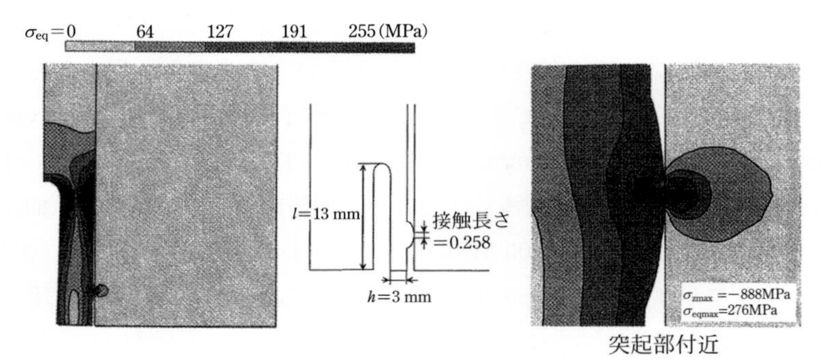

(c) Type C のミーゼス相当応力分布 σ_{eq} と突起部の最大接触応力 σ_{zmax} = −888 MPa

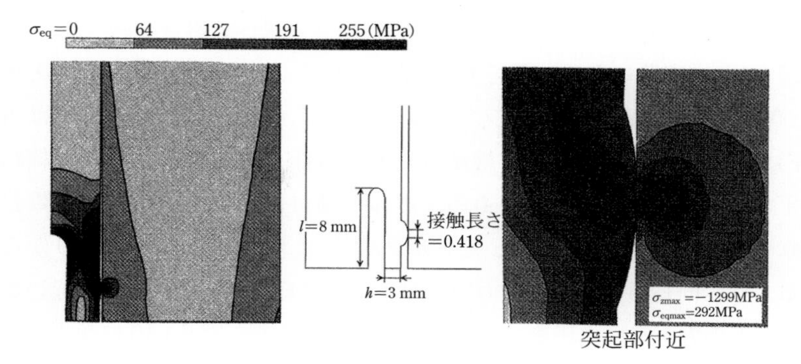

(d) Type D のミーゼス相当応力分布 σ_{eq} と突起部の最大接触応力 $\sigma_{zmax}=-1299$ MPa

図 6.1.8 蒸気配管用 GL フランジの変形部の重要寸法 h(変形部厚さ) と l(変形部溝厚さ) を変えた場合の変形部のミューゼス相当応力分布 σ_{eq} と突起部の最大接触応力 σ_{zmax}.

れる.

このような考察から，最適なシール効果を得るには Type B の形状が適当であると結論できる.

補足資料 2：蒸気配管用 GL フランジのシール効果に及ぼす異なる呼び径の影響について

フランジは大小様々な寸法のものがある．ここでは，補足資料 1 で述べた呼び径 50A と呼び径 250A を対象として同じ円周方向単位長さ締付力を与えたときの，漏れが生じない限界水圧 p_{cr} を比較するとともに FEM 解析を用いて突起部の軸方向最大接触応力 σ_{zmax} と限界水圧 p_{cr} の関係を考察する．表 6.1.7 に呼び径 50A と呼び径 250A の実験に用いた GL フランジの寸法の詳細を示す．ここでは，変形部の寸法を呼び径 50A で求めた最適寸法 h = 5

表 6.1.7 呼び径が 250A と 50A のシール効果に関する実験モデル (図 6.1.6) の各寸法 (JIS B 2200) (mm).

寸法	a	b	c	d	e	g	h	i	Rj	Rk	l	l_b
250A	400.0	355.0	295.5	275.5	269.5	3	5	0.2	1.5	4	13	37
50A	155.0	120.0	87.1	67.1	61.1	3	5	0.2	1.5	4	13	28

mm，$l = 13$ mm に固定して，呼び径のシール効果への影響を調べた．

図 6.1.9 に実験によって得られた漏洩が生じるときの限界水圧 p_{cr} を呼び径 50A と呼び径 250A の GL フランジについて示す．図 6.1.9 の横軸は円周方向単位長さ当たりのボルト締結力 P/b であり，P は総締結力，b は締結部の平均直径（図 6.1.6 参照）である．ボルト締付力 P は，座面摩擦係数 $\mu = 0.20$，ボルト強度区分 4.8 としてトルク法[11] より算出した．図 6.1.9 からわかるように同じ単位長さ締結力では漏洩が生じる限界水圧に大きな違いが生じ，50A の方が高い水圧までシール効果が得られる．図 6.1.10 に軸方向最大接触応力 σ_{zmax} と P/b との関係を示す．同じ単位長さ締結力 P/b で比べると 50A の方が 250A よりも大きな $|\sigma_{zmax}|$ が生じており，このことが図 6.1.9 の原因であると考えられる．

図 6.1.11 は限界水圧 p_{cr} を軸方向接触応力 σ_{zmax} で整理したものである．図 6.1.11 より呼び径が異なっても σ_{zmax} が同じであれば限界水圧もほぼ等しくなることがわかる．つまり，漏れる漏れないの条件は呼び径によらず σ_{zmax} のみによって決定される．突起部の最大接触応力の最大 $|\sigma_{zmax}|$ を上昇させるには変形部の厚さ h →大，溝の深さ l →小とすればよい．ただし，一度取外して再度使用できるように接触部や変形部根元の塑性域の大きさに注意することが必要である．

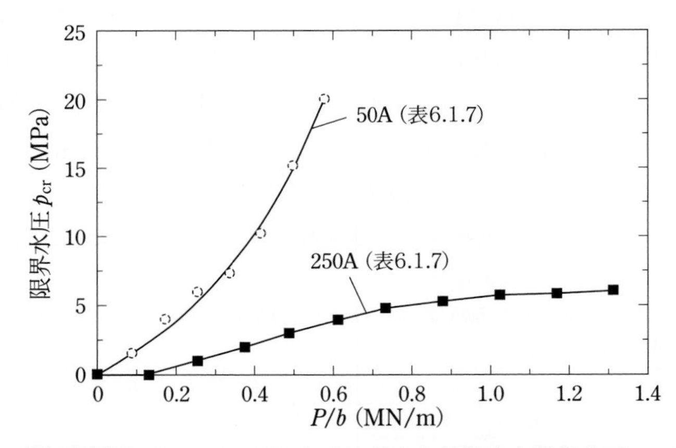

図 6.1.9　蒸気配管用 GL フランジにおけるボルト締結力と限界水圧 p_{cr} の関係．

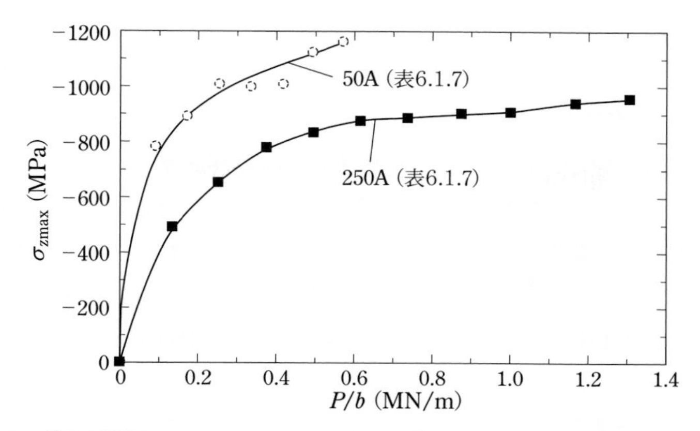

図 6.1.10　蒸気配管用 GL フランジにおけるボルト締結力と突起部の最大接触応力 σ_{zmax} の関係.

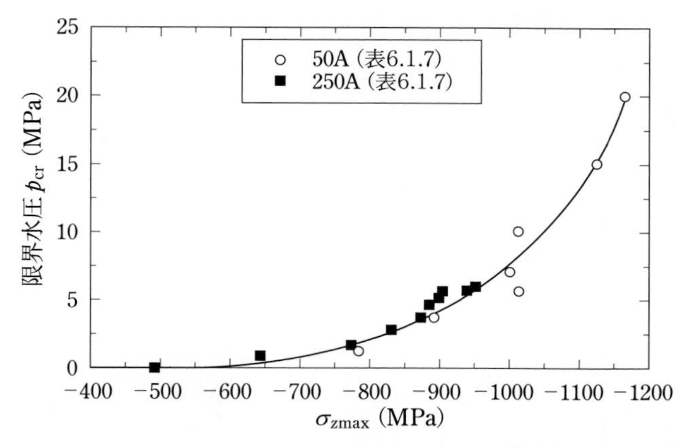

図 6.1.11　蒸気配管用 GL フランジにおける突起部の最大接触応力 σ_{zmax} と限界水圧 p_{cr} の関係.

補足資料 3：硬質塩化ビニル製 GL フランジの開発

ソーダ，めっき，紙，パルプなどの産業プラントにおいて腐食性流体を搬送する際には，耐薬品性において特に優れている樹脂製のパイプならびにフランジが不可欠である．そのような要求にこたえるため，S25C 以外の GL フランジとして，硬質塩化ビニル (PVC-U) を取り上げ，そのシール機構が有効にはたらく条件を検討した事例を紹介する．S25C の場合と比較し，材料の違いが GL フランジのシール効果に及ぼす影響を明らかにすれば，他の材料を用いる際にも有用である．

図 6.1.12 に漏洩が生じる限界水圧 p_{cr} と軸方向接触応力 σ_{zmax} との関係を示す．図 6.1.12 より p_{cr}−σ_{zmax} 関係は GL フランジ材料である PVC-U と S25C に依存して変化するが，管の呼び径が異なっても各材料で限界水圧 p_{cr} が σ_{zmax} によって支配されていることは硬質塩化ビニルでも同様である．図 6.1.12 より，PVC-U では比較的小さい σ_{zmax} で高い限界内圧 p_{cr} が得られるこ

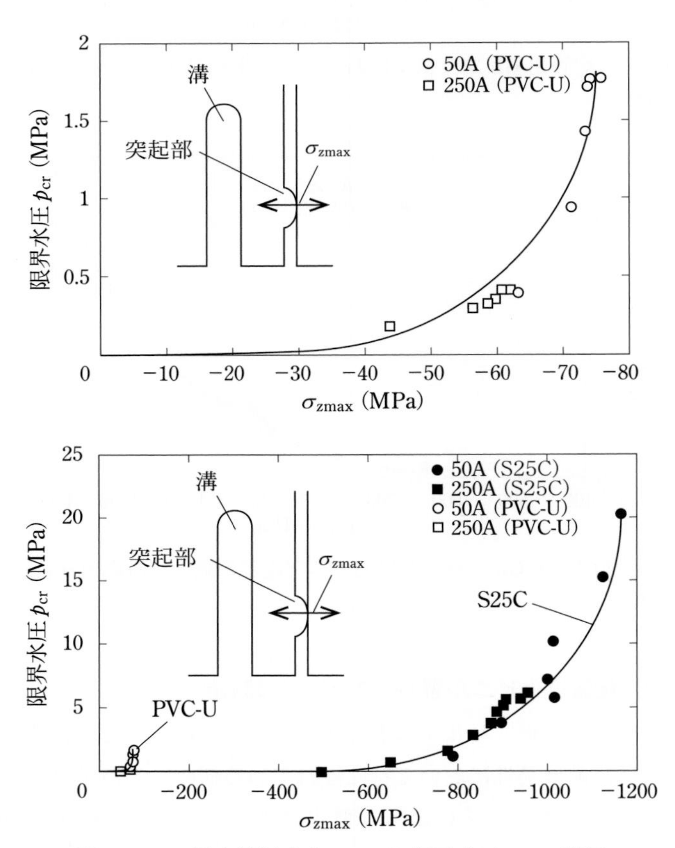

図 6.1.12　最大接触応力 σ_{zmax} と限界水圧 p_{cr} の関係．

とがわかる．PVC-U では，継手締結時に弾性変形が容易であることから面粗さ等を吸収しやすく，比較的小さい接触応力で均一の当たり面によるシール効果を発揮している．

本研究で取扱う PVC-U は，一定荷重の作用下で変形が時間とともに進行するクリープ現象が知られている．そのため，図 6.1.12 の最大接触応力 σ_{zmax} が時間とともに低下し，良好なシール効果が得られなくなる恐れがある．図 6.1.13 は水圧 p を 10 分間作用させ，漏れが生じなければ 0.05 MPa 上昇させる方法で漏れが生じる限界水圧 p_{cr} を求めた結果を示す．図 6.1.13 の曲線 p は漏れが生じない最大水圧 $p<p_{cr}$ を長時間作用させた結果である．50A では 15 時間まで水圧低下が認められるが，その後一定となる．一方，250A の曲線 p では，23 時間まで水圧低下が認められるが，その後一定となる．これらの曲線 p は，100 時間まで延長して調べても，さらなる低下は認められない．つまり，曲線 $p<p_{cr}$ の低下は，パイプおよびフランジがクリープ現象によって体積膨張したことによるもの（漏れなし）であり，限界水圧以上 $p \geq p_{cr}$ による，漏れによって生じる圧力低下とは全く異なる．図 6.1.13 には，漏れが生じ始める限界水圧 p_{cr} を，時間ごとに求めた曲線 p_{cr} も示している．図示するように，限界水圧 p_{cr} ＝一定であり，50A，250A ともに応力緩和の影響は全く認められない．

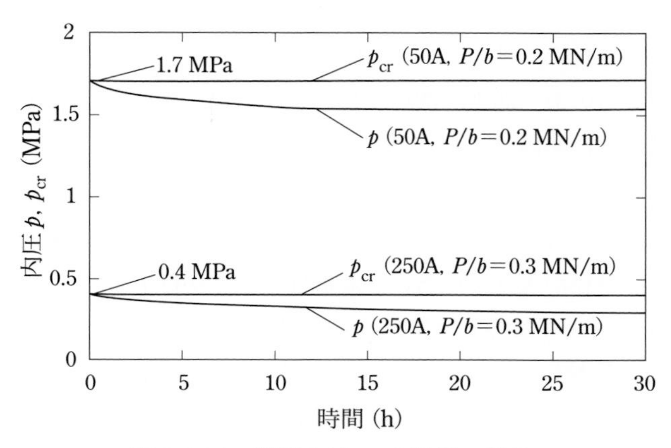

図 6.1.13　限界水圧 p_{cr} と時間の関係．

以上の検討とともに，実際に三菱化学㈱黒崎事業所において以下の条件で管の呼び径50AのPVC-U製GLフランジを試験的に使用した．その結果，使用圧力が常に作用した状態で1年半以上継手間から漏れが生じていないことを確認している．

①総締付力：12 kN（単位長さの締結力 $P/b = 0.1$ MN/m）

②使用流体：塩酸

③流体温度：常温

④使用圧力：0.49 MPa

GLフランジのシール効果のメカニズム（補足資料のまとめ）

(1) GLフランジのシール効果は，変形部のばね効果，すなわち，その弾性挙動によって得られる．この観点から，変形部の厚さ（図6.1.6の h）と，溝の深さ（図6.1.6の l）が重要である．このとき，突起部の形状寸法を変えると，基準となる接触応力状態が変わるので，それらを固定して考えるのが良い．

(2) 例えば h →大，l →小とすれば突起部の接触応力 σ_{zmax} →大となる．このとき，接触面に塑性変形が生じるので，加工による表面粗さに対して，十分な密着状態が得られ，シール効果が得られる．

(3) 接触部などに生じる塑性域は，適度の大きさであることが，繰り返し使用には必要となる．すなわち，GLフランジのシール効果は弾性変形によるものであるので，過度の塑性変形が生じると，繰り返し使用できない．

(4) 変形部の寸法を固定して，フランジの呼び径 b を大きくすると，締結力が同じでも（P/b ＝一定），限界水圧 p_{cr} が低下する（図6.1.9参照）．言い換えれば，呼び径 b が小さい方が，高い水圧までシール効果が得られる．これは，呼び径が大きくなると，変形部の剛性が低下し，突起部の接触応力 $|\sigma_{zmax}|$ が小さくなるためである（図6.1.10参照）．

(5) 突起部の接触応力 $|\sigma_{zmax}|$ が同じであれば，呼び径 b が異なっても，ほぼ同程度の限界水圧が得られる（図6.1.11参照）．したがって，呼び径が大きいとき，h →大，l →小などとして，変形部の剛性を増せば，突起部

の接触応力 σ_{zmax} →大となり，同等のシール効果が得られる．

(6) 腐食性流体を搬送する配管用に，硬質塩化ビニル製 GL フランジが開発された．この場合も，その限界水圧 p_{cr} は $|\sigma_{zmax}|$ によって決まることが示された（図 6.1.12 参照）．硬質塩化ビニルでは，時間に伴うクリープ変形により，突起部の接触応力が応力緩和によって低下し，シール効果が悪化する懸念があった．実験と解析により，応力緩和による漏れは生じないことが確認された（図 6.1.13 参照）．

参考文献

1) 例えば，日刊工業新聞，(1998.12.2), 37.
2) 野田尚昭：食品用サニタリー新型ガスケットレス管継手の開発，配管技術，**46**-5, (2004), 10-19.
3) 赤岡 純：シール技術, 近代編集社, (1972), pp.365-369 など．
4) Clean Air Act Amendment of 1990 (USA).
5) 毎日新聞, (1998.6.28) など．
6) 野田尚昭，堀田源治：人と職場の安全工学，日本プラントメンテナンス協会, (2003), 282.
7) 野田尚昭，堀田源治，佐野義一，高瀬 康，福永道彦：職場における安全工学，朝倉書店, (2014), 148-149.
8) 野田尚昭，武内健一郎，高瀬 康，尾辻啓志：新型ガスケットレスフランジおよび弾性変形を利用するガスケットに関する基礎的研究，機論, **66** (643), (2000), 270-275.
9) 野田尚昭，武内健一郎，名川政人，白石文隆：新型ガスケットレスフランジのシール効果における限界内圧ならびに異なる呼び径の影響について，機論, **66** (650), (2000), 245-250.
10) 野田尚昭，井上暁史，名川政人，白石文隆：硬質塩化ビニル製新型ガスケットレスフランジのシール効果について，機論, **68** (674), (2002), 3069-3075.
11) JIS B 1083 (1990).

6.2 インテリジェント力制御を用いた木材研磨ロボットシステムの技術開発

6.2.1 研究背景

1994年，福岡県大川市にある日本最大の家具業界のニーズ調査をしたおり，木材の3次元研磨ロボットの開発が業界の悲願であり，これまで何度も県のインテリア研究所に要望してきたが，相手にしてくれない．ロボットメーカは市場性が小さいとして，開発する可能性が少なく困っているとのことであった．家具の製作工程における研磨作業には，NC加工後の木地研磨と塗装後の塗膜研磨があり，研磨と塗装を何度も繰り返して仕上げていくが，どちらも典型的3K作業となっており，作業者は粉塵が舞う環境下での重労働を余儀なくされる．特に塗装後の塗膜研磨は塗料が有機溶剤であり，働き手が最も嫌がる工程のようである．これは，家具部門の研磨作業は，その仕上がり具合が商品の外観や品質に直接影響するため，繊細で丁寧な作業が必要とされるため，自動化がより困難なものとなっているからである．

このような研磨作業において，これまでに自動化されている工程は，ワイドベルトサンダーによる平面の木地研磨と，プロフィールサンダーやNC制御式ベルトサンダー等による断面が同一形状を持つ平面曲面の木地研磨に限定されていた．自由曲面の研磨や膜厚の薄い塗装面の研磨にはほとんど自動化されず，熟練者が手作業で行っているのが現状であった．塗装工程においては，仕上げ品質を高めるために塗装，乾燥，研磨といった作業が数回繰り返される中でその都度，数百μm程度の塗膜から数十μm程度の研磨加工（取り代調整）が必要とされる．ところが，作業中には木質ワーク特有の伸縮，反り，ねじれに起因する数mm程度にもおよぶ寸法変化が生じるだけではなく，ワーク移動に伴う固定位置の誤差が発生するため，微妙な取り代調整が必要であり，簡単にロボット化できない難問がある．

当時，ロボット学会，機械学会ロボティクス・メカトロニクス部門，さらには計測自動制御学会システムインテグレーションの学術講演会では，それまで位置の制御が中心であったロボットの制御技術に新たに力の制御を加えて応用した発表事例が増えてきていた記憶がある．さらにNHKのニュース番組で，九州工業大学の山川烈教授（現 名誉教授）が，ファジー理論で豆腐を壊さずに持ち上げ移動させている報道や日本機械学会全国大会での招待講演を思い出した．技術的には，位置の制御と力の制御を組み合わせることで，3次元研磨ロボットの開発が可能ではないかとの期待を高めた．さらに，世界初の技術開発への挑戦と家具業界の期待に応えたいとの想いから開発を約束した．ただし人材育成から始める必要があり，10年の期間を要求した．

図6.2.1は開発した研摩ロボット インテリジェントサンダー・ロボットで3次元曲面を研磨した木製ベンチの写真（曲面を有するCADモデルに基づいてNC加工後に研磨した）である．

当時，当研究所には化学系とデザイン系の研究者が多く，大学で制御工学を学んだ研究者はいないと思っていたが，ひとり九州工業大学の電子工学科を卒業し，企業に就職してから転職してきた研究者がいた．聡明そうな眼つきであり，大学の社会人博士課程のコースにいけるようにするから，3次元研磨ロボットの研究をしないかと打診したところ，興味がありますと即答してくれた．

大学はどこに行けばよいかと思案し，佐賀大学なら30分程度で行けることもあり，共著者の一人である西田新一教授に相談すると，ロボットやインテリジェント制御の研究で有名な渡辺桂吾教授を紹介してくれた．次に，社会人博士課程に入学するためには博士前期（修士）課程を修了した程度の学力と業績がいる．彼は学部卒であることから，当時所内で研究していたスピンドルチルト式5軸制御NC工作機械のポストプロセッサの成果を精密工学会に論文提出することで対応することにした．こうして，社会人博士課程に入学でき，

図6.2.1　インテリジェントサンダー・ロボットで研磨した曲面木製ベンチの写真．

少しずつ開発に向かって動き出した．

この当時，力制御を汎用の産業用ロボットに応用した実験的なアプリケーションの開発例は少ないことから，学術論文を3報ほど提出し学位を取得するのに時間がかかるだろうと想定していた．しかし，彼は土，日曜日も大学に出かける猛勉強で日仏メカトロニクス国際会議や機械学会等で3報の論文を提出し無事学位を取得できた．このようにして研磨ロボット開発への準備が整い，業界に約束して6年目に研磨ロボットの開発が可能となった．企業は，産学連携で共同研究の経験豊富な北九州市の㈱エーエスエー・システムズに参加を要請し，快諾を得た．

エーエスエー・システムズの麻上社長は，大手鉄鋼会社をスピンアウトし，パソコン（PC）のCAD，CAM関連アプリケーション事業で，1984年にベンチャー企業を立ち上げ，国内占有率が90％を超える優秀なベンチャー企業である．社長は事業を拡張するため，新規事業開発課を創設し，産学官による共同研究を積極的に実施していた．これまでに，1995年中小企業庁から生産工場遠隔監視システム，98年に新エネルギー・産業技術総合開発機構（NEDO）より次世代型不正使用防止カードシステムおよび99年に匿名で送信可能な秘匿メーリングシステムの研究開発等の最先端の研究を実施しており，3次元研磨ロボットの研究に関しても極めて優れたパートナーである．

こうしたことから，2000年に経済産業省のNEDOのベンチャー企業支援型地域コンソーシアム研究開発事業にインテリア研究所，佐賀大学と共同で挑戦することになり無事採択されて約1.6億円を獲得した．

開発は順調に進み，家具業界からも注目されるようになったし，名古屋で開かれ世界3大木材のイベントにも出展し，業界からもついに3次元研磨ロボットが開発されたと高い評価を得た．また，インデックス大阪で開催された木材加工技術協会第20回年次大会で関西支部長賞を受賞し，約束して8年後2002年インテリジェントサンダー・ロボットとして販売が開始された．

6.2.2 インテリジェントサンダー・ロボットの特長

膜厚の薄い塗装面や自由曲面の研磨を可能にした新発想のサンダーロボットであるインテリジェントサンダー・ロボットは，6 自由度を持つ産業用ロボットのアーム先端に取り付けた研磨工具と研磨部材の接触力をコントロールすることで，熟練作業者が行う木材研磨を実現しており，次の特長を持っている．

1. 3 次元形状（自由曲面）の研磨に対応

自動車の製造ラインで実績のある産業用ロボットベースにしているため，アーム先端が人の動きに近い動作自由度を発揮でき，従来装置で対応できなかったデザイン性の高い自由曲面の研磨が可能である．

2. 力制御で塗装研磨に対応

力覚センサにより，研磨工具と部材の接触力を繊細にコントロールすることで，木地研磨はもとより，従来装置では対応できなかった膜厚の薄い塗装面の塗面研磨が可能である．

磨き力は，押付力と摩擦力の合力であり，力センサで計測できる．

3. 木材の反り・ひねりに対応

位置制御系のみが搭載された従来の産業ロボットでは対応不可能な木材の反り，ひねりおよび部材のセット位置の誤差を，力覚センサを用いた力制御で自動的に吸収できるようにした．

4. 3 K 作業の改善と品質の安定

研磨作業は，高度な熟練技術が必要でかつ 3 K 作業である．サンダーロボットは，熟練者が行う研磨作業を安定的に持続することが可能で，そのことにより品質の安定が図れ 3 K 作業を解消できる．

5. 従来の研磨工具が利用可能

熟練作業者が使用しているダブルアクションサンダーやオービタルサンダー等をそのまま利用できる．

6. 信頼性とコストの低減

汎用の産業用ロボットをベースとしたことによる高信頼性と低コスト化を

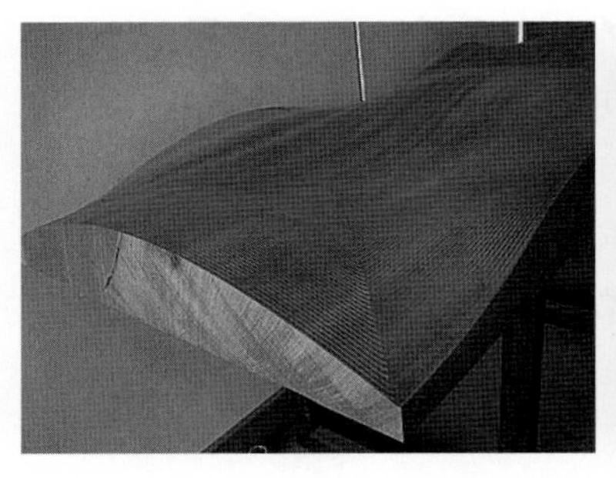

図 6.2.2　NC 加工後の曲面ワーク．

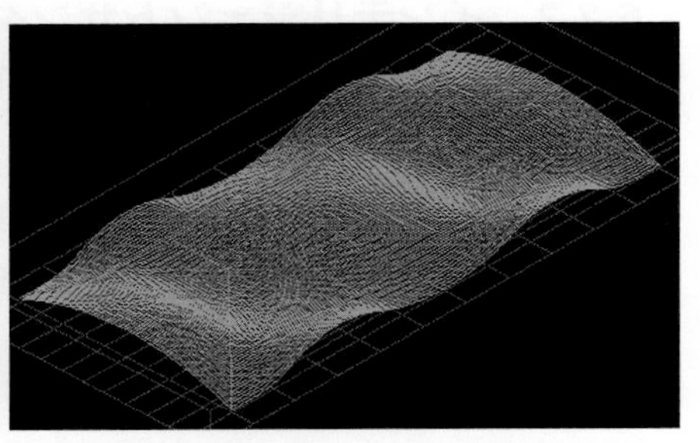

図 6.2.3　曲面木製ベンチ（図 6.2.1）の CAD モデル．

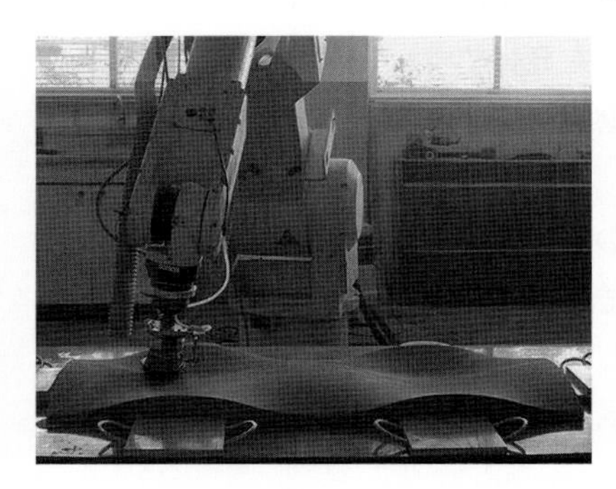

図 6.2.4　インテリジェントサンダー・ロボットによる自由曲面をもつ木製ベンチの研磨工程の写真．

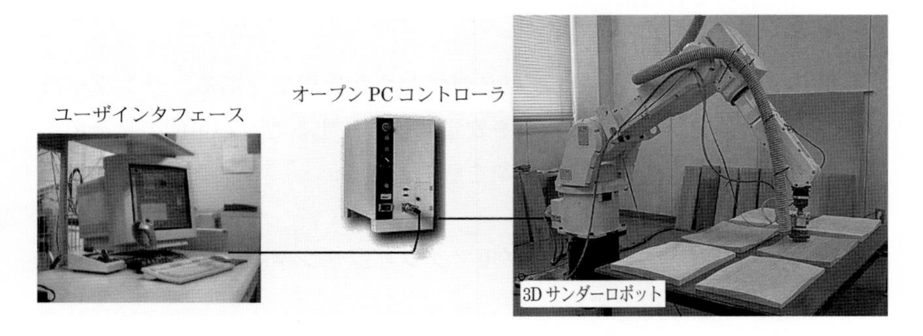

図 6.2.5　インテリジェントサンダー・ロボットのシステム構成．使用ロボットは川崎重工業㈱製の 6 自由度オープンアーキテクチャ型産業ロボット．

実現できる．今回の開発は川崎重工業㈱製の6自由度オープンアーキテクチャ型産業用ロボットと㈱安川電機のモートマン（金型用）をベースに行った．

図6.2.2は開発する局面ベンチのNC加工後の写真，図6.2.3は図6.2.1の3次元木製ベンチのCADモデル，図6.2.4は木製ベンチの研磨風景の写真，図6.2.5はインテリジェントサンダー・ロボットのシステム構成図である．

6.2.3 開発体制とその後の展開

2000年経済産業省傘下のNEDOベンチャー企業支援型地域新生コンソーシアム研究開発事業の中核的産業創造事業に採択され，獲得した予算は1億6千万円であり，開発体制は以下のとおりである．

佐賀大学機械工学科教授　渡辺桂吾

福岡県工業技術センターインテリア研究所

　　永田寅臣（現 山口東京理科大学教授）

㈱エーエスエー・システムズ

　　代表取締役社長　麻上俊泰

　　開発部長　津田邦博（現 常務）

管理法人㈱北九州テクノセンター

　　開発部長　原田芳文

さて，インテリジェントサンダー・ロボットを開発し，販売を開始した2002年から2003年ころは家具業界ではグローバル化の波が押し寄せていた．国際競争（主に中国，インドネシア等の東南アジア）の真っただ中にあり，売り上げは激減していて最盛期の500億円 / 年から，半減していた．このため，800万～1千万円ほどする研磨ロボットは家具業界ではニーズがなくなりほとんど売れない状況となっていた．

エーエスエー・システムズは，その後もサンダー・ロボットの適用範囲拡大のための模索を続け，いくつかの改良により付加価値を高めた．これによって木材の研磨から，自由曲面を有する金型ワークの磨きが可能となり，2003年には自由曲面研磨ロボット「インテリジェントサンダー・ロボット（金型用)」として販売を開始した．このサンダー・ロボットは，低剛性でも安定した磨きができる弾性砥石工具を装着したことで，CAD/CAM の出力データで工具の目標軌跡を生成できるため教示作業が不要なこと，さらに弱干渉型の位置と力のハイブリット制御が可能なことなど，従来システムにはなかった画期的な機能を搭載していた．

このような取り組みにより，「低剛性な産業用ロボットでは，NC 加工後の金型磨きの工程を自動化することはできない」，「産業用ロボットが発揮できる程度の繰り返し精度では，金型磨きは不可能である.」というこれまでの定説を覆した金型磨き作業のための自動化システムを提案できた．

その後，船舶のタービンブレードや金型でつくられる製品のバリ取りなど，多様な機能を付加したバリ取りロボットの販売を 2006 年より開始した．さらに，大手自動車会社より大型の研究開発資金を得て，曲面が多用された自動車ボディの塗装面の磨きを可能とする磨き・バリ取りロボット「ナノウーラ」の販売を 2013 年より開始した．

現在，このサンダー・ロボットの適用範囲は次の通りである．

①木工家具，木型，楽器，漆器などの曲面部材の研磨作業

② FRP，プラスチック，金属，大理石などの曲面部材の研磨作業

③曲面部材の塗膜剥がし，錆取り

6.2.4 画期的だった金型磨きロボット

ここでは金型磨き作業の自動化のために開発したインテリジェントサンダー・ロボット（金型用）について詳述する．自動化が進む生産現場において，金型の最終仕上げである磨き工程は熟練者の手作業により行われている．しかし，近年熟練者の高齢化，若者の製造業離れ等により，これまで各社が蓄積してきた技能の伝承ができなくなった．このため，磨き技能者の不足が大きな課題となっており，自動化・機械化のニーズが大きくなってきている．

開発したシステムは，パソコンから制御可能なロボットコントローラを使って工具を位置制御しながら力制御を併用することで磨きを行う，倣い制御システムである．特長として，3 次元 CAD/CAM から出力された多軸制

御用のCLSデータを，産業用ロボットのアーム先端に取り付けたものであり，工具の目標軌道だけでなく，金型ワークへ押し付ける目標方向として参照しながら，力センサーで計測した磨き力をコントロール可能とした倣い制御システムである．CAD/CAM技術，ロボットの制御および力センサーを使った力制御を融合させたロボットシステムであり，ティーチングレスで3次元自由曲面などの複雑な形状にも対応できるなど従来システムになかった特長を有する．

成果として，

Ⅰ　機械作業が困難な形状にも対応可能

Ⅱ　3K作業の改善と品質の安定

Ⅲ　信頼性およびコストの低減

が挙げられる．

なお，インテリジェントサンダー・ロボット（金型用）の基本制御方式として開発された弱干渉型の位置と力のハイブリット制御法では，自由曲面を有する金型ワークの磨きを可能とするために工具の押付力の調整だけでは不十分であった．このため，砥石工具の押付力に加えて，砥石工具と金型ワーク間に作用する摩擦力の合力（磨き力）を制御することで，金型に必要な磨き品質を達成できるようにした．

図6.2.6は金型を研磨するためのCAMソフトによるロボット動作軌跡生成画像，図6.2.7（a）は金型の磨き作業中の写真，（b）は金型の磨き作業後の全体写真，（c）は型を磨き上げた仕上り拡大写真である．

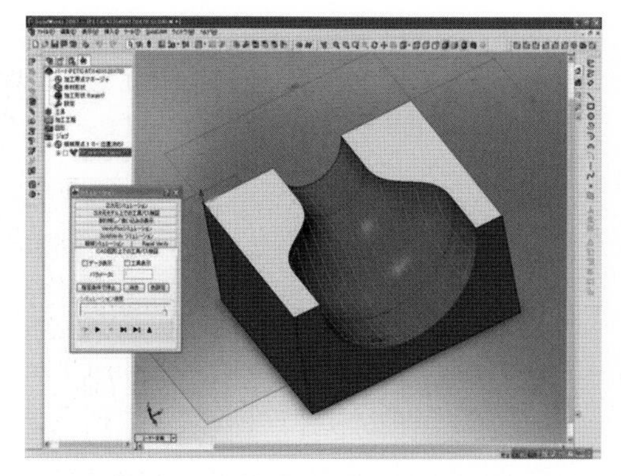

図6.2.6　金型磨き作業（自動化）の要であるCAMソフトによるロボット動作軌跡生成．

これにより，ロボットでの磨き作業は，熟練者の手作業と変わらない仕上がりとなっ

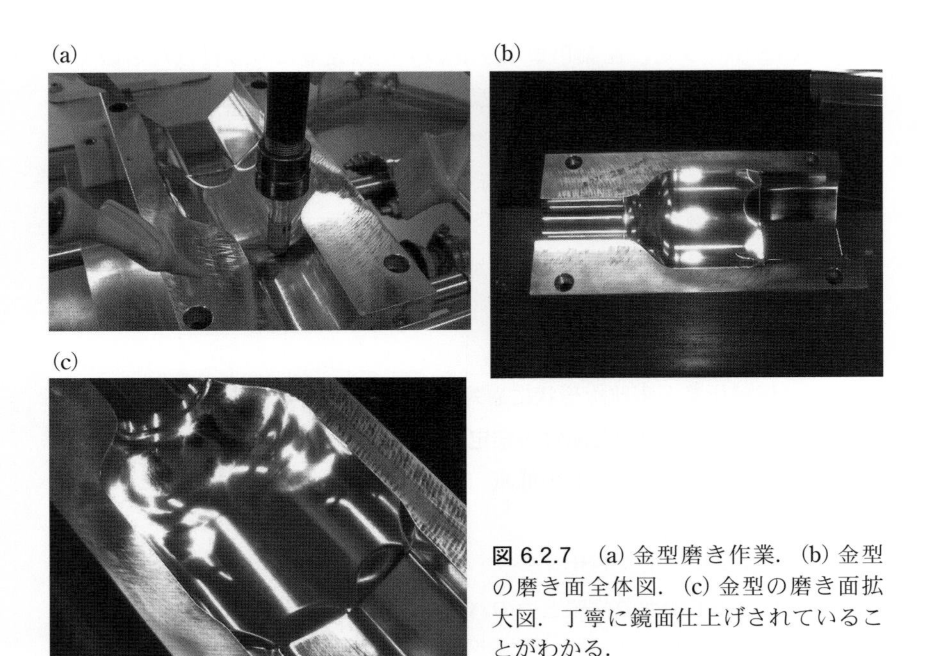

図 6.2.7　(a) 金型磨き作業．(b) 金型の磨き面全体図．(c) 金型の磨き面拡大図．丁寧に鏡面仕上げされていることがわかる．

ていることが証明できた．

参考文献（本節は文中に文献番号を入れず，まとめて記載する）

1) 永田寅臣，渡辺桂吾，佐藤和也，泉 清高，末廣利範：オープンアーキテクチャ型の産業ロボットのための位置指令型インピーダンス制御, 精密工学会誌, **64**-4, (1998) 552-556.

2) 永田寅臣，渡辺桂吾，佐藤和也，泉 清高：学習型ファジィ環境モデルを用いた位置指令型インピーダンス制御，日本機械学会論文集 (C 編), **64** (628), (1998), 4679-4686.

3) F. Nagata, K. Watanabe, S. Hashino, H. Tanaka, T. Matsuyama and K. Harae: Polishing Robot Using a Joystick Controlled Teaching system Journal of robotics and Mechatronics − Special Issue on Recent Advances in Robot Control, **13**-5, (2002), 517-525.

4) 永田寅臣，渡辺桂吾，泉 清高：多軸制御用 CL データに基づく位置補償器を用いた産業用ロボットの倣い制御，精密工学会誌，**66**-3, (2000), 473-477.

6.3 耐疲労・耐緩み性兼備のねじ締結体の開発

6.3.1 研究背景

これまで，機械・機器部材の破損に関し，絶対件数ではボルトが最も多いと考えられるが，他の部材に比較して，それが表には現れにくい傾向を示している[1~4]．その理由として，現場では，①通常，ボルトは複数で使用されているために，そのうちの 1 ～ 2 本が破損しても，適当に取り換えて済ませていること，②ボルトの代替品は入手しやすいので，その破損をそれほど深刻には考えていないこと，等をあげることができる．

ところで，ねじに限定した場合，その破損の種類と発生割合はどのようになるであろうか[5]．図 6.3.1 に，ねじ破損の原因と発生割合を示す．この図からわかるように，破損の約 90％は「疲労」に起因している．もちろん，これにはねじの緩みが関与して，その結果疲労破断を起こした場合も含まれている．すなわち，ねじの疲労破断には，緩みと密接に関係している場合がある．次いで，ねじの「遅れ破壊」が約 5％であり，「応力腐食割れ (Stress Corrosion Crack，SCC)」が約 3％となっている．そして，「静的破壊」が約 2％となっており，これには腐食減肉による破断も含まれている．これらの結果からわかるように，ねじの破断の場合，圧倒的に「疲労」に起因すると考えられ，破断防止には「ねじの耐疲労設計」が極めて重要であることが理解できよう．

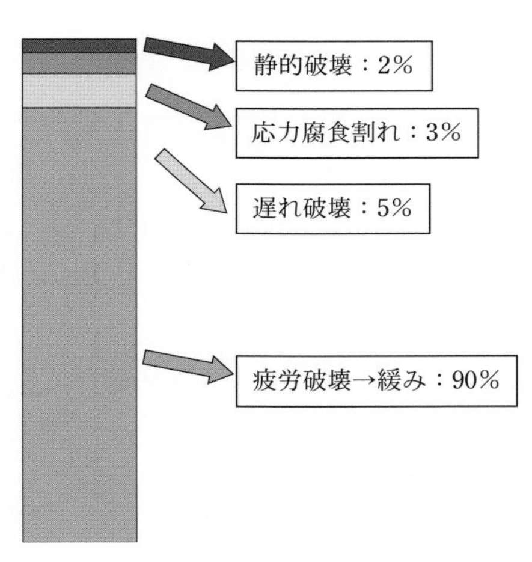

図 6.3.1 ねじ破損の原因と発生割合．

6.3.2 画期的な耐疲労ボルトの開発 [1〜3, 6, 7]

画期的な耐疲労ボルトが開発された場合，それを活用することによってボルトユーザーのメリットは，どのようなものであろうか．表6.3.1に，ボルトユーザーのメリットを示す．すなわち，(1) 安全・安心のねじ締結体を確保することができること，(2) メンテナンス・フリーによる省力化，(3) ねじ用の穴開け加工数の低減，または小径ボルトの採用による軽量化やコスト低下が可能，(4) メーカーとしてのブランドの確立に貢献，等多くのメリットが考えられる．

ところで，ねじが切欠き材の一種であること，しかもおねじ山とめねじ山の接触によって外力を伝えるメカニズムとなっているため，その疲労特性を向上させることが極めて難しいことは容易に理解できる．それゆえ，例えば日本機械学会は2017年に創立120周年を迎えているが，これまでねじ締結体の疲労強度向上に関する研究は見当たらず，ほとんどがねじの緩み防止を

表 6.3.1 ボルトユーザーのメリット．

(1) 安全・安心のねじ継手→設備・機器の信頼性の確保
(2) メンテナンス・フリー
(3) ボルト本数の低下，または小経化による軽量化・コストダウン
(4) メーカーとしてのブランド確立，等

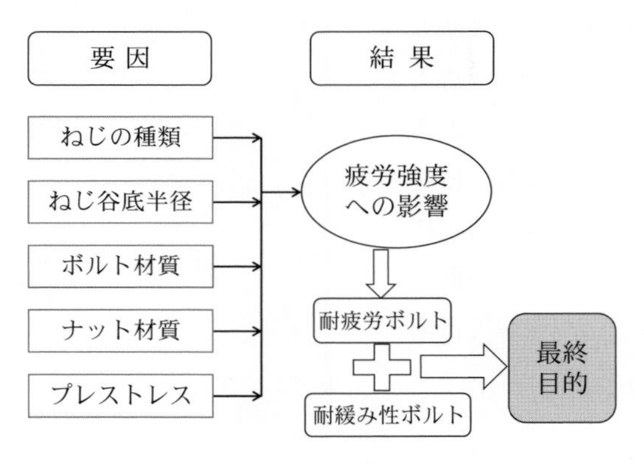

図 6.3.2 各種要因と疲労強度への影響．

表 6.3.2　各種ボルトの疲労特性評価のまとめ.

検討項目	ボルトの種類	供試鋼		ボルトの寸法（mm）			前処理	試験条件		2×10^6 回疲労強度（kgf/mm^2）	効果（%）	備考
		ボルト	ナット	谷底径	谷底 r	ピッチ		平均応力（kgf/mm^2）	速度（cpm）			
各種ねじ形状ボルトの疲労強度	三角ねじ	SCM440	SCM440	25.0	0.30	3.0	なし	18.0	500	± 6.0	100	通常の形状（基準の値）
	台形ねじ	SCM440	SCM440	25.0	0.25	3.0	なし	18.0	500	± 7.0	117	
	ノコ歯正ねじ	SCM440	SCM440	25.0	0.35	4.0	なし	18.0	500	± 6.0	100	効果なし
	ノコ歯逆ねじ	SCM440	SCM440	25.0	0.30	4.0	なし	18.0	500	± 7.0/ ± 8.0	117/113	
寸法効果	三角ねじ	SCM440	SCM440	32.0	0.80	3.6	なし	18.0	500	(± 6.0)	100	
	三角ねじ	SCM440	SCM440	40.0	1.00	5.5	なし	18.0	500	(± 6.0)	100	
ねじ底切欠き半径 r の影響	三角ねじ	SCM440	SCM440	25.0	0.50	3.25	なし	18.0	500	± 6.0	100	効果なし
	三角ねじ	SCM440	SCM440	25.0	0.70	3.5	なし	18.0	500	± 6.0	100	効果なし
ボルト材質向上の影響	三角ねじ	SNCM630	SNCM630	25.0	0.40	3.25	なし	18.0	500	± 6.0	100	効果なし注 2)（ややマイナス）
ナット材質軟化の影響	三角ねじ	SNCM630	S20C	25.0	0.40	3.25	なし	18.0	500	± 7.0	117	
プレストレス効果（新法）	三角ねじ	SNCM630	SNCM630	25.0	0.40	3.25	プレストレス約 43 kgf/mm^2	18.0	500	± 9.0	150	
	三角ねじ	SNCM630	S20C	25.0	0.40	3.25	プレストレス約 37 kgf/mm^2	18.0	500	± 7.5	125	
	三角ねじ注 1)（ねじ山漸減研削）	SNCM630	SNCM630	25.0	0.40	3.25	プレストレス約 33 kgf/mm^2	18.0	500	± 12.0	200	CD ボルト
ねじ山漸減研削効果（新法）	三角ねじ注 1)（ねじ山漸減研削）	SNCM630	SNCM630	25.0	0.40	3.25	第 1 ねじ山から第 8 ねじ山を漸減研削	18.0	500	± 11.0	183	ナット位置 4 山目. 同上

注 1）ねじ山漸減研削がすなわち CD ボルトである.
注 2）時間強度では 1/10 程度に低下する.

含むねじ締結理論で占められている，といっても過言ではない[8]．

そこで，**画期的な耐疲労ボルトの開発**について紹介する[1~3]．最初に，基本的なアプローチとして，ボルトのねじ形状やボルトおよびナット材質等の疲労強度に及ぼす影響を，定量的に評価することからスタートした（図 6.3.2 参照）．それらの結果を評価した後，次のステップに進むべきかどうかを判断した．そして，表 6.3.2 に示すように，通常考えられる方法では疲労強度の大幅な向上は認められないこと，逆に代表的なねじ形状である三角ねじの疲労強度は，意外と遜色がないことなどを明らかにした．

画期的な耐疲労ボルトとは？

一般ボルトの疲労限は 5 ～ 6 kgf/mm^2（約 50 ～ 60 MPa）程度と，同じ材質の切欠き材の純粋疲労の場合に比較してかなり低くなっている[1~3]．その主な理由として，ねじ締結体の荷重伝達がおねじ山とめねじ山との接触によって行われていることに由来している．このようなメカニズムのために，**ボルトの疲労強度を支配している要因**を検討した．その結果，以下の **4 つであることを明らか**にした（図 6.3.3 および表 6.3.3 参照）．すなわち，**①各ねじ山の荷重分担が不均一**，**②高い引張りの応力集中**，**③高い曲げの応力集中**および**④片当り**，である．これら 4 つ要因のうち，②以外は通常の切欠き材の疲労強度評価の場合には認められず，おねじ山とめねじ山が接触することで荷重を伝達する**ねじ締結特有の力学現象**といえる．

極めて少ないが，過去に提示されてきたボルトに対する疲労強度向上法では，ほとんど効果がないか小さい理由として，まず**ボルトの疲労強度を支配する「すべての要因」**を明らかにしてこなかったことを上げることができよう．**要因を明らかにしないで，適切な対策を講ずることはできない**ことは言うまでもない．また，ボルトは切欠き材の一種であるため，そもそもその疲労強度向上の方法に限界があることも事実であろう．さらに，ボルトのねじ山とナットのねじ山の接触によって，荷重が伝達されるメカニズムであるので，疲労強度向上は至難の技であることも想像には難くないと考えられる．このような事実から，従来の疲労強度向上法として，上記 4 つの要因のうち，

①荷重分担の不均一について，これを均一化させようとする方法，および通常ボルトはあらかじめ締付けて使用するので，被締付物との関係で**内力係数を小さくするような方法**が採られてきたに過ぎなかった[9]．

表 6.3.3 従来ボルトと CD ボルトとの比較（まとめ）．

	従来ボルト	CD ボルト
荷重分担	第一ねじ山に約 1/3 の荷重	従来ボルトのほぼ半分に低下
引張りの応力集中	高い応力集中	応力集中の緩和
曲げの応力集中	高い応力集中	応力集中の緩和
片当り	高強度，大寸法になるほど顕著	接触面積の減少 →片当りを緩和

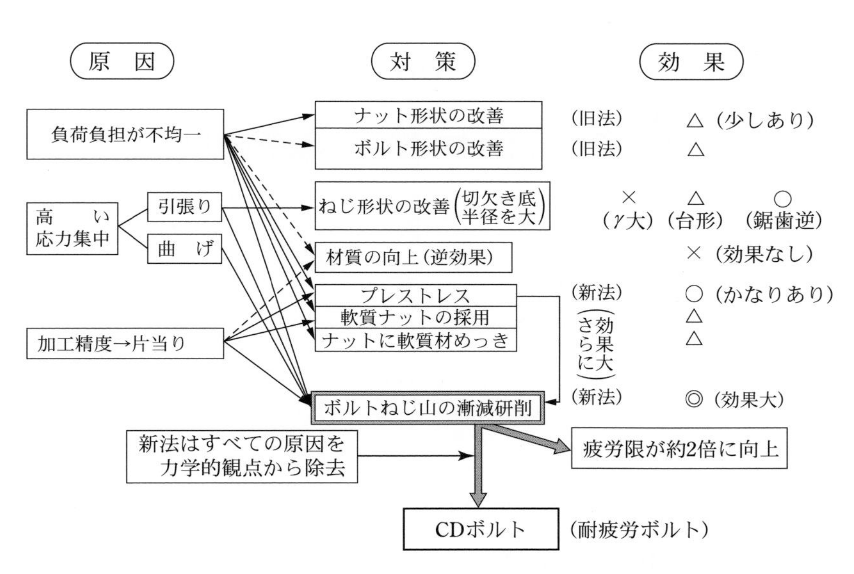

図 6.3.3 ボルトの疲労強度を支配する一般的要因と対策および効果．

耐疲労ボルトの形状

図 6.3.4 に，耐疲労ボルト（以下において **CD ボルト**[注1] と称する）の典型的な形状を示す．この場合，呼び径ボルトについて示しているが，有効径ボルトや伸びボルト，およびこれらの埋め込みボルトについても，その考え方が有効であることは言うまでもない．また，使用する材料の種類やボルトの寸法等についても，適用の制限がない．この図に示す CD 加工部分は，不完全ねじ部がほぼ完全に除去されるようにし，円筒部とは緩やかな円弧（$R \geqq 10$ mm）でつながれている．また，本来存在するねじ部は，その一部が勾配を有して除去されており，完全ねじ部へとつながり，若干の余長を有している．付言すれば，ナットとの嵌合部の一部および余長部には，「**完全ねじ山部**」が存在する．これによって，ナット端面および不完全ねじ部の疲労強度を大幅に向上させることができる．残る危険断面である首下丸み部も疲労強度向上策については，後述している．

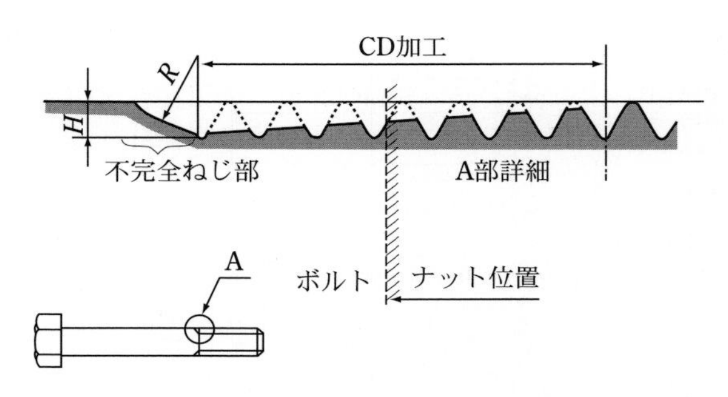

図 6.3.4　CD（耐疲労）ボルトの典型的形状．

注 1）CD ボルトとは，Critical Design for Fracture の略で，現在考えられる中で究極のねじ形状という意味を込めている．本ボルトは単に疲労破壊だけでなく，環境破壊（遅れ破壊や応力腐食割れ）にも有効と考えられ，CD ボルトの考えに沿った加工方法を「**CD 加工**」と称する．

耐疲労 (CD) ボルトの疲労強度

図 6.3.5 に，耐疲労 (CD) ボルトの疲労特性 (S–N) 曲線を，JIS ボルトとの比較で示す．両者の S–N 曲線の疲労限を比較すると，CD ボルトの疲労限が約 2 倍に向上しているのは注目に価するであろう．「たった 2 倍」程度か，と思う人もいるかも知れないが，ボルトは切欠き材の一種であり，しかもボルトのおねじ山とナットのめねじ山の接触によって荷重が伝達されるというメカニズムであることなどを考慮すれば，この値が極めて達成しにくい，驚異的な値であることが理解できよう．

ところで，ボルトの疲労強度を支配する 4 つの要因のうち，例えば「荷重分担が不均一」を取上げてみた場合，ナット端面の第一ねじ山の荷重分担は全体の約 1/3 (30％強) 程度である [10]．ナットとの嵌合山数が 10 山の場合，これを CD 加工によって，もし理想的に均一にすることができれば，全体の荷重を 100％として，各ねじ山の荷重分担は，いずれも均一に 10％となるので，これだけで**約 3 倍の疲労限向上が達成**されることになるが，残念ながら，実験的にはそのような高い値を得ていない．

また，この **CD ボルトを締結し，緩まない条件下で使用すれば，外力変動の一部を被締付物が負担するために，約 2 倍の疲労限の向上に加えて，ボルトが分担する外力変動が数分の 1 であることを考慮すれば** [11]**，約 10 倍**

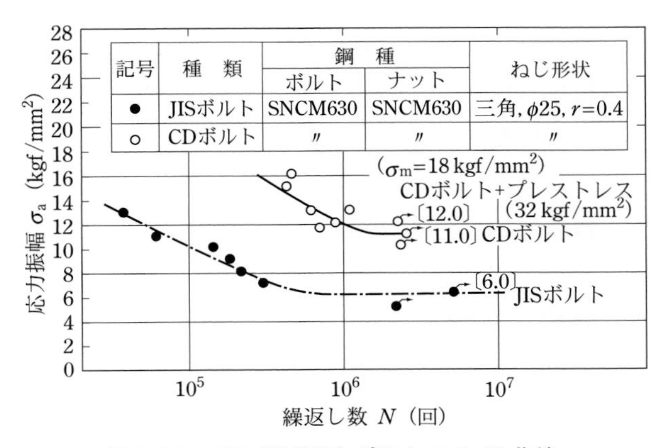

図 6.3.5　CD (耐疲労) ボルトの S–N 曲線．

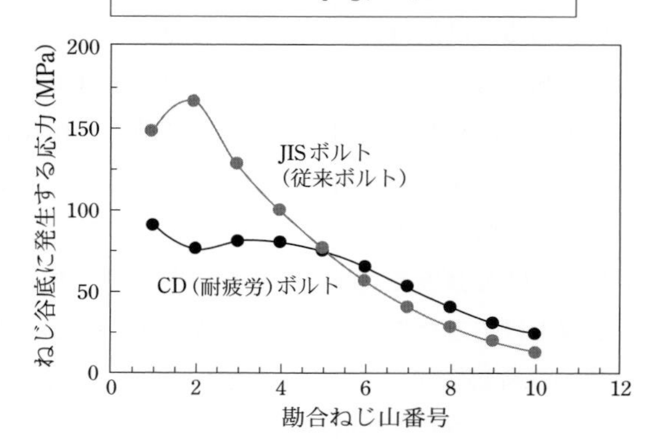

図 6.3.6 3 次元有限要素法によるねじ谷底の応力集中の計算結果.

程度の外力変動に耐えれることになり，その効果は驚異的であることが理解されよう．また，上記の値となる裏づけとして，図 6.3.6 に，3 次元 FEM で両者の応力集中の程度を計算した結果を示す[8]．この図から明らかなように，通常ボルトの場合に比較して，CD ボルトの場合が，応力集中がほぼ半分程度に低下していることがわかる．それに付け加えて，CD ボルトの場合でも，ナット端面側のねじ山にまだ高い応力が発生しており，荷重分担の不均一さはかなり緩和されているというものの，まだ上記に目指す理想的形状には達していないと考えられる.

耐疲労ボルトの特徴および使用上の留意点

CD ボルトとは，ボルトの疲労特性を向上させるために，主に力学的観点から開発したもので，材料の種類や寸法形状に制限なく適用できると考えている．また，結果的にはボルトの疲労強度を支配する 4 つの要因のすべてに対策を取っており，そのために疲労強度向上効果は，従来法と比べ格段に優れており (図 6.3.4 および表 6.3.3 参照)，その主な理由を以下に述べる.

(1) **荷重分担**：不均一な荷重分担がより均一化される，
(2) **引張りの応力集中**：危険断面であるナット端面のボルトのねじ山高さが低くなるので，引張りの応力集中が緩和される，
(3) **曲げの応力集中**：上記(2)において，ボルトのねじ山高さが低くなることにより，ねじ山を片持ち梁と考えた場合，ねじ山の負荷部（ねじ山高さのほぼ半分の位置に集中荷重が加わると仮定）からねじ谷底までの距離が短くなるので，同じ荷重に対し，曲げの応力集中も小さくなる，
(4) **片当り**：ボルトとナットのねじ山の接触部分を考えると，接触面積が狭くなるので接触部は負荷によって変形しやすくなり，また，たわみやすいナットのねじ山先端で接触するので，加工精度などに起因する「片当りが緩和」される，等.

すなわち，CDボルトは，ボルトの疲労強度が低くなるすべての要因に対策を施していることになる．なお，このようにボルトの疲労強度を支配する要因について明らかにし，かつ4つの要因すべてについて対策を講じたねじ締結体について言及しているのは，**CD（耐疲労）ボルトが最初である**と考えている.

図6.3.7に，従来ボルトとCDボルトとの疲労による破断位置の比較を示す．この図からわかるように，従来ボルトの場合，ほとんどがナット端面で破壊するのに対し，CDボルトの場合，ねじ加工部分の疲労強度が向上するために，むしろ見かけ上疲労強度が高そうに見える頭部首下丸み部で破壊する．諺にもあるように，「**百聞は一見に如かず**」，CDボルトはボルト自身の疲労強度を向上させるのに極めて効果的であることが一目瞭然に理解できよう．なお，**ボルトが首下丸み部で破**

(a) CDボルト

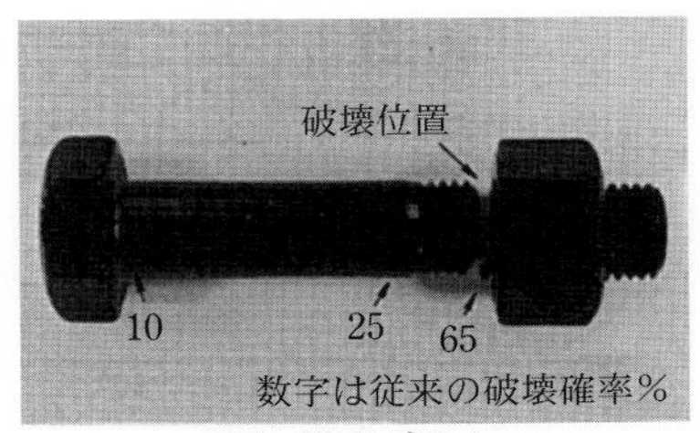

(b) 従来ボルト

図6.3.7 CD（耐疲労）ボルトと従来ボルトとの破断位置の相違.

壊して困る場合，両ねじ CD ボルトに変更するか，首下丸み部の半径 R を大きくする，あるいはこの部分に冷間加工を行い，圧縮残留応力を付与する等の方法が有効である（表 6.3.3 参照）．

耐疲労ボルトの使用上の留意点

CD ボルトの場合，その特有のねじ形状からナットとの最適の嵌合位置が規制される．ところが現場で作業を行おうとした場合，必ずしも最適嵌合位置でナットが締結されるとは限らない．その場合，座金の厚さを替えて調整すればよい．目安として，その許容度はおよそ± 1 山程度であると考えられる．また，通常，あらかじめ設計図面に記載する場合がほとんどのため，機械部品の一つとして寸法を規定すれば，最適の CD ボルトを適用することができる．さらに，後述の**耐緩み性技術**をも併用すれば，耐疲労・耐緩み性を兼備えたねじ締結体を得ることも可能で，信頼性の高いねじ締結体を得ることができる．

耐疲労ボルトの静的特性

耐疲労ボルトの静的特性に関しては，紙面の都合上割愛しているが，基本的には，静的引張り特性，ナット保証荷重試験結果，トルク係数値，ナット回転角および振動による緩み性能は，従来ボルトとほとんど差は認められない．詳細は，文献を参照していただきたい[1~3]．

6.3.3　耐緩み性ねじ締結体

通常，ねじはキチンと締結されておれば，緩むことはほとんど考えられない．また，たとえ緩んだとしても，保守点検時に増し締めを行えば，問題は起こりにくい．それよりも，最初からねじ締結体に「簡便な耐緩み性」を付与させた方がより安心できるであろう．かかる観点から，以下に耐緩み性ねじ締結体をいくつか紹介する（図 6.3.8 ～ 6.3.10 参照）[8, 12~14]．

考え方：通常のねじは緩む⇒緩まなければ安全

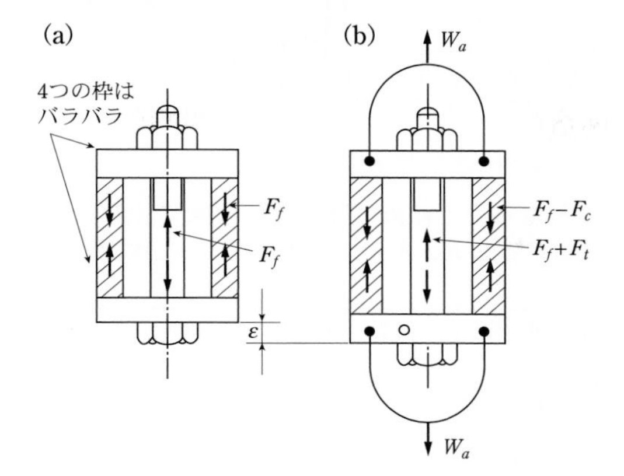

K_t：ねじ締結体の引張ばね定数（単位伸び当たりの荷重）

K_c：被締付け物の圧縮ばね定数（単位縮み当たりの荷重）

F_f：締付け力

$$F_t = K_t \cdot \lambda \quad \cdots\cdots (1)$$

$$F_c = K_c \cdot \lambda \quad \cdots\cdots (2)$$

で表され，力のつり合いの関係から

$$W_a = (F_f + F_t) - (F_f - F_c) = F_t + F_c \quad \cdots\cdots (3)$$

式(1)および(2)を(3)に代入して

$$W_a = (K_t + K_c) \cdot \lambda$$

$$\lambda = \frac{1}{K_t + K_c} W_a \quad \cdots\cdots (4)$$

式(4)を(1)および(2)に代入すれば，

$$F_t = \frac{K_t}{K_t + K_c} W_a,\quad F_c = \frac{K_c}{K_t + K_c} W_a \quad \cdots\cdots (5)$$

外力 W_a によって，ボルトに追加される引張力 F_t と，ねじ締結体に作用する外力 W_a との比をボルト内力係数 ϕ で表すと

$$\phi = \frac{F_t}{W_a} = \frac{K_t}{K_t + K_c} \quad \cdots\cdots (6)$$

式(5)の F_t および F_c を ϕ を用いて表せば，

$$F_t = \phi W_a$$

$$F_c = (1 - \phi) W_a \quad \cdots\cdots (7)$$

図 6.3.8 ねじ締結体に作用する外力 W_a と内力 F_f，F_t および F_c のつり合い関係．

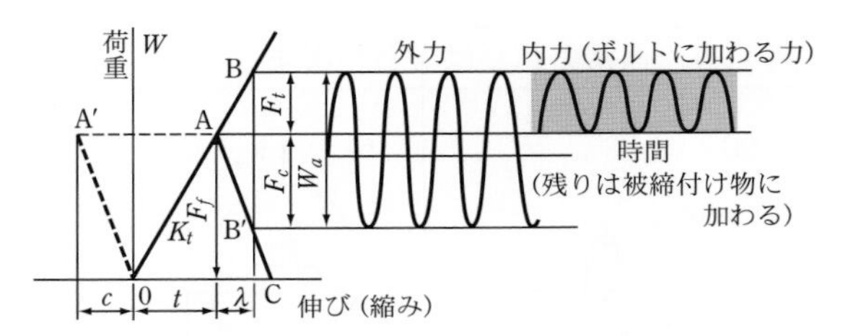

ボルトが F_f なる力で締め付けられたとき，ボルトと被締付け物とのばね定数を K_t，K_c として締付け力以上でボルトに引張力 W_a が働いたとき，

ボルトが負担する力 F_t は，⇒外力の数分の 1 $$F_t = \frac{K_t}{K_t + K_c} W_a$$（外力 W_a による負担分）

ボルトに加わる最大力

$$F_{\max} = F_f + \frac{K_t}{K_t + K_c} W_a$$

図 6.3.9　ナットを締め付けた際，ボルトおよび被締め付け物に加わる力と伸びの関係.

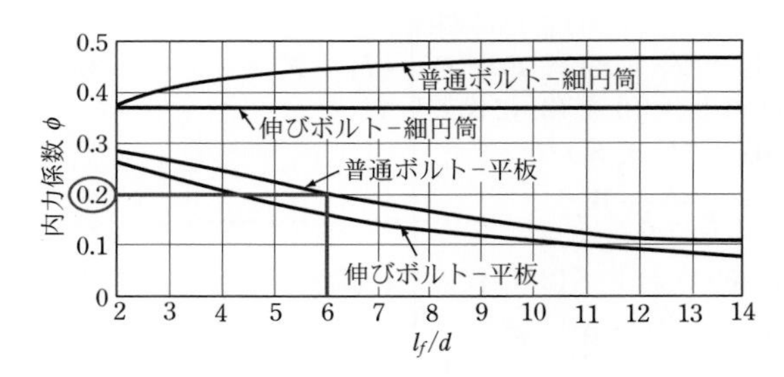

（例）$\phi = 0.2$ の場合

$F_t = \phi W_a$ から，$F_t = 6\ \mathrm{kgf/mm^2}$ とすると

$W_a = 6/0.2 = 30\ \mathrm{kgf/mm^2}$ の「外力変動」に耐えることができる．すなわち，“もし緩まなければ”疲労限度は事実上 30 kgf/mm^2 となる.

緩むと外力の全てがボルトに加わる→即破断

図 6.3.10　代表的なねじ結合材の内力係数 ϕ の速算図表（$K_t = K_c$ の場合）（ただし，l_f：締め付け長さ，d：ねじの外径）.

おねじとめねじとのピッチ差による耐緩み性[8)]

一般に，嵌合するボルトねじ山のピッチとナットねじ山のピッチとは等しいと考えられている．しかし，それを敢えて**ピッチ差を設けた場合**はどうなるであろうか．両者の嵌合時に，おねじ山のピッチを基準に考えて，めねじ山のピッチをわざと少し大きく加工した場合，嵌合高さのほぼ半分の位置を境にして，軸方向に対しておねじ山を左右に押し広げようとする力が働く．ピッチ差を大きく取れば取るほど，軸方向に対しておねじ山を左右に押し広げようとするこの力は大きくなる．このように発生する力をねじの緩み防止に活用しようとするのが「緩みにくいナット」のメカニズムである．図 6.3.11 に，ボルト・ナットの組み合わせを示すが，○枠で囲んだ部分の拡大を図 6.3.12 に示す．また，この図は，緩みにくいナットのメカニズムを例示している．

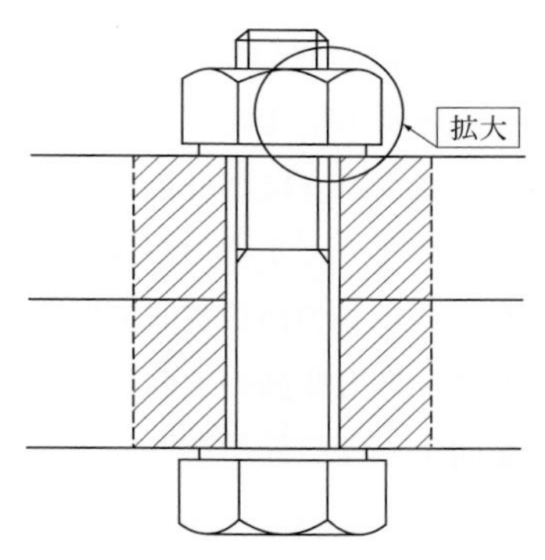

図 6.3.11　ボルト・ナットの組み合わせ．

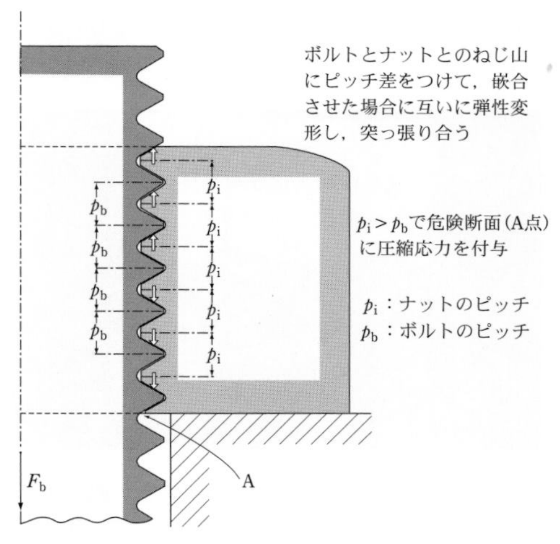

図 6.3.12　ピッチ差による耐緩み性のメカニズム．

ピッチ差の設け方：上記では，おねじ山を基準にして，めねじ山のピッチを大きくする例について示しているが，逆の場合は推奨し難い．原理的には，おねじ山のピッチを基準に考えて，めねじ山のピッチをわざと少し大きく加工した場合でも，またその逆の場合でも，お互いのねじ山を押し付けて，そこに発生した摩擦力を緩み防止に活用しようとするのであるから，どちらでも同じはずである．しかし，ねじ締結体に緩みが問題となるのは，これに必ず外力変動が加わっている場合であるので，当然ねじ締結体の疲労強度も関わってくると考えなければならない．ねじ締結体の場合，一番の危険断面はナット嵌合端面のボルトのねじ谷底（図 6.3.12 の A 点）である．おねじ山のピッチを基準に考えて，めねじ山のピッチをわざと少し大きく加工した場合，嵌合高さのほぼ半分の位置を境にして，軸方向に対しておねじ山を左右に押し広げようとする力が働くので，上記で一番の**危険断面であるナット嵌合端面のボルトのねじ谷底では，圧縮の残留応力が発生**する．この**圧縮の残留応力は，外力変動の引張り応力とある程度キャンセルし合うために，疲労強度を向上**させる効果があると考えられる．これに対して，めねじ山のピッチをわざと少し小さく加工した場合，上記とすべて逆のことがいえる．

図 6.3.13 に，高速振動試験機を使用し，NAS3354 規格によるピッチ差を設けたねじ締結体の緩み試験結果を示す．ナット側焼きなまし材は，650℃

図 6.3.13　高速振動試験機による緩み試験結果（ナット側，900℃焼きなまし材は，試験時間 17 min をクリアしたが，650℃焼きなまし材は，3 min 10 sec で緩みが認められた）．

および900℃の2種類を評価した．どちらのねじ締結体も，試験時間17分間をクリアしたが，ナット側650℃焼きなまし材は試験後に齧り付きが認められた．

ショットピーニング加工[13)]

ボルトまたはナットのねじ山の全体または一部について，ショットピーニング加工を施す場合，その加工量については，あらかじめ実験で確認しておき，その量をキチンと与えるようにする必要がある．そのためには，ある組み合わせのねじ締結体に対して，ボルトおよびナットのいずれについても，原則として同じロットのものを使用した方が良い．というのも，同じロットのものであれば，ほぼ同じピッチのねじ山が加工されていると考えられ，ショットピーニング加工を制御しやすいからである．また，ボルトねじ山またはナットねじ山，あるいはそれらの両方について，ショットピーニング加工を施すのかは，ケースバイケースで決定すればよい（図6.3.14参照）．

この方法のメリットは，**ねじ山をショットピーニング**することによって，**ねじ谷底に圧縮の残留応力を付与**せしめること，ねじ谷底部の**加工層が疲労強度向上に効果**があること，さらに**冷間加工された材料の延伸組織が疲労強度向上**に繋がること，など疲労強度向上効果を付随的に高める効果も期待できることである．したがって，このショットピーニング加工による耐緩み性向上は，製品の最終工程で行うことが望ましい．

ねじ山の傾斜[14)]

次に，他の「耐緩み性」を付与する方法について述べる．それは，おねじ山またはめねじ山の角度を2～10度の範囲で傾ける方法である．角度の詳細については，おねじ山とめねじ山とのクレアランスとの関係で決定すべきである．

(1) **おねじ山の角度を傾斜**：この場合の傾斜させる方向については，ボルトが外力によって引張力を受ける方向に傾斜させることが望ましい．すなわち，ボルトの頭部と反対方向側に傾斜させることである．その理由として，このボルトに通常のナットと嵌合させた場合，ナットとの嵌合内部において，めねじ山は傾斜しているおねじ山を，軸に垂直になるような力が働く．また，おねじ山は，めねじ山からの反力により，おねじ山のねじ谷底において，**圧縮応力が発生**することになる．一般的に，おねじ山のねじ谷底に圧縮応力が発生する場合，使用時に繰り返し応力が加わった場合，疲労強度の観点から有利に働く．さらに，おねじ山とめねじ山との接触により，軸方向にお互いに反発するような力が発生する．この力が，ねじ締結体に対し，耐緩み性を発生させる．

(2) **めねじ山の角度を傾斜**：この場合の傾斜させる方向については，上記 (1) とは，正反対のことがいえよう．ボルトが外力によって引張力を受ける方向と逆方向，すなわち**ボルトの頭部方向に傾斜**させることが望ましい．その理由として，このナットを通常のボルトと嵌合させた場合に，ナットとの嵌合内部において，めねじ山は傾斜しているため，嵌合の結果，おねじ山を軸方向のボルト頭部方向に，傾斜させるような力が働く．また，おねじ山は，めねじ山からの反力により，おねじ山のねじ谷底において，圧縮応力が発生する．一般的に，おねじ山のねじ谷底に圧縮応力が発生する場合，使用時に繰り返し応力が加わった場合，疲労強度の観点から有利に働く．さらに，おねじ山とめねじ山との接触により，軸方向にお互いに反発するような力が発生する．この力が，ねじ締結体にとって，耐緩み性を発生させる．

上記耐緩み性ねじ締結体についての考え方の複合

ねじ締結体に，より堅固な耐緩み性を付与するために，上記の①おねじ山とめねじ山とのピッチ差を設けること，②ねじ部にショットピーニングを加えること，③ねじ山を傾斜させること，の3方法を提示した．**これらの複数を同じねじ締結体に施す方法も，また有効**であると考えている．

6.3.4 耐疲労・耐緩み性兼備のねじ締結体[8, 12～14)]

耐疲労ボルト（図 6.3.3 参照）と前節の耐緩み性ねじ締結体との結合によっ

て，**耐疲労・耐緩み性兼備のねじ締結体**を提案できる.

図 6.3.14 に，CD 加工と耐緩み性（ピッチ差）ナットとの組み合わせ例を，また図 6.3.15 に，CD 加工とねじ山にショットピーニング処理した事例を，それぞれ示す．また，上記の考え方に基づいて，図 6.3.16 に，耐疲労・耐緩み性兼備のねじ締結体をまとめて提示する．また，この図には，ねじ締結体に対する今後のニーズも併せて記述しているが，耐疲労性と耐緩み性とを結合させることによって，今後の予想ニーズにも充分に対応できるものと考えられる．いずれも，耐疲労と耐緩み性の両方を兼ね備えた結合商品である．これらの適用により，ねじ締結体が緩まないとの保証ができれば，CD 加工

シングルナットで耐疲労＋緩み防止の両方の特性

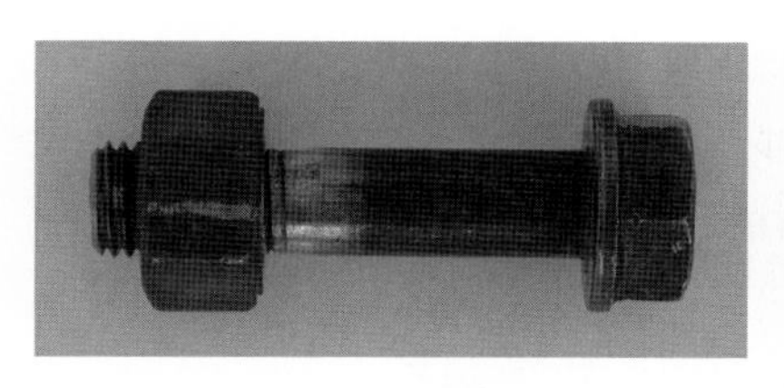

図 6.3.14　CD 加工＋緩み防止ナット（疲労強度向上，緩み防止）.

ナットは適正位置まで嵌合されてはいないが，工具を使用すれば，簡単に適正位置まで嵌合可能

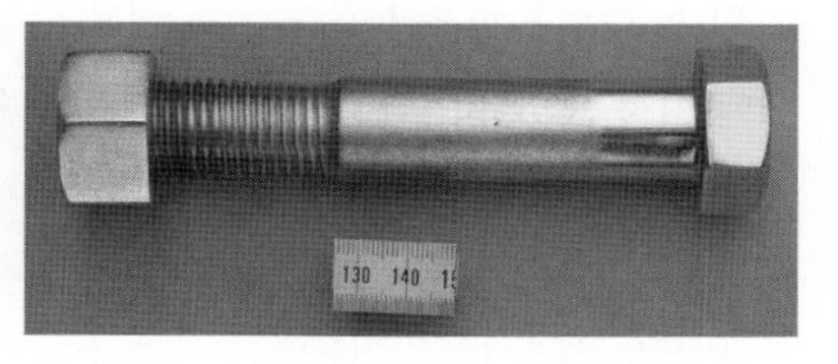

図 6.3.15　ボルトとナットの両方にショットピーニング処理（CD 加工＋ねじ部にショットピーニング）.

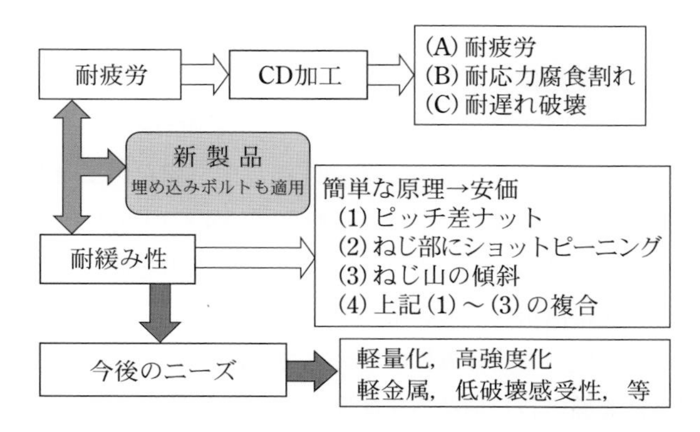

図 6.3.16　耐疲労・耐緩み性兼備のねじ締結体.

により疲労限が約2倍に向上するのであるから，例えばこれまで10本使用していた箇所でも，半分の5本程度で済むので，真に合理的な設計改善が期待できよう（表6.3.1参照）.

さらに，この考えは，ボルトおよびナットの組み合わせのみならず，緩み防止の適用がしにくい**埋め込みボルトに関しても適用**できる利点がある．例えば，埋め込みボルトの場合においても，おねじ山のピッチを基準にして，めねじ山のピッチをわざと少し大きく加工する，すなわちピッチ差を設けることで埋め込みボルトの場合でも，耐緩み性を付与することができる．また，材質に関しても，一般に壊れにくい**めねじ側の材質を少し軟らかくなるように組み合わせる**のが，適切な嵌合条件を保つためにも望ましい.

6.3.5 まとめ

以上のことをまとめると，現時点では，以下のことが結論づけられる.

(1) 耐疲労ボルトの疲労強度：このボルトの**疲労限**は，通常ボルトに比較して，**約2倍も向上**している．その理由として，ボルトの疲労強度を支配する4つの要因①荷重分担が不均一，高い②引張りの応力集中，③曲げの応力集中および④片当り，のすべてに対策を施している.

(2) 耐疲労ボルトの静的強度：ナット嵌合部の一部および余長部も含めて完全ねじ山を残しているので，静的引張り強度，ナット保証荷重試験結果，等は，通常ボルトと変わらない.

(3) 耐緩み性ねじ締結体：これには，①おねじのねじ山のピッチよりも，めねじ山のピッチを少し大きくして，ピッチ差を設けること，②ねじ部にショットピーニング加工を施すこと，③ねじ山に傾斜角度を与えること，および④上記①～③の複合，が考えられる．いずれの方法も，両者の嵌合時に，おねじ山とめねじ山の軸方向に対する反発力を発生させることで，それを緩み防止に活用するものである.

(4) 上記に示す耐疲労と**耐緩み性の考え方を結合**させることによって，**耐疲労・耐緩み性兼備のねじ締結体を開発**することができる.

参考文献

1) 西田新一：機械・機器の破損原因とその対策，日刊工業新聞社，(1986)，pp.80.
2) S. Nishida: Failure Analysis in Engineering Applications, Butterworth Heinemann Co. Ltd. UK., (1994), pp.68.
3) 西田新一：機械・構造物の破損解析と対策，金華堂，(1996)，pp.80.
4) 西田新一監修・著：フラクトグラフィと破面写真集，㈱総合技術センター，(1998)，pp.6.
5) 西田新一：ねじの破損と防止対策（1），金属，**87**-9，(2017)，6.
6) 西田新一：ねじの破損と防止対策（6），金属，**88**-2，(2018)，49.
7) 西田新一：ねじの破損と防止対策（7），金属，**88**-3，(2018)，57.
8) 西田新一：ねじの破損と防止対策（9），金属，**88**-5，(2018)，64.
9) 石橋 正：金属の疲労と破壊の防止，養賢堂，(1954)，pp.220.
10) 西田正孝：応力集中，森北出版，(1973)，pp.666.
11) 山本 晃：ねじ締結の理論と計算，養賢堂，(1954)，pp.55 および 102.
12) 西田新一：特許証，特許第 4701253 号，(March 11, 2011).
13) 西田新一：特許証，特許第 4977178 号，(April 20, 2012).
14) 西田新一：特許証，特許第 684628 号，(March 4, 2021).

6.4　極めて緩みにくいボルト・ナットの開発

6.4.1　研究背景

ねじ締結体は使用頻度が高い機械要素部品であるが，ほとんどの製品は摩擦力のみの緩み止め機能となっている．このため，激しい振動のもとでは長期的には必ずといっていいほど緩む．緩まないためには，溶接するかピン止めするしかないが，再使用ができない，作業等に時間がかかるなど面倒であり，通常使用されない．

本製品は，これまでの常識を覆して，摩擦力と機械的に二重にロックすることで，最も過酷な規格である米国航空規格（NAS3354）の 30 倍 100 万回の過酷な繰り返し振動試験でも緩むことがない，極めて緩みにくい特長をもつねじを開発したことである．

6.4.2　極めて緩みにくいねじ第 1 号二重ねじ機構に基づくスーパーロックボルトの開発

極めて緩みにくいねじ第 1 号，スーパーロックボルト（SLB）を図 6.4.1 に示す[1, 2]．新技術の緩み止め機構として 1 本のボルトに 2 種類のねじ山（ピッチ 2 対 1 の二重ねじ）を加工する．ねじ山が異なる 2 つのナットは移動量が異なる（例えば，ピッチが 2 対 1 であれば，ピッチ 2 のナットはピッチ 1 のナットに比べ 2 倍の移動量が生じる）ため，同時に回転できず，接触して後者を強く推す力が働き結果として極めて緩みにくくなる．

図 6.4.1　緩みにくいねじ第 1 号，スーパーロックボルト（SLB）．

一般的に従来技術は，図 6.4.2 左側に示すように同じ形状のナット 2 つを同軸にかみ合わせることで摩擦力を強化している．しかしこれは摩擦力を強化させるが，緩みを基本的に解決したことにはならず，振動が激しければ長期的にはかならず緩む．なぜなら，従来型二重ナットはピッチが同じであるため，同時に回転するため緩みだすと緩み止めの効果はないからである．

これに反し，図 6.4.2 右側に示す 1 軸に 2 種類のねじをそれもねじのピッチが異なるねじ（並みねじと細目ねじで理想的ピッチは 2 対 1）をつけることで同時回転をなくすことができる．この二重ねじに対応してナットは第 1 ナットが並みねじとし第 2 ナットが細目ねじでピッチは 2 対 1 を用いる．このようにピッチが異なるナットをかみ合わせることで，ナットの回転移動量が異なることでナットは同時回転できなくなる仕掛けである．さらに並みねじと細目ねじのピッチが 2 対 1 であれば，見た目にはほとんどシングルねじに見え，ねじの変形による強度は大きな低下をきたさないことである．

ナットが回転する場合，ピッチの大きい並みねじのナットは，細目ねじのそれより 2 倍移動するため，2 つのナットが接触すると強い力で第 2 ナットを押し付けるため，回転できなくなり 2 つのナットは全く動かなくなる．すなわち，摩擦力＋機械的にロックする優れた緩み止め機構となる．

しかし，1 軸に 2 種類のねじを加工することは，作業工程が複雑になることと加工の方法でねじ強度が，特に疲労強度が低下し，破損しやすくなる恐

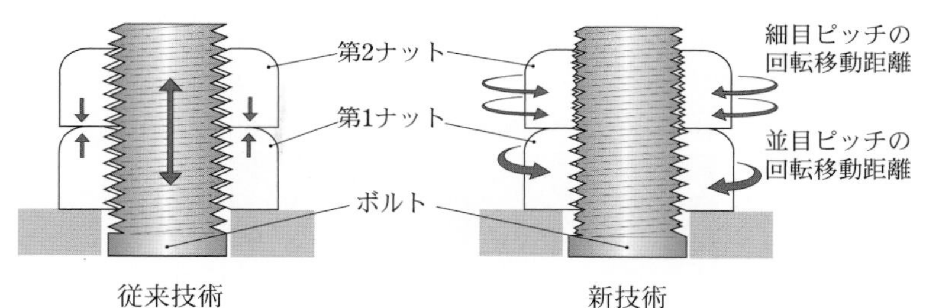

図 6.4.2　従来のシングルねじ・二重ナットとの新技術二重ねじ・二重ナット（ピッチ 2 対 1）との違いを説明した模式図．左側は従来型ねじで同じナットを二重にすることで摩擦力を強化している．右側は新技術でねじピッチが異なる 2 つのナットを使うことで摩擦力＋機械的にロックすることで極めて緩みにくくする構造としている．

れがあり，ねじの信頼性が低下することが課題として浮上する．この防止策として，ボルトに細目ねじがかかる部所のみ二重ねじにすることで強度低下を避けることが可能である．

つまり図 6.4.3 のピッチが異なるナットのねじのかみ合わせ模式図に示すように，ピッチが大きい第 1 ナットは負荷を負担するためパワーナットと呼び，ピッチが小さい第 2 ナット（細目ねじ）は緩み止めナットとしてロックナットと呼ぶことにすれば，パワーナット部分はシングルねじ（並み目ねじ）で，ロックナットの細目ねじと接触する部分のみ二重ねじとすることで，すなわち部分的に二重ねじにすることで摩擦力＋機械的にロックし，耐疲労強度も低下せずに済むことになる．

さらに，1 軸に 2 種類のねじをつけるには，旋盤で 2 種類のねじを切る方法が簡単にでき一般的である．しかしこれでは，現在のねじのように量産できずコストも高くなるし耐疲労強度も大幅に低下し，ねじの信頼性が損なわれる．理想的には，転造ねじで製造できないと実用化は困難である．佐賀大学西田教授の研究グループは，竹増准教授を中心に転造ねじによる量産化を目指し，ロール加工法を精密化することで，ロール加工法による二重ねじ製造技術を世界に先駆けて開発した．できたねじ製品は，旋盤による二重ねじ加工で製作したねじに比べ 2 倍の動的疲労強度があることを明らかにしている．

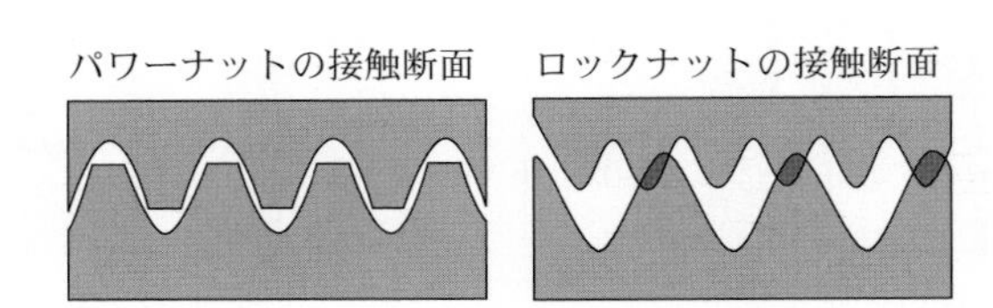

図 6.4.3　ピッチが異なる（2 対 1）ナットねじのかみ合わせ模式図．SLB の課題は，1 軸に二重ねじを加工することにより強度（特に疲労強度）が低下する．緩み止め機能を弱めることなく耐疲労強度の低下を防ぐやり方として，ピッチが大きい第 1 ナットは負荷を負担するパワーナットとし，ねじと接触する部分をシングルねじにし，ピッチが小さい第 2 ナット（細目ねじ）は緩みを止めナットとしてロックナットとし，ロックナットと接触する部分のみを二重ねじに加工している．

6.4.3　極めて緩みにくいねじ第 2 号スーパースリットナットの開発

スーパーロックナットの欠点は，現場で第 1 ナットと第 2 ナットの順番を間違えると全く緩み止め効果がなくなることである．すなわち最初にピッチの小さいナット 1 で締めて，次にピッチの大きいナット 2 で締め上げると，振動が激しい場合ピッチが大きいナット 2 がまず最初にゆるむ，その後これに連動するようにピッチの小さいナット 1 が緩むことで二重ねじの効果が消滅する．現場では順番を間違えることはよくあることであり，使い難いとの評価がなされた．

これを解決したのが第 2 号のスーパースリットナット[3]である．

図 6.4.4 に示すようにナットの側面に切り込み（スリット）をいれ一定の力でプレスをかけて湾曲させ位相差（スリットを 1 ピッチ＋ α 圧縮）を設ける．これにより内部のねじ山はスリットを境目に上部ねじと下部ねじでボルトとの接触面が異なる構造となる．ボルトに締め込む際には，ナット内部で弾性変形がおこり上部ねじと下部ねじで相反する力が働きねじは緩まなくなる．

ねじはナットを工夫して緩みの防止を図ったものがほとんどであるが，ね

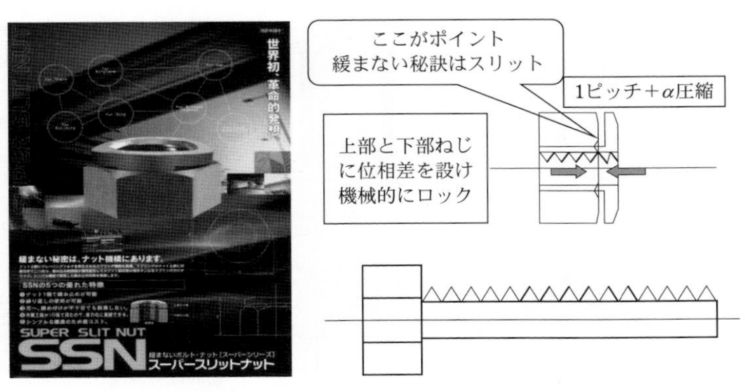

さらなる改良（最終製品）　　　位相差を利用したナットの開発

図 6.4.4　緩みにくいねじ第 2 号：スーパースリットナット（SSN）．ねじ第 1 号の課題を改良した第 2 号ねじはナットにスリットを入れ 2 段ナットにし，上部ナットはねじの下側，下部ナットはねじの上側に接触するように 1 ピッチ＋ α 圧縮する．これにより相反する荷重が負荷され，緩みにくくする極めて斬新な発想で開発した．

じとナットの両方を工夫して緩みの防止を実現した最初の実例である．このねじは日本品質保証機構（JQA）で米国航空宇宙局（NASA）規格による3万回の振動試験はもちろん100万回以上の振動試験でも緩まなかった驚異的にゆるまないねじである．

ねじは成熟した技術であり，改良の余地は少ないと思われている．しかしねじに起因する事故が起これば，大事故につながりやすい．このため，輸送機器等では，ねじが破損することを前提に定期的にチェックするメンテ対策がなされており，緩み難い，壊れにくいねじの開発は極めて高いニーズがある．この2つのねじの開発をきっかけに，ねじの再研究に火をつけたところがあり，新規なねじが提案されたりものまねが現れたりした．さらにPL（プロジェクトリーダー）をしてくれた共著者の一人である西田教授は，その後独自に研究をおこない地元の企業と平転造で二重ねじを加工する新たな技術

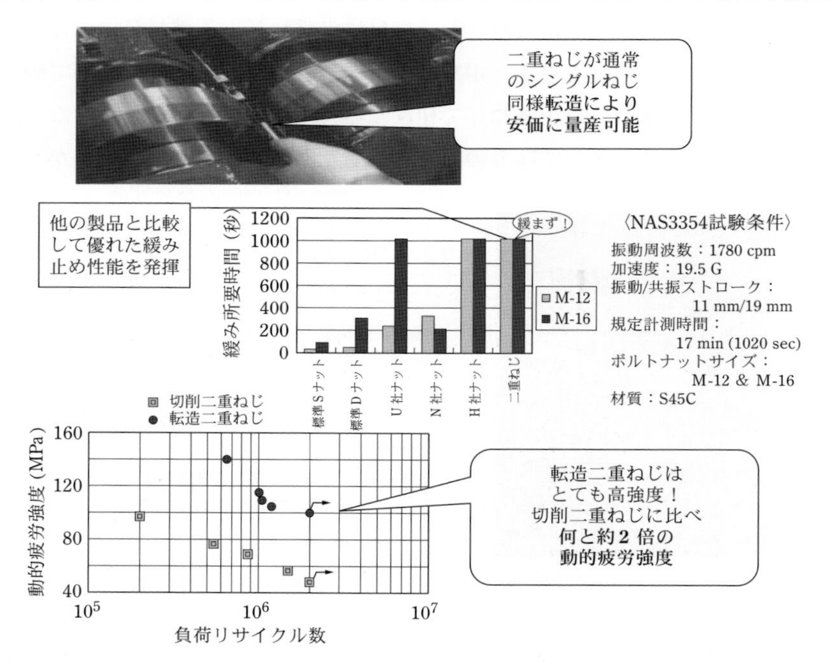

図 6.4.5 開発した転造二重ねじと切削二重ねじの疲労強度の試験結果．転造ねじが2倍の強さをもつことを実証した．

を開発している(図 6.4.5).

6.4.4　極めて緩みにくいねじ第 2 号の派生製品の開発と事業化対策

大喜工業㈱の野田秀樹社長は，位相差をつけることで，ねじが極めて緩み難くなることをヒントに，スーパースリットナットの開発後 2 つの派生製品を開発した．それが図 6.4.6 に示す，スーパースタッドボルト [4~6] とスーパーベアリングナットである．いずれも位相差を設けることで緩み難いことが証明されている．

緩み難いねじ第 2 号と関連の派生製品の開発は業界からも注目を集めるようになる．中小企業にとって新規事業の販売戦略は極めて重要である．ねじの市場は，国内で約 8 千億円もあり，売るための商社が必要である．野田社長のネットワークにより，大手商社が担当してくれた．商社の紹介からベンチャーキャピタルが興味を持ち，投資の判断をするために，母校である東京大学に相談にいかれた．ねじは使用の歴史が古く成熟産業であり，新しい開発が起こりにくい分野であると言われている．相談を受けた機械工学の酒井信介教授は，新規な緩み防止機構に興味を示し，なぜ緩み難いのか，その背

図 6.4.6　スーパースリットナット (SSN) の応用製品としてスーパーベアリングナット (SBN) とスーパースタッドボルト (SSB) の開発，位相差と利用して極めて緩み難いベアリングとスタッドボルトを開発した．ベアリングはキー溝と菊座金は不要である．

景を3次元有限要素法で研究をしてくれた．東大と共同研究をしたことで社会的信用を増し，ベンチャーキャピタルが投資したことはいうまでもない．

東京大学機械工学科の酒井教授が，緩みにくいねじ第2号スーパースリットナットがなぜ緩み難いのか，研究され成果論文を日本機械学会に発表されたことおよび日本品質保証機構（JQA）での振動試験結果さらには特許を道路公団と共同特許出願したことなどで，ねじの評価と信用を獲得し，公団関連の事業に採択された．さらに，JR九州，地下鉄のレール止め，高速道路の防音壁，遊戯施設や輸送機器等にも採用され（図6.4.7），月に500万円以上（年6～7千万円程度）での売り上げがでてきた．これらのことから，平成19年度の経産省「ものづくり大賞」優秀賞と中小企業基盤整備機構の産学連携成功事例50社に選ばれた．

さらに，緩みにくいねじ1号のスーパーロックボルトは，使い難さから売り上げが期待できない状態であるが，二重ねじを転造（塑性）加工で製造し量産化する技術は学問的に興味があり，開発には高い技術力を必要とする．さらに転造二重ねじは低コスト化と耐疲労強度が期待できること，品質管理を注意すれば，第2号のスーパースリットナットより，確実な緩み止めと安全性があり，ケースによっては使用の可能性もある．この転造技術の開発に成功した佐賀大学西田教授の研究グループは平成20年度「塑性加工学会論文賞」を受賞している[1,2]．日本のものづくり技術の高さを証明したと言える．

6.4.5 新製品（1号，2号）の技術的特長

1. 世界初の摩擦力＋機械的ロックでの緩み止め機構であり，米国航空規格をクリアしさらに10^6回でも緩まず極めて高い緩み止め能力を有している．米国航空規格：加速度19.5 G，共振ストローク19 mm，連続振動繰返数3×10^4回．
2. 万一締付け力が不十分でも脱落しない特長を持ち，繰り返し使用でき作業性も良くメンテナンスも容易である．

   新規の二重ねじは，すでに何度も説明しているように摩擦力＋機械的なロックである．第2ナットは第1ナットを強い力で押し付けるため，同時

(a) 都市高速道路

(b) 東京メトロ線路の固定

(c) 鉄道軌条クランプ固定用

(d) バスのダイナモ部の固定用に使用された写真

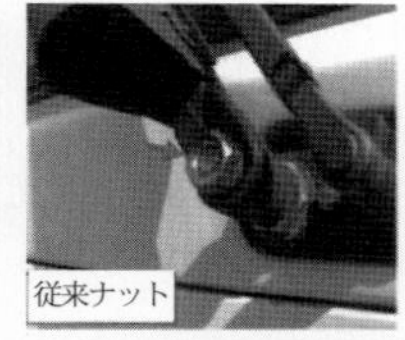

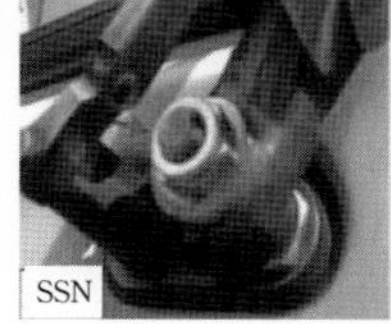

(e) バスワイパーの固定に使われた写真

(f) 高速道路遮音壁落下防止

(g) ジェットコースタープロアーボードの固定用と車輪固定用に使用された写真

図 6.4.7　緩み難いねじ第 2 号スーパースリットナットの実施実例.

回転できず，結果として極めて緩みにくくなるのである.

6.4.6　外部資金導入と事業化

平成 12 年　北九州市産学官連携研究開発助成

平成 13 年　(財) 九州山口地域企業育成基金

平成 14 年～ 15 年度　経済産業省地域新生コンソーシアム

平成 16 年　ベンチャーキャピタル投資

平成 16 年　(財) やまぎん地域企業助成基金助成

平成 16 年　東京大学 (酒井教授) と共同研究

経産省地域新生コンソーシアム開発体制

佐賀大学 機械工学科教授　西田新一

九州工業大学 機械工学科教授　野田尚昭

九州大学 機械工学科准教授　竹増光家

大喜工業㈱ 社長　野田秀樹

顧問　名川政人

ねじ事業化条件の検討

①開発の必要性　従来のねじは摩擦力の強化のみのため緩みやすく事故発生. 緩みにくいボルト・ナットの開発は極めて高い市場性がある.

②市場性　国内 8,000 億円，米国 12,000 億円，EU 16,000 億円，対象ねじの市場は 2,400 億円程度.

③知財戦略　特許出願：日本，米国，EU，韓国.

④人材のバックグラウンド　転造加工法による量産化の技術と疲労強度等理論解析を大学が担当.

⑤技術の特長と発展性　摩擦力＋機械的干渉効果で極めて緩みにくい. 米国航空規格試験では全く緩まない.

⑥事業化への取り組み　特許を道路公団と共同出願，販売・市場獲得に大手商社と連携.

6.4.7 研究が終わって

コーディネーターとして企画の段階から関わってきたが，研究段階までは極めてスムーズにいきながら事業化になって産学連携では起こりやすい事例が発生し仲間割れの結末を迎えた．そのことについて述べる．

事業化研究の企画書はほぼ100％田中が執筆し，研究体制はオール九州としたくPLは西田教授と決めていた．九州大学副学長の村上宣敬教授はこの二重ねじに興味を持ち，事業化に参加したい意向であったので相談し，竹増准教授を推薦してもらった．もともと九工大が主導したことでPLは九工大からだすべきとの考えもあったが，共著者の一人である野田教授にはいち研究者として参加してもらった．研究はPL西田教授を中心に順調に進み成果も出て無事終了した．その後，特許の取得で問題が発生した．九大TLOは，二重ねじ加工は竹増准教授が主体となって開発したことで転造ねじ加工法の特許を独自グループで出願した．全参加機関が協力して国からの外部資金を取り，研究を成功させたことを考慮すれば，発明は九大グループで了解できるが特許権者には参加機関を加えることが望ましいと筆者(田中)は思っている．緩み難い二重ねじの特許を持っている大喜工業の野田社長は大学との争いは避けたいとの思いと転造ねじ加工は売れないことを予測していたようで，自社開発の第2号のスーパースリットナット(SSN)の事業化に力を注ぎ，九大の独自出願に異議をとなえなかったと聞いている．

九大TLOは，ねじの市場規模・経済性から売れれば相当の特許料が入ると目論み独占したかったのか，よくわからないが，第1号のねじは，複雑で困難な転造による製造法を解決し論文賞を受賞できて技術的には大成功であったが，商品としては全く売れていないようである．自己利益のみの追求は良い結果を残さない．利益の共有性と信頼性という課題で教訓を残す結果となった．

産学連携は始まったばかりで歴史が浅く，事業化において大学と企業の信頼を築いていくこと．オール九州で技術・地域を発展させることで，Win-Winの関係つくる努力が必要だろう．そこに産学連携の大きな意義があると感じている．

参考文献

1) 二重ねじ機構に基づく極めて緩み難いねじ締締結体の開発，平成 14 年度地域コンソーシアム研究開発事業成果報告書社団法人九州機械工業振興会（委託者九州経済産業局）.

2) 竹増光家，宮原　洋，新仏利仲，西田新一，野田尚昭，野田秀樹：二重ねじ機構に基づく極めて緩みにくいボルト締結体の転造加工，塑性と加工（日本塑性加工学会論文集），**47**（540），（2006），44-48.

3) 泉　聡志，横山　僑，寺岡卓也，岩崎　篤，酒井信介，斎藤金次郎，名川政人，野田秀樹：ゆるみ止め性能を有するスーパスリットナットの有限要素法による機能検証，日本機械学会論文集（A 編），**71**（703），（2005），380-386.

4) N.A. Noda, Y. Xiao, M. Kuhara, K. Saito, M. Nagawa, A. Yumoto and A. gasawara: Optimum Design of Thin walled Tube on the Mechanical Performance of Super Lock Nut, Journal of Solid Mechanics and Materials Engineering, **2**-6, (2008), 780-792.

5) 肖　陽，久原昌宏，野田尚昭，斎藤金次郎，名川政人，湯本　淳：緩み止め植え込みボルトにおける薄肉変形部の最適寸法について，日本機械学会論文集（A 編），**74**（743），（2008），954-960.

6) Y. Xiao, M. Kuhara, N.A. Noda, K. Saito, M. Nagawa, A. Yumoto, A. Ogawawara: Optimum Dimensions of Thin Walled Tube on the Mechanical Performance Super Stud Bolt, Key Engineering materials, **385-387,** (2008), 249-252.

6.5 環境調和型非アスベストシール材の開発

6.5.1 研究背景

2005年9月ある全国紙の朝刊3面にアスベスト（石綿）代替シール材の開発が困難な状況にあり，2008年のアスベストの全面禁止に黄信号であるとの報道がなされた.

アスベスト（石綿）含有シール材は，化学工場や石油精製所，発電所などの配管やバルブでの液漏れや気体漏れ防止に使われているが，液体・気体の熱や圧力に強く長持ちするため，管の漏れを防ぐ極めて優れたシール材として10年以上の長期連続使用されているケースもあり，使用環境が過酷なケースほど頼りにされているのが現状である．しかし，アスベストを吸引すると肺がん等を誘発とする極めて危険な化学物質であり，しかも深刻な健康障害を引き起こすといわれており，アスベストの製造・新規使用を2008年までに全面禁止することを国は決定した.

現在，アスベスト含有シール材の代替品は，ガラス繊維，セラミックス繊維，膨張黒鉛，フッ素樹脂等であるが，アスベスト含有シール材と同程度の機能を持たず，寿命が短いうえ値段は材料によっては5倍以上である．さらにアスベスト含有シール材と比べ弾力性が乏しいため，過酷な環境（高温高圧）で代替品を使うには，配管をつなぐボルトの締め付け力を増す必要があり，ボルトの本数を増やすかボルトを太くする対策が必要である．また，取り換えには操業の中止も必要とのことで，代替品のコストも問題だがプラントの操業停止の影響は1日で億単位の損失であることから，こちらの方が大きいと課題に挙げる業界もある.

このように，頻繁な取り換えは極めて困難な状況にあることから国は，代替品の開発遅れを理由にアスベスト含有シール材は，生産と使用禁止の対象から除外しているのが現状である.

現在のシール材の課題

アスベスト（石綿）含有シールは，極めて危険な化学物質．しかし，代替品はない．

開発するアスベスト代替シール材は

①ばね効果で高機密性

②シンプルな形状で低コスト製造

③金属，樹脂材で完全リサイクル可能

上記のような状況を考慮すると，アスベスト含有シール材の代替材の開発は極めて緊急性を有する重要な社会的課題である．しかも機能やコストを含めて同等以上の開発が求められるが，高機能な新規化学物質の開発は当面困難で期待できないと考えられる．

2006年3月，定期的に交流し，意見交換している大喜工業の野田社長を訪問した．社長は，東大の酒井教授が出張の帰りにわざわざ門司まできてくれたこと，および新聞に報道されていたアスベスト代替シール材の開発に機械工学の立場から面白いアイデアが浮かんだとのことである．アイデアとは新規の化学物質を使用するのではなく，ばね（弾性）効果を利用することでコストが安い鉄鋼やステンレス鋼で優れたシール材がつくれる，とのことで，やや興奮ぎみに説明してくれた．

ここで大喜工業の野田社長と顧問の名川氏の関係について紹介したい．名川氏は大手鉄鋼会社を定年退職したことで，自分が発明した事案を事業化したいとの想いを持っていた．一方，野田社長は大学卒業後，大手の会社に勤務していたが，2年で退職し，初代の社長が昭和41年に立ち上げた関門海峡を往来する外航船のメンテナンス事業を引き継いだ2代目である．

引き継いだ当時は1ドル360円の頃であり，仕事は順調に伸び，ピーク時は年商5億円を超えた．しかし，日本の経済が強くなり円高が進むにつれて，仕事量も減少した．さらに中国や東南アジアの人件費の安さと技術の進歩で，労働集約型のメンテナンスは激減し，ピーク時の2割程度まで落ち込んできた．2代目社長は，このままでは未来がない，新しい仕事を，それも大企業の下請けではなく，自社製品を開発したいとの想いを強め，開発の何かを求めて日々模索を始めていた．

新規事業を興したいという想いで苦労をかさねていた野田社長と，自分の特許を事業化したい名川氏を引き合わせたことで，2人の思惑が一致し，意気投合し2人で新しい事業を始めだした．その最初の事業が6.4節で書いた極めて緩みにくいボルト・ナットの開発である．さらに6.1節で紹介した食品用サニタリー新型ガスケットレス管継手の発明者も彼である．そして3番目がいまから記す非アスベストシール材の開発である．図6.5.1，図6.5.2に

図 6.5.1　開発するばね（弾性）効果による非アスベストシール材．左は金属製，右は樹脂製．

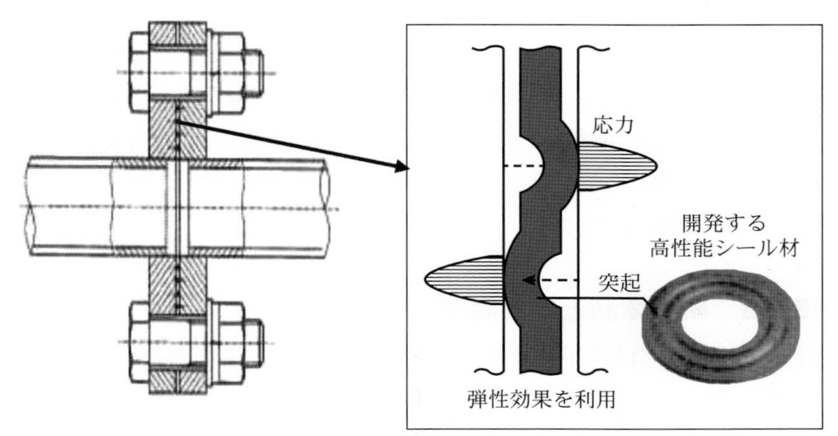

図 6.5.2　ばね効果を利用した二重突起を持つ非アスベストシール材の模式図．右はボルトによるシール材の取り付け状態．

示す．

東大の酒井教授はすでに6.4節で述べたように緩み難いねじ第2号に興味を示し，緩まない背景を無償で研究し，日本機械学会に論文として発表してくれた．以後，大喜工業に関心があり，九州出張時には，新しい発見・発明を聞きたいと，学問と同じように楽しんで会社を訪ねていた．当然，ばね（弾性）効果を利用した非アスベストシール材開発のアイデアに大いに興味を示されたとのことである．

アスベスト代替シール材の開発は，社会的に解決すべき課題であり，緊急性もあることから国の事業に応募することを提案した．しかも研究内容から，酒井教授が適任であり，プロジェクトリーダー（PL）を酒井教授にお願いすることにした．

経済産業省のコンソーシアム研究開発事業の一般枠は，企業2社以上が必要なことから，シール材の防食対策として，本学から電気工学科和泉亮教授と東洋ステンレス研磨工業㈱に高耐食性薄膜の開発で参加してもらった．さらに，酒井先生のご多忙を考え，緊密な連携とサポート役の必要性およびこの研究にはシール材の漏れ量等計測が欠かせないことから，昔の部下である福岡県工業技術センター機械・電子研究所研究員の春山繁之氏（現山口大学教授）に参加をお願いした．

この環境調和型非アスベストシール材の開発は，平成18年度経済産業省地域新生コンソーシアム研究開発事業の中小企業枠ではなく，大企業が対象の一般枠で応募し，競争倍率が高い中で，研究資金も乏しく，従業員もわずか10名程度の零細企業である大喜工業が採択された．開発資金は2年間でほぼ1.5億円を獲得できた．

6.5.2　研究体制と研究課題

平成18年度経済産業省地域新生コンソーシアム研究開発体制

東京大学 工学系研究科教授　酒井信介

准教授　泉　聡志（現 教授）

福岡県工業技術センター機械・電子研究所

研究員　春山繁之（現 山口大学教授）
大喜工業㈱ 社長　野田秀樹
顧問　名川政人
九州工業大学 電気工学科教授　和泉　亮
東洋ステンレス研磨工業㈱研究開発部
部長　門谷　豊（現 社長）
管理法人（財）九州産業技術センター

研究課題

シール材形状の最適化と材料

本研究の目標は，開発するシール材の漏れない構造（形状）を明らかにし，その最適化を図ることを第一の研究課題とした．さらに完全リサイクルが可能であり，安価に量産化できることを第二の研究目的とした．この2つの課題を解決するため，2次元および3次元有限要素法解析による接触面の応力と変位・変形の関係と実験により，最適形状および有効な形状範囲を決定した．

有限要素法解析は東大，実験は主に機械・電子研究所が担当した．

脱アスベスト化を図る環境調和型シール材として，水，蒸気，油，および自動車排気管用を対象とした汎用シール材と，高炉の配管，石油プラント，化学プラントおよび発電所等を対象とした特殊用途向け高性能シール材とした．

材料は，汎用シール材では金属系で軟鋼SS400とステンレス鋼SUS304の2種類とし，高性能シール材は金属系（軟鋼SS400とステンレス鋼SUS304）および樹脂系（ポリプロピレンとフッ素樹脂）の2種類とした．

試作シール材の開発

基本形状となるシール材は，シール効果を高めるため，軸方向の表裏面にそれぞれ非対称で，複数個の突起（二重の凹凸）をもつ極めてシンプルな形状として，ばね（弾性）効果を高めたことである（図6.5.3）．

形状寸法は各種パイプの大きさに合わせるためJIS規格（外形）の4種類（25A，50A，80Aおよび100A）のサイズとした．自動車用は排気管中間継手

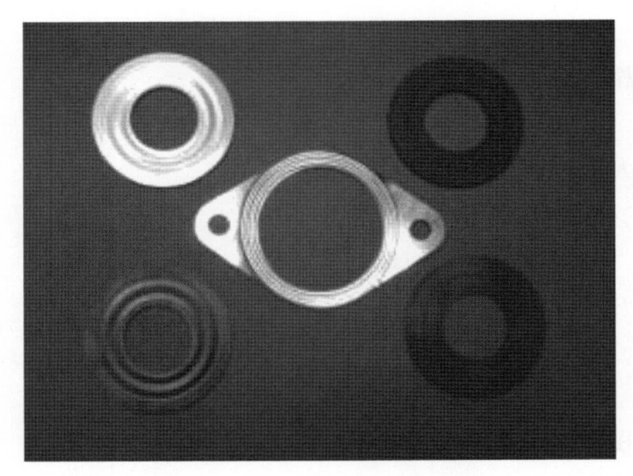

図 6.5.3 試作シール材の形状．中央：自動車排気管用．左および右：汎用および特殊用途用（左：金属製，右：樹脂製）．

と多岐管用の 2 種類とした．

試作材の製作では金属製は金型・プレス加工にて，樹脂の加工ポリプロピレンは射出成型法でフッ素樹脂は機械加工法にてつくった．

シール材の実験評価

耐圧試験（水圧試験），蒸気試験，空圧試験等の実使用環境下での実験から，高圧量下までをおこない，漏れ量評価試験，変位計測試験から，漏れが発生するか否かを実験し，有限用法解析と合わせて漏れが発生する原因を明らかにし，良好なシール効果の形状等を得ることにした．図 6.5.4 に漏れ量測定を示す．

水圧試験は JISB2404 に準拠し，蒸気試験は JISB2404 に準じて実施し，温度を 300℃，圧力 20 MPa と 425 ~ 460℃，圧力 2 MPa で実施した．蒸気試験結果は表 6.5.1 に示す．高温高圧環境下一部の形状で漏れが発生し，形状の最適化が必要であるが，多くの形状において良好な効果が得られた（表 6.5.1）．

空圧試験は，自動車用排気管用シール材について，温度 500℃の状態で圧力が 0.05 MPa から 0.04 MPa まで低下する際の時間を計測した．

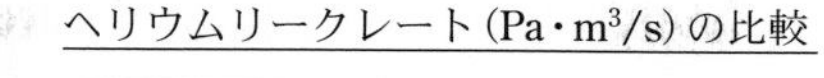

図 6.5.4 開発した金属製シール材の漏れの定量測定．既存のシール材に比べて100倍以上のシール性がある．

表 6.5.1 蒸気試験実験結果．

	シール材形状				判定	
	サイズ	突起数	材質	板厚	保持圧力(MPa)	結果
一般産業用	25 A	2 × 2	SUS	1.5	20 ⇒ 20	○
	50 A			1.5	20 ⇒ 20	○
	80 A			2.0	17 ⇒ 4	×
	100 A			2.0	20 ⇒ 20	○
	25 A	2 × 2	SUS	1.5	10 ⇒ 6	×
	50 A			1.5	20 ⇒ 20	○
	80 A			2.0	20 ⇒ 20	○
	100 A			2.0	20 ⇒ 20	○
一般産業用	50 A	2 × 2	SAS	1.5	2 ⇒ 2	○
	80 A			2.0	2 ⇒ 2	○
	50 A	2 × 1	SAS	1.6	2 ⇒ 2	○
	80 A			2.0	2 ⇒ 2	○

従来製品と比較して良好なシール効果が得られることを確認した．

漏れ量評価試験は，JISZ2330および2331を参照してヘリウム漏れ測定方法は真空法を選択し用いた．結果はまず，

①継手治具(フランジ)の粗さがリーク量に大きく影響することが認められた．

②シール材の漏れ量は，フランジの漏れ量を考慮し測定開始から500秒後の測定では 1.7×10^{-10} {Pa・m^3/s} と極めて微量であり，ばね効果によるシール性が優れていることが認められた(図6.5.3)．さらに，ヘリウムガスによるそれぞれの試作材の締め付け力と，漏れ流量の定量測定から締め付け軸力の設計指針を得ることができた．

形状加工の研究成果

開発するシール材は凹凸のみのシンプルな形状であることから，量産化に関しては，金型・プレス加工および機械加工においては問題となるような課題は発生しなかった．

樹脂系で射出成形・機械加工により製作するものは，設計の目標通りの寸法ができた．

シール材の形状がきちんと加工されておらず，円周方向に波打った形状になっていれば，シール性能が発揮できない恐れがある．

金属系はプレス加工により製作するが，シール材は，表面の突起部(ビート部)周辺の寸法が出にくく，加工精度が落ちる傾向がある．周方向・半径方向のうねりの発生は小さい．

以上のことから，突起の高さ，配置，寸法精度の兼ね合いで漏れが発生することが起こると認められる．このことは加工精度，材質の選定も重要と考えられる．

またフランジの粗さ分布の変化に伴いシール効果(漏れ量)の違いが見られること．特にフランジの粗さがJIS規格内であっても周期的に高い粗さがある条件では，シール効果が低くなる傾向にあること等がわかった．そのため，フランジの粗さなどの面状の影響を考慮したシール材の検討が必要であり，対策としてシール材突起部のソフト化(表面処理，有機溶剤塗布，テフロンシート接着)を行うことが有効であると提言している．

有限要素法による研究成果

最適設計の第1歩として，2次元および3次元有限要素法モデルを作成し

(図 6.5.2 参照) 形状に基づく応力，ひずみ等の基本的解析結果と漏洩試験結果とを比較することで，モデルの高精度化を行った．その結果一般産業用・自動車排気用ガスケットとも最適設計が可能となり，いくつかの基本的性能を解析より明らかにした．図 6.5.5，図 6.5.6 および図 6.5.7 に示す．

[1] 山の形状と高さのばらつきの影響

シール材は凹凸のシンプルな形状であることから，凹凸の形状は回転しやすいことや接触しやすいことから，所定どおり球形で評価した．

プレス製ガスケットの加工は，山の高さの違いが生じたり，円周方向に波形状になりやすいと認められる．

山の高さのばらつきが漏れに影響すると思慮されるので，一周にわたった山の高さを測定し，漏れ量の関係を求めたが Waviness (波) さえなければ，山の高さ寸法が他の山と多少異なっても性能的に問題にならないことが認められた．しかし，波や表面粗さの影響を最小化するには山の高さを高くし，接触面積を増やすことが考えられる．

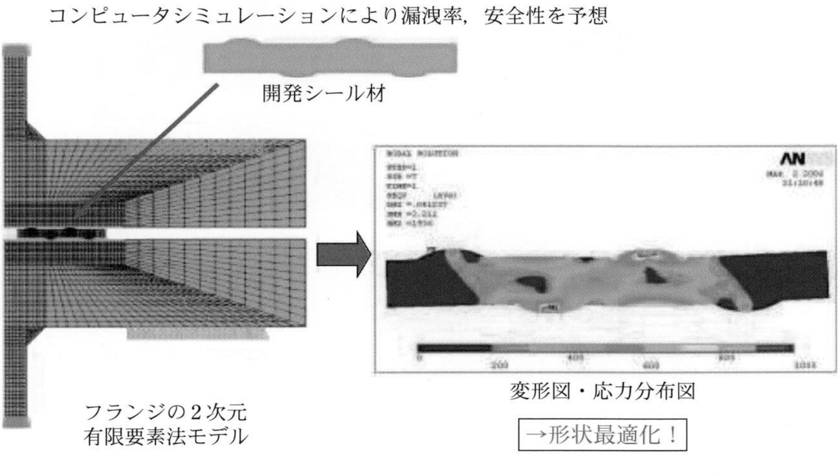

図 6.5.5 最適設計用 2 次元有限要素法モデル．右は解析結果の変形図・応用分布図で上下突起部に最大応力が負荷され，シール性が高いことがわかる．

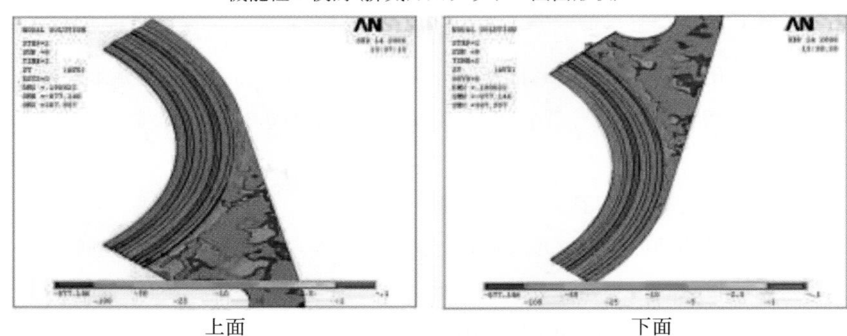

一周に渡って接触応力が十分に残る→漏れない
(実験結果と一致)

図 6.5.6　有限要素法による二重突起を持つ非アスベストシール材の応力解析(漏れないケース)．一周にわたって接触応力が十分に残り(円周方向青線)折れにくいことが理解できる．

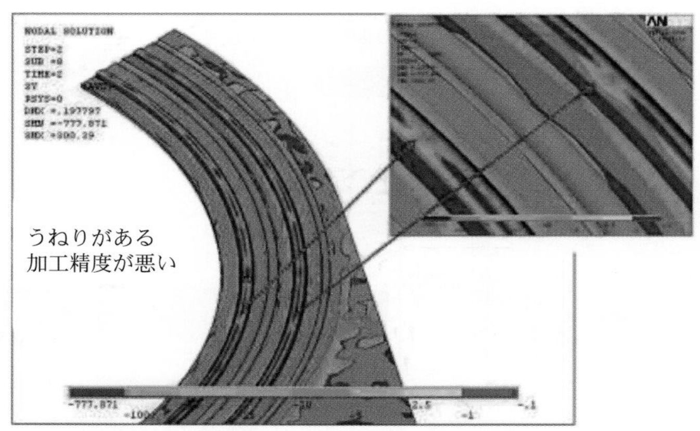

ゼロ残留応力のスポットが多数ある→漏れる可能性
加工の精度を上げる必要

図 6.5.7　有限要素法による二重突起を持ち非アスベスト材の応力解析(漏れるケース)．ゼロ残留応力のスポットが多数あり漏れる可能性が高いことが理解できる．

［2］ Waviness（波）の影響

円周方向に波（waviness）がある場合は，波の谷の位置での接触面圧が弱くなり漏洩箇所となる．図 6.5.4 において漏れ箇所と波の谷の位置が一致していることがわかる．

［3］ 山の数の影響

シール材の山の数が多くても漏れ防止性能の効果を高めないようである．

シール材はシール効果を高めるため，軸方向の表裏面にそれぞれ非対称で，複数個の突起（二重の凹凸）をもつ極めてシンプルな形状であることから二重シール効果を確かめたが，二重シール効果は小さいことがわかった．結局シールしているのは上下一山ずつであり，山の数が多いことがシール性能におおきな効果を持っているわけではない．しかしこれはシングル山のみでシール効果が発揮されるということではない．

以上の結果等から，いろいろの業界の期待に応えられるシール効果が高いアスベスト代替シール材を開発することができた．

事業化

非アスベストシール材の事業化は一般産業（化学部門）での事業化よりも，自動車用排気管シール材の事業化を優先した．これは大手自動車会社が開発段階から興味を示してくれていたからである．

既存の自動車に取り付けられている排気管用シール材は，円周上に一段の凸型突起がありそれを表裏重ねてスポット溶接し，2 枚の板材でシールしている．このため，シール性は開発した製品に比べ劣っていることがわかるし，材料費や製造コストも大幅に安くなることから，コストと性能を重視する自動車業界はすぐに採用してくれた．課題は零細企業といっていい中小企業と，安定した品質で大量生産と納期を厳守しなければならない契約をできないことであった．最終的には，大手傘下の企業に製造等を一任することで解決したと聞いている．

産学連携悲喜こもごものはなし

◆まず良いことから

緩み難いねじの開発および非アスベストシール材の開発と連続して競争倍率が高い経済産業省の助成金を獲得でき事業化できたこと．緩み難いねじの開発では大手ベンチャーキャピタルが緩み止めの有用性に注目して事業化ができると判断し投資してくれたこと．これらのことから，当然，社長は株式上場をめざすことになる．ベンチャーキャピタル以外からも個人的融資をうけ株式上場（IPO）を視野にいれた事業の拡大をめざした活動をしているようで，新しい工場を建設した．

社長は多忙をきわめていたか，大学にもこなくなり，筆者への連絡もなくなった．IPO では，3 期以上の黒字化が必要であると聞いており，連絡がないことは事業も順調にすすんでいると好意的に解釈していた．また，東大と共同研究をおこなって産学連携にとって見習うべきことがあった．それはすでに述べたように緩み難いねじの開発で東大が自主的に研究してくれた．社長は「無料で研究をしてもらうわけには」ということですこしばかりの奨学寄付金をした．東大では奨学寄付金に対しては総長より，「寄付金額を明記した感謝状の贈呈が制度化」されているようであり，後日，感謝状が会社に届くのである．社長は，少額の奨学寄付金ではと思ったか，その後，数倍の寄付金をし，その感謝状を額にいれて来訪者が見えるように壁に掛けていた．これを見聞した筆者は，これこそ本学も見習うことではないかと感じ学長に話し，本学も感謝状をだすようになった．さらに親しい大学の教授にこのことを話すと，直ちに教授会に諮り，感謝状をだすようにしたと聞いている．大学の役割が拡がるにつれ，企業との連携はこれからますます重要になってくる．大学が，上から目線で寄付金を当たり前として受け取るより，寄付の趣旨にそって教育・研究をし，社会に還元する旨の感謝状を受け取れば，企業は寄付することに価値を見出し，大学に対する信頼と評価も高まるだろう．東大を見習うというより，地方大学こそ率先してやるべきことである．

◆悲しい話

こちらに連絡がないことは，事業は順風満帆であると思っていたが，その後社長にとって極めてまずい変革が起こっていた．

まず，商社が，取り扱い量が少ないうえなかなか増えないことから手を引くこととなった．さらに経営が赤字になったかははっきりわからないが，社長になんらかのミスがありそこを突かれて経営責任をとらされ，社長を退任し，会社を手放したことであった．

最大の投資をしたベンチャーキャピタルが主導したわけでなく投資したベンチャーキャピタルも降りざるを得ない状況ができていたらしい．新たに投資した方は，最初から乗っ取りを狙っていたのかもしれない．ここが問題である．苦労に苦労を重ねて，大学と二人三脚で事業化を進めてきた．世の中信用できる人ばかりではない，事業化を目指しさらに株式上場をめざすには，多くの人の協力と資金がいる．一歩間違えるとこうなるのであろう．

知人は新規に投資した人物の危険性を指摘し，それとなく注意したが，彼らは聞く耳を持たず，聞き流されたといっていた．

東大からは，一切関係を断つ，用心するようにとの連絡がきた．その後も筆者（田中）には残念だが一切連絡はこなかった．さらに，数年後，カムバックを期して，昔の仲間に協力をお願いしてまわっていたが，だれからも協力を得られず悲しい結末となったようである．この件は考えさせられる悲喜こもごもな産学連携である．

参考文献（本節は文中に文献番号を入れず，まとめて記載する）

1）　朝日新聞 2005 年 9 月 21 日朝刊．

2）　平成 18 年度地域新生コンソーシアム研究開発事業環境調和型アスベスト代替シール材の開発成果報告書，財団法人九州産業技術センター（委託者 九州経済産業局）．

6.6　軽量化と安全性を考慮した自動車用衝撃吸収部材の開発

6.6.1　研究背景

現在，自動車の衝突時の安全性を高めるために用いられている衝撃吸収エネルギー部材（いわゆる Crash box）は，図 6.6.1 のように，前後のバンパーの両サイド裏側左右 2 個合計 4 個取り付けられており，その形状は円形や角形が多く用いられている．しかし，これらの形状では，衝突時に不安定破壊を起こし，エネルギー吸収効果が悪いのが欠点である．このため，これに隔壁を付けて補強しているのが最も進んだ衝撃吸収部材のようである．例えば，図 6.6.2 は隔壁付正六角形衝撃吸収部材で，図 6.6.5 は田型隔壁付角型衝撃吸収部材であるが，以下の課題があることをこれまでに明らかにしてきた．

図 6.6.1　自動車に取り付けられたエネルギー吸収部材（Crash box）の位置．

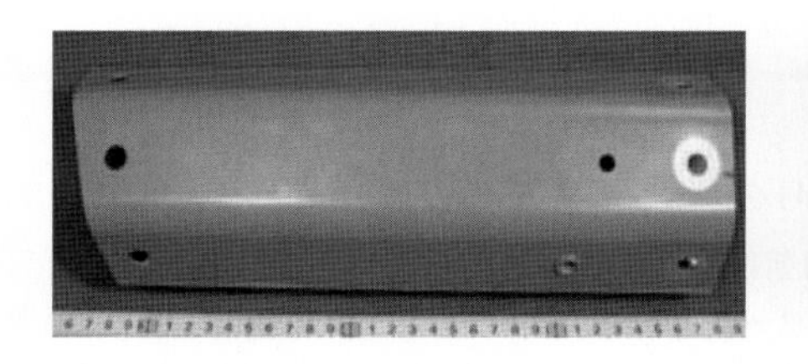

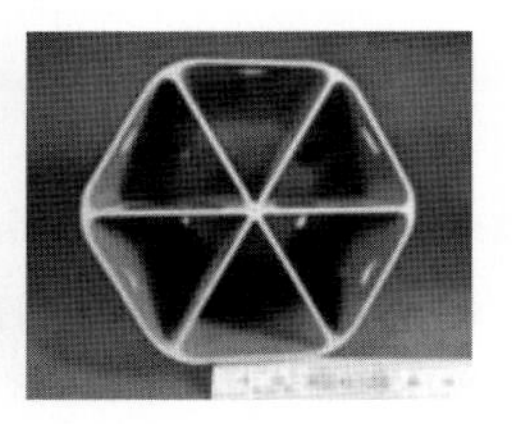

図 6.6.2　隔壁付正六角形衝撃吸収部材の写真．

まず図 6.6.3 は公表されている正六角形に隔壁をつけて補強した自動車メーカーの衝撃吸収部材の変形と荷重曲線である．黒色系線は企業が発表している曲線である．灰色系線は大学が FEM（有限要素法）により独自解析した曲線である．

図 6.6.4 は，同様に大学が独自解析した正六角形吸収部材の初期変形過程の状態図である．これらによりわかることは以下の通りである．

(1) 企業発表よりも衝突時に**大きな初期ピーク荷重が発生**している（図 6.6.3 より）．さらに，だんだん減少するが 2 度，3 度とピーク荷重が認められる．ピーク荷重が高い場合，乗員の安全性の確実性がないことから，ピーク荷

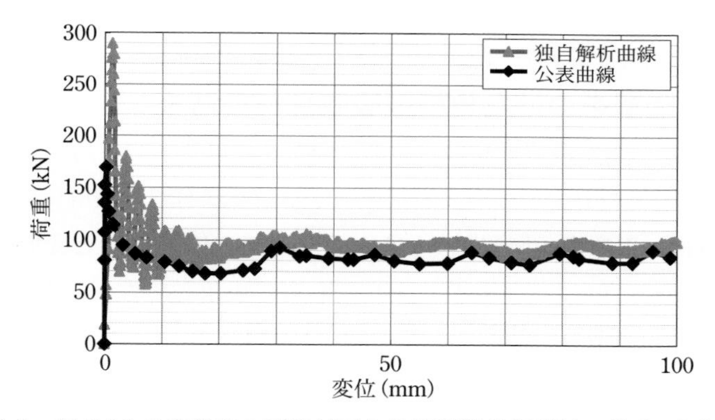

図 6.6.3 図 6.6.2 の自動車の隔壁付正六角形衝撃吸収部材の荷重–変位曲線.

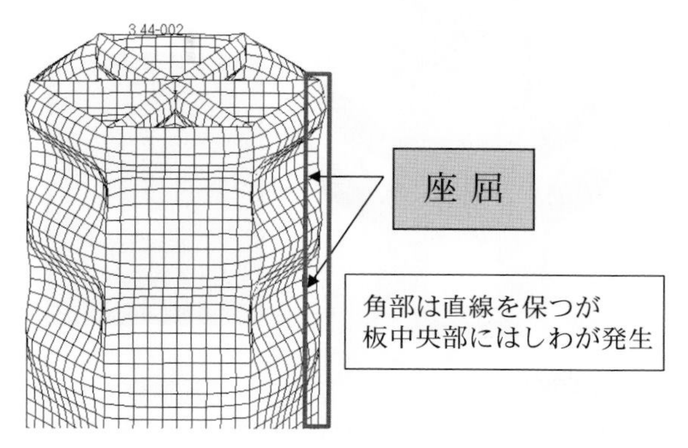

図 6.6.4 隔壁付正六角筒の変形モード初期変形（FEM 解析）.

重がないことが望ましい．また，**ピーク荷重があるため，不安定破壊が発生し部材効率を低下**させている．さらに，このピーク荷重に耐えるように剛体設計がなされるので，軽量化が進みにくい構造になっている．逆にいえば，ピーク荷重をなくすことで，衝撃吸収部材の軽量化のみならず車全体の大幅な軽量化が可能である．

(2) 隔壁をつけることで，ある程度座屈変形を防いでいるが，部分的に座屈変形が起こっているし座屈変形が起こることでエネルギー吸収の効率を悪くしている．

(3) 座屈などの**不安定な変形**であることから，**荷重と変形モードの制御が困難**である．

6.6.2　隔壁をつけた角筒型吸収部材の解析

現在上級車の衝撃吸収部材は六角形に隔壁をつけたものや角筒型もあるので，角筒型にX型および田型の隔壁をつけた吸収部材を比較解析した．

図6.6.5は，田型の角筒型クラッシュボックスの位置（左）と変形した状態（右）を示した写真である．田型においても座屈現象が認められる．

図6.6.6は角筒型（隔壁なし），X型隔壁付および田型隔壁をつけた3種類

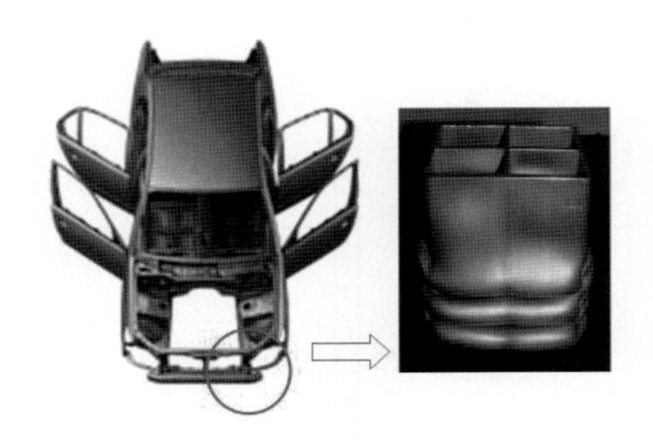

図6.6.5　左：田型の角筒吸収部材の取り付け位置，右：変形状態，座屈現象が認められる．

のクラッシュボックスの写真である.

図 6.6.7 は角筒型の 3 種類 (図 6.6.6) のクラッシュボックスの荷重-変位曲線である.

隔壁なしの部材はピーク荷重が最も大きく不安定破壊が発生し部材効率が最も悪い. 田型は, 拘束された箇所が多いことで, 衝撃吸収効果を高めており, 現在のクラッシュボックスのなかでは吸収効果が最も良い形状であるが, ピーク荷重が認められることと座屈変形という不安定な変形があり, 結局部材効率を悪くしている.

このような状況から現在のクラッシュボックスは, 安全性を高めるために

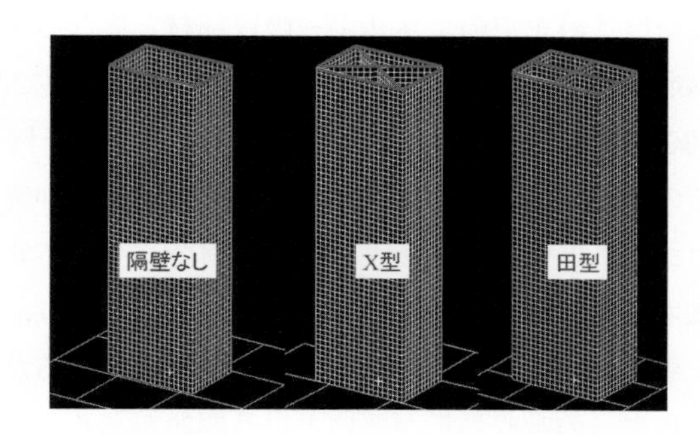

図 6.6.6 隔壁なし, X 型, 田型の角筒型吸収材.

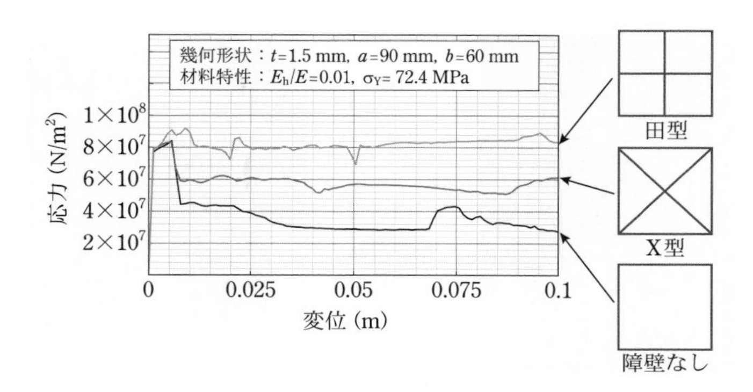

図 6.6.7 隔壁なし, X 型, 田型の 3 種類の角筒型エネルギー吸収部材の荷重–変位の比較. 田型が最も優れているが一部不安定破壊があり, エネルギー効率が悪い.

エネルギー吸収効率を改善する必要がある．だが，現在の衝撃吸収メカニズムであれば改良の余地は少ないことも事実である．例えばピーク荷重を小さくすれば，衝突時のエネルギーの吸収量が減少するので，乗員の安全性の確保が困難である．ピーク荷重を大きくすれば，エネルギー吸収量は大きくなるが乗員に与える二次的衝撃力が低減できないことや不安定な変形もあるので，全体的に吸収能力が悪くなり，軽量化ができにくいことになる．このため，ピーク荷重がなく全体的に衝撃吸収能を高めるためには全く発想が異なるメカニズムの導入を必要としている．

6.6.3 提案する膨張–圧縮型エネルギー吸収部材

提案する新技術はこれまでのエネルギー吸収部材と異なるメカニズム，膨張–圧縮による新しい吸収部材で既存の課題を解決するものである．

図 6.6.8 に提案する膨張–圧縮型エネルギー吸収部材の一例と変形過程の写真を示す．このタイプは円筒の軸方向圧縮と円周方向の伸縮でエネルギーを吸収するメカニズムとするエネルギー吸収部材で，全く不安定破壊は発生せず，理想的エネルギー吸収部材である．先に述べたとおり，これまでの衝撃吸収部材は，主に座屈変形によってエネルギーを吸収するため不安定破壊が発生し，エネルギーの吸収効果が悪いという問題がある．本提案は，圧縮

図 6.6.8 (A) 変形前の分離型吸収部材．(B) 膨張–圧縮による変形中の分離型吸収部材．

–膨張変形によってエネルギーを吸収するメカニズムに基づくもので安定破壊であり，従来考えられてきたものとは全く異なるエネルギーの吸収部材である．また，過大な初期ピーク荷重の発生や，エネルギー吸収の効率が悪いこと等の課題を解決できる，さらには安定変形によるエネルギー吸収メカニズムのため，荷重変位のコントロールが従来のものと比べ非常に容易である．また円筒の長さ，厚さ，直径をパラメーターとして小荷重から大荷重を容易に吸収するとともに荷重の制御が可能である．

図 6.6.9 に既存の衝撃吸収部材の荷重–変位曲線のイメージ図を示す．過大な初期ピーク荷重と荷重変動（山と谷）がある．望ましい荷重–変位曲線は，ピーク荷重がなくかつ荷重変動（山と谷）がない滑らかな曲線であることである（図 6.6.10）．

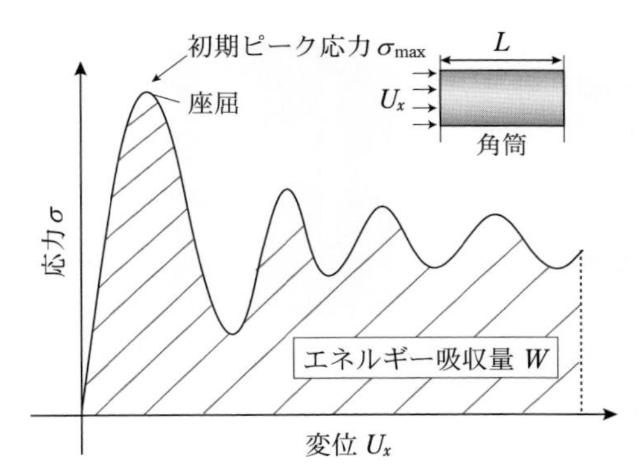

図 6.6.9 既存自動車衝撃吸収部材の荷重–歪線イメージ図．ピーク荷重と荷重変動（山と谷）がある．

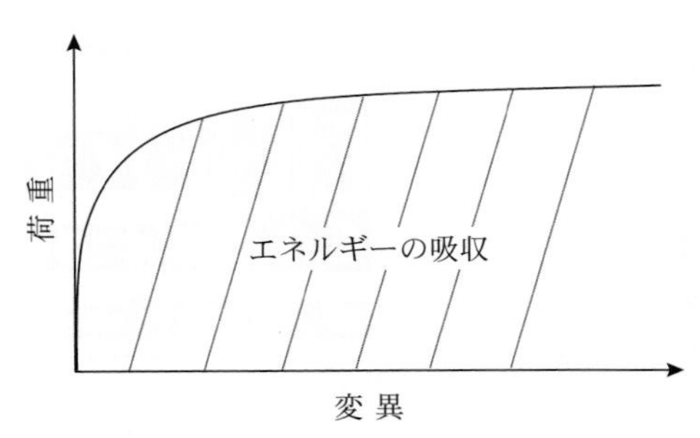

図 6.6.10 理想的荷重–歪線図イメージ図.

6.6.4　従来技術・競合技術との比較

膨張–圧縮型エネルギー吸収部材その①

図 6.6.11 に提案するのは，膨張–圧縮でエネルギーを吸収する分離型 (3 pieces で一体) の吸収部材の写真を示す．このタイプは，円筒の軸方向圧縮と円周方向の膨張でエネルギーを吸収するメカニズムのエネルギー吸収部材である．

図 6.6.12 は，図 6.6.11 の分離型エネルギー吸収部材の荷重–変位図を示す．この図からわかるように，ピーク荷重がなく安定した変形モードを示しており，理想的な荷重–歪曲線を示している．

円筒の軸方向圧縮と
円周方向の伸縮で
エネルギーを吸収
するメカニズムの
エネルギー吸収部材
（衝撃吸収部材）

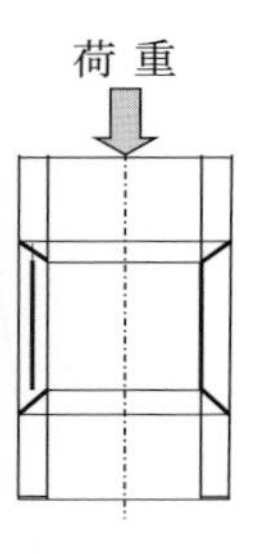

図 6.6.11　膨張–圧縮でエネルギーを吸収する分離型 (3 pieces で一体) 吸収部材.

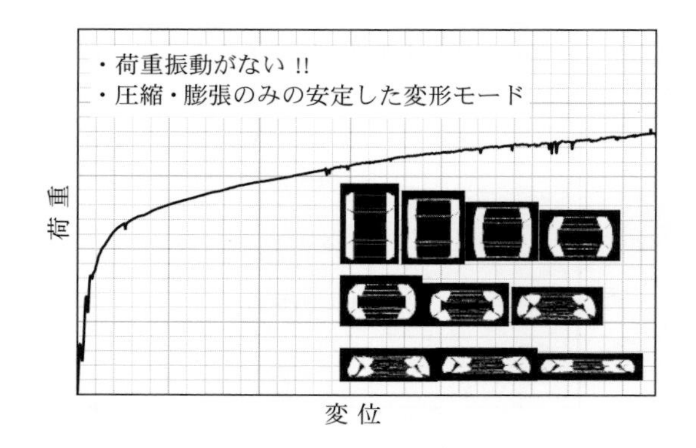

図 6.6.12　図 6.6.11 の荷重–変位曲線.

膨張–圧縮型エネルギー吸収部材その②

図 6.6.13 に，分離型の吸収部材ではなく，円筒形の一体型で膨張–圧縮してエネルギーを吸収する部材の FEM による変位状態を示す．この形状は，一体型であり座屈を起こす円筒形吸収部材と思われる形状であるが，部材形状を変化させることで，座屈という不安定変形ではなく圧縮–膨張の安定した変形になることを示している．

図 6.6.14 は，従来型円筒衝撃吸収部材と提案エネルギー吸収部材一体型の単位重量当たりの荷重とひずみの関係を比較したものを示す．それぞれの図から，円筒衝撃吸収部材に比べ一体型は優れた吸収性能を有していること

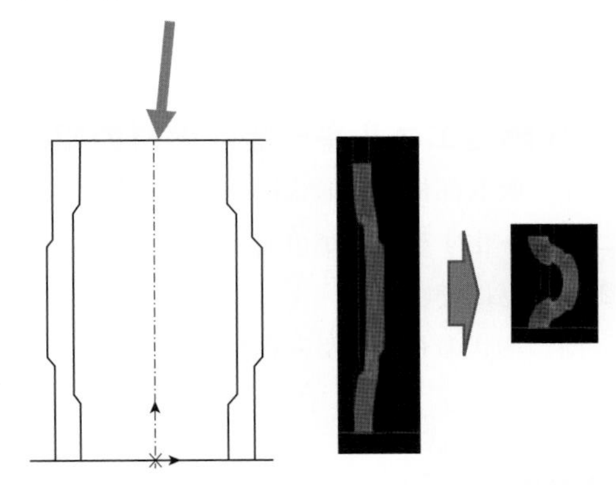

図 6.6.13　一体型膨張–圧縮エネルギー吸収部材の変形過程．

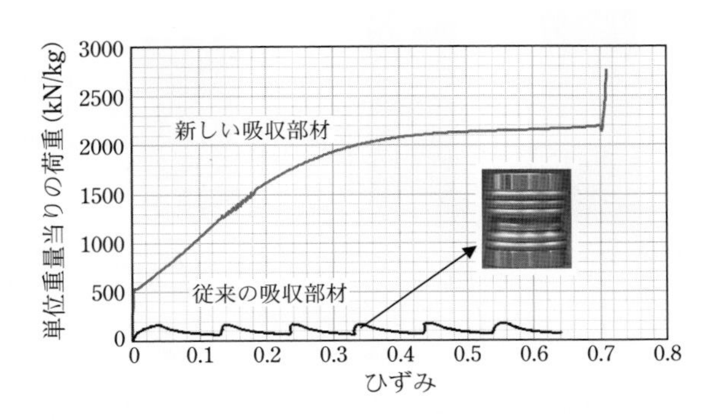

図 6.6.14　従来型円筒衝撃吸収部材と提案衝撃吸収部材の単位重量当たりの荷重–ひずみ関係．

がわかる．以上は，FEM による変形過程の解析例であり，実験をしないで FEM のみで容易に改良できるところがこの研究の特長である．

先に述べたとおり，これまでの衝撃吸収部材は，主に座屈変形によってエネルギーを吸収するため不安定破壊が発生し，エネルギーの吸収効果が悪いという問題がある．本提案は，圧縮–膨張変形によってエネルギーを吸収するメカニズムに基づくもので安定破壊であり，従来考えられてきたものとは全く異なるエネルギーの吸収部材である．

また，過大な初期ピーク荷重の発生や，エネルギー吸収の効率が悪いこと等の課題を解決でき，さらには安定変形によるエネルギー吸収メカニズムのため荷重変位のコントロールが従来のものと比べ非常に容易である．

6.6.5　膨張–圧縮型エネルギー吸収部材の組み合わせ

提案するエネルギー吸収部材は，形状は単純であり 2 つないし 3 つの部品を組み合わせてユニット化することが可能である．ユニットを組み合わせることで荷重の制御が容易にできる．

図 6.6.15 左は，同じ形状のものを組み合わせることにより大きな吸収エネ

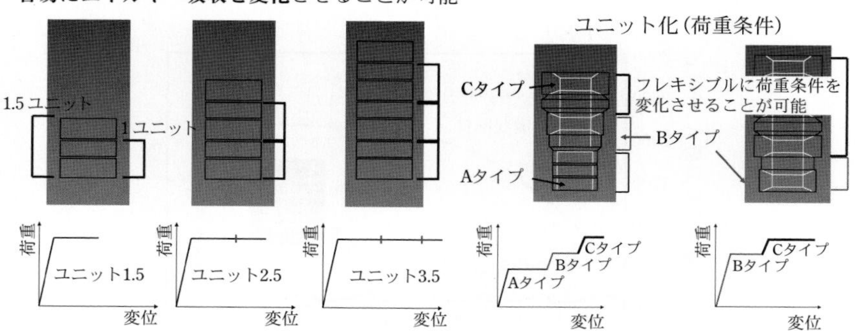

図 6.6.15　ユニットの組み合わせによる荷重制御の例．左は同じ形状のユニットを積み増すことによる制御荷重を増加させる例．右は形状を大きくすることによる制御荷重を増加させる例．

ルギーを得ることができる．ユニットを2倍にすれば2倍の，3倍にすれば3倍の吸収エネルギーを得ることを示している．

図6.6.15右図は，ユニット形状を大きくすることにより，段階的に吸収エネルギーを増やし大きなエネルギーを吸収することができることを示している．

6.6.6 技術の特長

走行中の自動車が前面から衝突した場合の衝突状態を図解で示せば，図6.6.16(a)に示すようにバンパー(① Bumper)，衝撃吸収部材(② Crash Box)，メンバー(③ Member)，ボディ(④ Body：変形せずに乗員の生存空間を保持する)の順に変形が進み衝突エネルギーを吸収する．そのため図6.6.16(b)に示すように部材ごとにピーク荷重を変化させ順番に変形が進むよう設計する必要がある．車体全体で効率よくエネルギーを吸収し各部材を軽量化するためには，各部品の変形開始荷重を精度よく制御することは重要であり，ピーク荷重の発生がなく，荷重振幅が少ない安定した変形特性を有する部材が必要不可欠である．

改良型の特長は，吸収エネルギー効率がこれまでのものより2倍～6倍も高い新しい圧縮–膨張型のメカニズムに基づくエネルギー吸収部材である．また，主に圧縮–膨張型変形によってエネルギーを吸収するため，吸収部材の変形の際に発生する初期のピーク荷重が低いだけでなく，衝撃荷重の振動もなく荷重の制御が容易である．という特長もっている．特に，初期ピーク

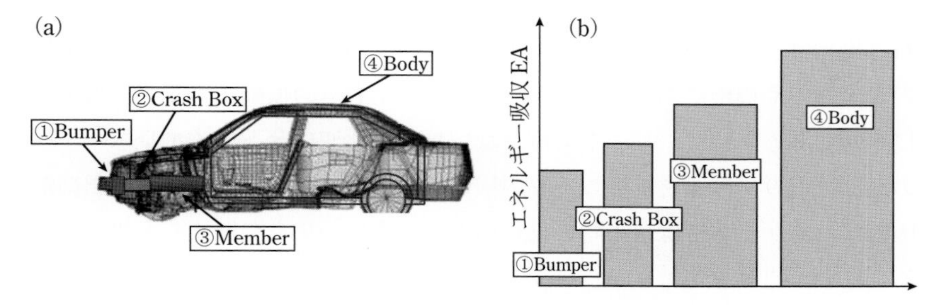

図6.6.16 自動車が前面から衝突した場合の変形と吸収エネルギーのイメージ．

荷重を低く押さえることによって衝撃時の車体全体の安全性に大きく向上する．さらに安定した変形であることから，設計が容易であると同時に部材の組み合わせも容易にでき大きな衝撃荷重を吸収できる．

圧縮−膨張のメカニズムによるエネルギー吸収部材は，ピーク荷重がないことを第一の特長とするが，このようなクラッシュボックスは，現在開発されていないことから，乗員の安全性の観点から言えば，高いインパクトがある．また，製造物責任法(PL法)からいえば，安全性の高いクラッシュボックスを採用している自動車に対し，安全性に課題があるクラッシュボックスを取り付けていれば，国際競争力を弱めて，市場から淘汰される可能性がある．特に，安全性の国際規格が厳しくなることを考慮すれば，ピーク荷重がない吸収部材の使用が有利である．

また，第二の特長は，クラッシュボックスの軽量化および車全体の軽量化に寄与することができることである．クラッシュボックスは，ピーク荷重があるために軽量化が困難であることや，ピーク荷重に耐え得るように自動車全体は剛体設計されていることから，ピーク荷重をなくすことができれば全体の軽量化が進むことになる．このため衝撃吸収部材のみに焦点を当てれば，小さい部品ではあるが，自動車全体の軽量化に果たす役割は大きく極めて重要な部品であり，安全性と合わせてインパクトのある部品である．

6.6.7　想定する用途，他の利用分野

圧縮−膨張のメカニズムによるエネルギー吸収部材は，エネルギー効率が良い．形状がシンプルで小型化から大型化まで容易に製作できるので想定される用途は，自動車のクッラシュボックスのほかに，エレベーターの落下時の安全対策や橋梁における地震発生時の上下左右への振動エネルギーの吸収に有効である．特に，ピーク荷重がないため，急速に落下するエレベーターの底部に取り付けることでロープの損傷や破損，エレベーターの速度制御が困難であるケースでは落下時の乗員の安全対策に効果を発揮すると想定される．なお，自動車では，クラッシュボックスに取り付けることを目標としているが，ドアの左右方向にも取り付けが可能であり，より安全性を高めるこ

とも可能である．さらに，プラグインハイブリッドや電気自動車への転換が進むことを考慮すれば，乗員とともにバッテリーの安全性を高めるという新規な課題が生じてくる．これらの車では，衝突事故によるバッテリー漏電を防ぐことや，事故時の安全な場所への避難が求められることから，衝突事故にもかかわらずバッテリーが機能することが必要であり，バッテリーの安全性の確保は，乗員の安全性について重要課題である．このため開発する新規の小型高性能のクラッシュボックスは高いニーズがある．

圧縮−膨張のメカニズムによるエネルギー吸収部材の特許は，日米両国で取得している．自動車の生産台数は，日本では600万台，米国で1,200万台であることを考慮すれば，特許の価値，は十分あると言える．

6.6.8 事業化への提案

現在のクラッシュボックスは，長い車開発の歴史のなかでスペースの制約をうけながら開発されてきて，それなりに成熟した技術であるが，提示したようにピーク荷重や荷重振幅の存在をはじめいくつかの課題を抱えており，新しい発想に基づくクラッシュボックスの開発は必要である．

提案しているクラッシュボックスは，ピーク荷重や荷重振幅がないうえに，小型化できることや燃費向上のための軽量化ができること等が魅力的である．

圧縮−膨張のメカニズムによるエネルギ吸収部材（クラッシュボックス）は，単位体積あたりのエネルギー吸収効果が高いにもかかわらず，これまで自動車産業や機械工学の関係者が見落としてきた知見（既存の吸収部材のメカニズムと異なる）である．したがって，世界の自動車業界で全く採用されていない．さらにこの部材は，形状がシンプルであり，製造コストも既存のものより安くできる可能性があることや，小型から大型車まで対応できること等から，軽量化による燃費の向上と，より安全な車の開発を必要とする自動車業界にとって大きなメリットがある．特に，最近は温暖化対策等の環境重視からCO_2削減が世界で史上最高の命題となってきており，車作りの発想が急速に変化してき，これまでと全く異なる車の開発が求められてきており，これに寄与できるのではないかと想定している．

上述した研究実績を基に，新しい衝撃吸収部材を開発，実用化するため以下のような課題を解決する必要がある．

①提案した衝撃吸収部材について小型車～大型車について，それぞれに対応した最適化形状の設計．

②実車への取り付けを考慮した実用化形状の検討および実体評価試験．

③吸収部材の高効率な製造方法に関してさらなる研究が必要．

❶科学技術振興機構（JST）へ幻の申請書

この事例は，東京理科大学機械工学科陳 玳珩教授（現 名誉教授）と陳教授指導下で大学院博士課程の福岡県工業技術センター春山繁之研究員（現 山口大学教授）らの研究がベースであるが，一部同大学博士課程の牛島邦晴氏（現 東京理科大学教授）と九州大学名誉教授西谷弘信先生らが支援している．

日立金属㈱（現 ㈱プロテリアル）真岡研究所にお願いし平成 16 年度経済産業省の地域新生コンソーシアム研究開発に「軽量化と安全性を考慮したアルミ合金製自動車用衝撃吸収部材の開発（1.5 億円/2 年）に応募し採択され，軽量で衝突時のピーク荷重が発生しない優れたエネルギー吸収部材を開発した．が，自動車業界は革新的エネルギー吸収部材でもコストアップするならば採用できないと研究内容は評価してもらったが採用に至らなかった．

この反省を踏まえて，ここに記した軽量化と安全性を高めた上にコストも革新的自動車用衝撃吸収部材の開発を模索し，日米の特許を取得した．これに関する特許権者は陳，春山，西谷および筆者（田中）の 4 名である．

大学シーズの事業化を自動車業界の世界的企業にもちかけた．企業は我々の説明を受けて開発には極めて前向きであった．が，その後，この優秀企業は珍しく赤字を計上し新規事業は中止となり，共同研究も終わりかけた．こちらもやるなら天下の企業とやりたい希望があり，あきらめずに筆者（田中）から，科学技術振興機構（JST）の研究成果最適展開支援事業 A-STEP に提案することを打診した．その結果，企業も了解した．さらに JST からの開発資金については弊社は不要，必要な資金は自社で負担する．採択されれば大学で全額使ってよいとの回答がきた．これで，共同研究は前進するはずであった．

お互いに了解した申請書を書き上げ，責任者の印鑑署名をもらう段になって深刻な問題が発生した．JST の規則によれば，この事業の責任者はプロジェクトリーダー（PL）ではなく企業が負うことになっている．問題が発生すれば企業の責任で解決しなければならない．これに企業が不快感を示し，責任がとれない大学の領域まで責任を負わされるのは不当である．これでは共同研究はできない中止としたい．と企業から連絡がきた．

直ちにこのことを JST に連絡し，善処してほしい旨のことを伝えた．JST の担当者は，世界的自動車会社との研究であり，採択された場合は考慮しましょうとこれも前向きにいってくれた．しかし，企業側が採択されれば押し切られる可能性がある，やっぱり提出前に決めてほしいと譲らなかった．JST はまだ申請（提出）もしてないのにと，だんだん雲いきが怪しくなり結局破談になった．その後，車の Crash box の開発はほとんど進展していない．

このような状況の中，日本経済新聞の 2022 年 6 月 29 日付けで日本が開発したスーパーコンピューター「富岳（フガク）」が世界のスパコンの能力ランキングで首位を 3 期連続維持した．日本自動車工業会は富岳で車の構造と衝突のダメージの関係を分析し，衝突に強い車の構造を見つける．自動車各社は分析結果を実際の車づくりに応用するとの記事が書かれていた．

富岳がどのような成果をだすのか，陳先生の研究成果を超える新しい知見を期待しながら興味をもって見守っている．

❷東京理科大学名誉教授「陳 玳珩」先生とはどんな先生

陳先生は中国の国費留学生第 1 号生として昭和 56 年九州大学大学院博士課程に派遣された研究者である．彼の優秀性を少し述べたい．

その I 2004 年，陳先生の日本での恩師である西谷先生（現 九州大学名誉教授）の九州産業大学での定年退職が近づいてきたことと，これまでの先生の顕著な研究業績を記念して中国杭州において，International Conference on Fracture and Damage of Advanced Materials (FDAM2004) が陳先生の尽力で盛大に開催された．

その時のレセプションで清華大学での恩師の先生が陳先生はこういう学生だと紹介された．

中国は文化大革命の影響で 10 年間大学入試がなかった．10 年後やっと入試が実施され，全国の秀才が清華大学を目指して集まった．このとき陳先生は並みいる秀才を押しのけて 1 番で入学された．それも 2 番に平均点で 10 点以上の大差をつけた圧倒的 1 番であった．このような秀才は，清華大学においても 10 年間で 1 人でるかどうかの逸材であると紹介された．

その II 九州大学博士課程の試験はかなり難しいようであり，合格者の多くは 60 点台と聞いている．このような中で，陳先生は平均 96 点と圧倒的成績であった．さらに試験問題のミスまで指摘し，試験問題の内容から推定すれば，これには 2 つの解があり，模範解答を提出したといわれている．後年，陳先生にこのことを尋ねた折，これにはまだ先があると笑ってそれを説明してくれた．

面接では，試験問題がやさしすぎたと絶対にいってくれるな，いえば問題を出した先生の顔をつぶすことになり，入学が取り消される恐れがあると西谷先生から指導をうけたので，面接では，たまたま僕の得意な領域だったので解答できたが，なかなか良い問題だったと述べたということであった．この話は長く九大の材料強度学関係者の伝説になっている．

その III 陳先生は，これまでに三度学会論文賞を受賞している．彼の論文を読むと質の高さが理解できるはずだ．

今回の実験でもわかるように，彼の優秀性は，有限要素法による解析結果と実験による結果は変形過程を含めて5%の誤差内で相似であり，圧倒的に他の大学や大手企業の研究者が達成できないレベルであると言われている．今回示した，隔壁付正六角柱衝撃吸収部材の荷重-ひずみ線図はFEM解析結果のみである．これで，ピーク荷重は企業が示すよりも高いこと，何度もピーク荷重が発生していることや隔壁をつけてある程度座屈変形を防いでいるが，部分的に座屈変形が起こりエネルギー効率を悪くしていること等，公表とは少し異なることを明らかにしている．

ある自動車大手は陳先生に共同研究を持ちかけた．金額は5,000万円，ただし成果はすべて企業に属するとの説明であった．陳先生が拒否したことから，企業は研究金額が少ないと錯覚し金額をだんだんあげていったそうである．陳先生は億になっても拒否されたので，企業も諦めたと聞いている．もし，企業が成果を共有してくれれば，1,000万円でもOKしたと，後にわれわれには語っている．

ものづくりの研究開発では，FEM解析と実験の繰り返しで研究が進められていることを考えれば，高度な研究になればなるほどFEMのみで研究を進め，実験は最終確認のみで済むことであれば，圧倒的なコスト安と期間の短縮が可能である．

参考文献（本節は文中に文献番号を入れず，まとめて記載する）

1）Chen Dai-Heng，藤田昂史，牛島邦晴：ひずみ速度依存性を考慮した薄肉円筒の軸方向衝突における第一ピーク荷重，日本機械学会論文集A編，**75**(759)，(2009)，1476-1483.
2）牛島邦晴，Chen Dai-Heng，増田健一，春山繁之：加工硬化を考慮した円筒の軸圧潰における平均荷重の評価，日本機械学会論文集A編，**72**(718)，(2006)，864-871.
3）牛島邦晴，春山繁之，藤田耕介，Chen Dai-Heng：周期的溝を有する円筒の軸圧潰に関する数値解析的研究，日本機械学会論文集A編，**71**(707)，(2005)，1015-1022.
4）Chen Dai-Heng，平塚　壮：周期的波を有する円筒の軸圧潰に関する数値解析的研究，

日本機械学会論文集 A 編，**72** (722)，(2006)，1464-1471.

5) Chen Dai-Heng，清水祐輝：周期的な波を有する円筒と角筒の軸圧潰における周方向のひずみ集中，日本機械学会論文集 A 編，**73** (727)，(2007)，323-330.

6) Chen Dai-Heng，平塚　壮：波つき円筒の軸圧潰に関する理論的考察，日本機械学会論文集 A 編，**73** (729)，(2007)，603-610.

7) 森田茂隆，春山繁之，Chen Dai-Heng：周期的な波加工を施した実円筒部材の実験及び解析的検討，日本機械学会論文集 A 編，**76** (762)，(2010)，215-222.

6.7 焼嵌め接合で構成されためっき鋼板用セラミックロールの開発

6.7.1 研究背景

めっき鋼板は，防錆を目的として鋼板にめっきを施したものであり，自動車用や建築用の用途に幅広く使用されている．近年，自動車向けを中心とするめっき鋼板市場は，新興国での飛躍的な鋼板需要の増加に伴い，ますます拡大する傾向にある．こうした中，多くの鉄鋼メーカーでは，国際的な競争激化に対応すべく，生産性向上に対するニーズが高くなっている．とりわけ高級めっき鋼板の生産性向上や，地球温暖化対策として省エネ，省資源化志向が強まっている．

連続溶融めっき鋼板製造ラインの生産性向上策として，具体的には，連続操業日数延長，ラインスピード向上，品質安定化等が挙げられる．しかし，大きな阻害要因となっているのが浴中ロール（サポートロール，シンクロール）である．図 6.7.1 (a)，(b) に連続溶融めっき鋼板製造ラインおよびめっき浴中のレイアウトを示す．このような連続溶融めっき鋼板製造ラインは，世界全体で約 550 ライン（国内約 55 ライン）があり，新興国を中心にさらに増加傾向である[1)]．

この研究は，経済産業省平成 20 年度地域イノベーション創出研究開発事業「高品質自動車めっき鋼板用，世界初大型セラミックスロールの開発」の援助を得て行った．このように，本件はイノベーションを起こす開発事業であるが，助成金を得て，開発を進め完成させるまでの道のりは決して平坦ではなかった．例えば，最初の予算申請のヒアリングでは，セラミックスの専門家である審査委員は，「そのような製品開発は不可能」とまで言った．

このような開発開始から 14 年間の失敗と成功の経験を繰り返し，少しずつ技術と知見が蓄積された．その結果，まず不採択となった小型のサポートロールの開発に成功した．この結果をベースに，さらに技術の蓄積を図り，より困難を伴う大型のシンクロールの開発に挑戦するため，18 年度の（財）九州産業技術センターの補助事業に申請した．公認会計士でもある審査委員長から，「夢がある，イノベーションを起こす事業だ」との一声があり，その結果，セラミックスの専門家の賛成も得られた．そし

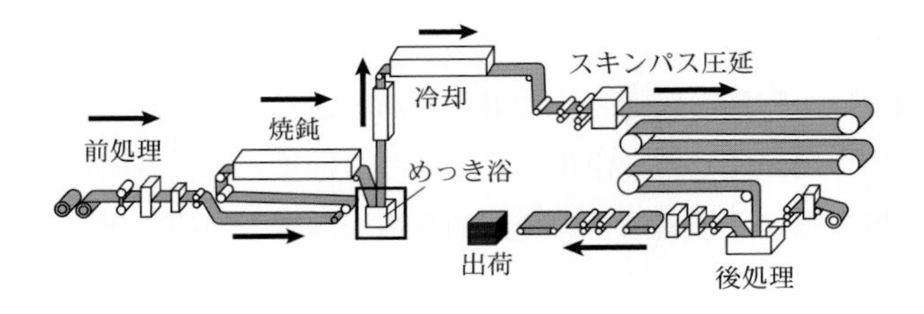

(a) めっき鋼板製造ライン

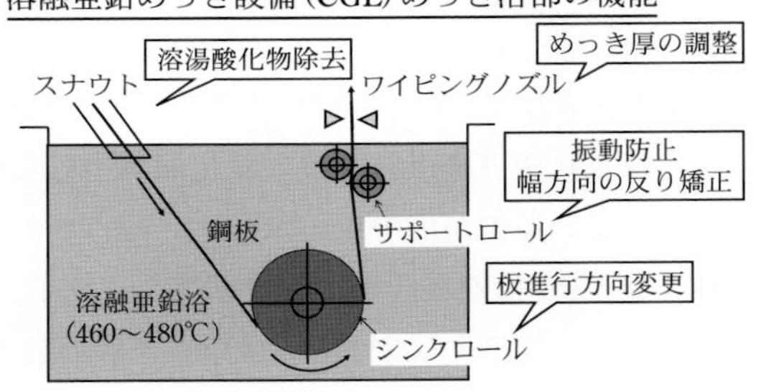

(b) 溶融亜鉛めっき浴

図 6.7.1 連続溶融めっき鋼板製造ラインとめっき用オールセラミックロール（サポートロールとシンクロール）.

表 6.7.1 技術開発のためのプロジェクトチームと役割分担.

技術課題	項　目	対応策	分　担
強度，設計	材料，構造	疲労強度， 構造検討，FEM	九州工業大学　高瀬 康氏ら 日立金属㈱† 小川衛介氏ら
製造	構造	製造技術，構造検討	日立金属㈱† 小川衛介氏ら
耐食性	材料	サポートロールで検証中 長期評価要	産業技術総合研究所 岸 和司氏ら
耐衝撃性	材料，構造	サポートロールで検証中 構造検討，熱解析	九州工業大学　高瀬 康氏ら 日立金属㈱† 小川衛介氏ら
実機評価	材料，構造	腐食環境，構造検討	日新製鋼㈱‡ 古賀慎一氏ら

†現 ㈱プロテリアル，‡現 日本製鉄㈱

表 6.7.2　外部資金採択状況.

	外部資金
平成 14 年度	経済産業省地域新生コンソーシアム【不採択】
平成 18 年度	(財) 九州産業技術センター補助事業に採択 (200 万円 / 年)
平成 19 年度	経済産業省地域新生コンソーシアム採択 (1 億円 / 2 年)

て，翌年経済産業省の地域新生コンソーシアムにも採択され，「夢のロール」が開発される契機となった.

表 6.7.1 に，技術開発のためのプロジェクトチームと役割分担を示す．また，表 6.7.2 に外部資金の採択状況を示す.

6.7.2　従来の浴中ロールの問題点

平成 14 年の予算申請の不採択の際にも，プロジェクト中心メンバーは，「日本の産学連携技術は専門家の智識の限界をこえて可能である」ことを確信していた．さかのぼること 10 年，圧延ロールのすべてを知りつくし「ロールの鉄人」と呼ばれている日立金属㈱（現 ㈱プロテリアル）の佐野義一博士から，セラミックロールの開発の提案と産学連携の相談を受けた．この相談が「夢のロール」開発のスタートとなった．表 6.7.3 にその相談時の要点をまとめて示す.

図 6.7.2 にステンレス製の浴中ロールを示す．その表面には，WC・Co 系材料を溶射したものが主に使用されている．このような従来製品には，以下の問題がある.

表 6.7.3　日立金属㈱佐野義一博士から受けた産学連携の相談.

	相談内容
①	既存のステンレスロールでは，めっき鋼板の品質が安定しないし，ロスも多い.
②	次世代ロールであるセラミックロールを開発したい．日本の圧延ロールのトップメーカーである日立金属が開発しないとどこもできない.
③	社内で合意を得ていないので，外部資金を取ってやりたい.

①めっき浴との反応により，ロール表面に溶損や合金化が発生する．その結果，浴中ロールの連続使用期間が長くなるにつれ，鋼板のキズ，振動模様，めっき厚みむら等の品質的問題が顕著になる．

②上記の理由で，通常 2 週間に 1 回程度でのロール交換や改削・再溶射を余儀なくされており，その都度ラインを長時間停止する必要がある．停止前後にダミー鋼板（スクラップにする鋼板）を通す必要があること等，むだが発生しており，コスト増加や生産性阻害の要因となっている．

③例えば胴部をセラミックス，軸に耐熱鋼を用いたロール（図 6.7.3 参照）も提案されているが，耐熱鋼の膨張によって張り割れのリスクが高い．ロール全体をオールセラミックス化することが望ましいことが，これまでの経験から知られるようになった．

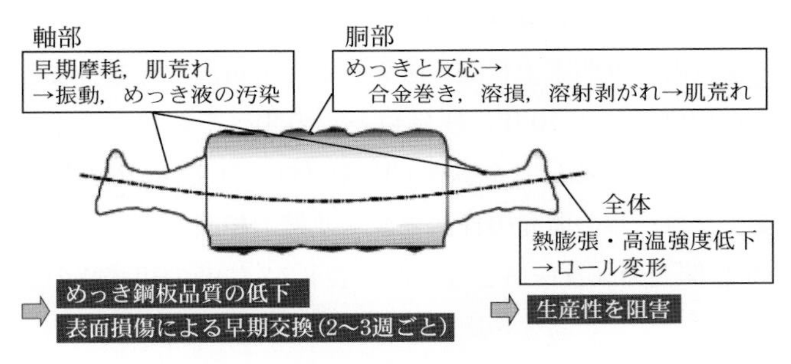

図 6.7.2　従来の浴中ロールの問題点．

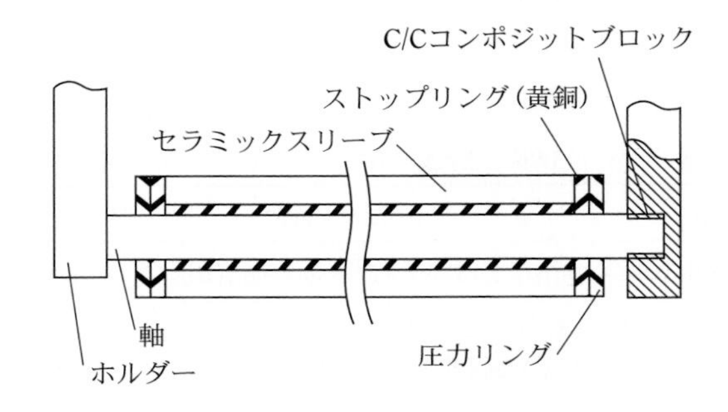

図 6.7.3　軸に耐熱鋼（SUH309）を用いたセラミックスリーブ．

6.7.3　課題解決

過去 14 年の開発経験に基づき高度な課題に挑戦したスーパーセラミックロールの開発のポイントは，以下の通りである.

(1) 日立金属で開発され，特許を有する高靭性・高熱伝導窒化ケイ素を使用すること. 従来品の 2 倍以上の熱伝導性を有するセラミックスの使用により，ロールを溶融金属中に浸漬する際の熱応力を半分以下にできる.

(2) 正確な熱応力・接合部応力解析を行うこと. 上記 (1) の熱応力解析や，接合部応力解析を大学が担当し，研究を行うことで，高温のめっき浴中で熱応力が最小になるロールの浸漬方法を明らかにした.

(3) 構造解析に基づくセラミックス接合技術に関して，14 年の研究実績をベースに高度な接合技術を開発し，焼嵌め接合法に関する特許を取得した.

(4) 大型セラミックスの超精密加工技術を習得した. 接合技術が成功したのは，直径 1 m のシンクロールの加工精度において，真円度をプラス 5 μm 以内におさえたことにある.

図 6.7.4 のスケッチは，試作したサポートロールの破損状態を示している. これらの破損の原因を解析することで対策を立て成功に導いた.

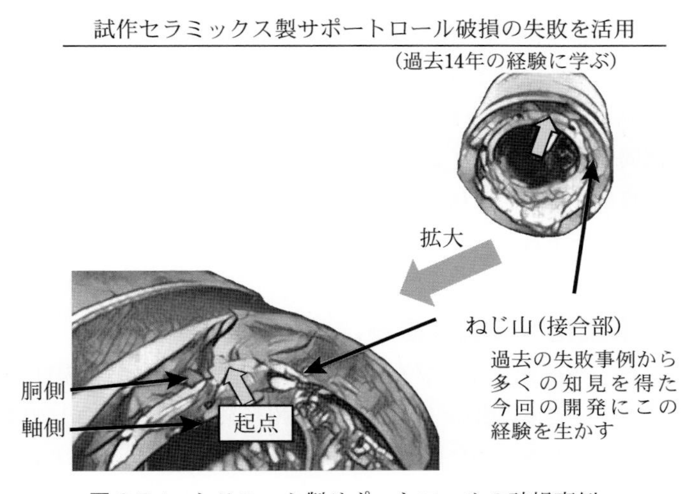

図 6.7.4　セラミック製サポートロールの破損事例.

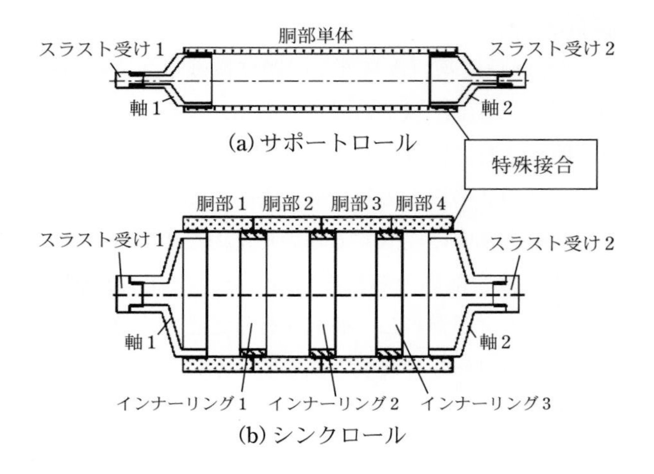

図 6.7.5 めっき溶用オールセラミックロール構造の概略図.

上記①，②の対策として，ロール全体をセラミックス化した．このようなオールセラミックス化により，必要な耐食性，耐摩耗性が得られ，長寿命化が達成できる．まず，サポートロールに対して図 6.7.5 (a) に示す構造を提案した．サポートロールは，鋼板の表面品質に与える影響が大きいため，胴部には継ぎ目を設けない単体構造とし，胴部と軸部を分割して製造後，胴部の両端に軸とスラスト受けを接合した構造とした．次に，シンクロールに対して図 6.7.5 (b) に示す構造を提案した．シンクロールは，胴部を分割し，分割した胴部同士を製作後，インナーリングで焼嵌め接合し，さらに両端に軸とスラスト受けを接合した構造とした．したがって，前記のように各パーツに分割することにより，パーツごとの取り替えを可能とした．

6.7.4 事業化への取り組み

このように，当研究グループ(日立金属)，九州工業大学，㈱日立金属若松 (現㈱プロテリアル若松)，佐賀大学，九州産業技術センター) では，各方面からの研究開発を系統的に進め, 世界に先駆けてサポートロールに次いで, シンクロールのオールセラミックス化を実現した．特に，オールセラミックスロールの利用範囲を拡大するため，上記の浴中ロールの溶融金属への浸漬時の熱応力[3~5]や機械的応力[6,7]，強度設計と解体[8]，低焼嵌め率による軸抜け出し現象[9,10]を博士論文としてまとめた．表 6.7.4 に本研究に関連する

表 6.7.4 セラミックロール開発に関連して行った博士論文の題目と具体的研究内容の例.

博士課程学生	年	博士論文の題目	具体的研究内容の例
Hendra	2010	大型円筒セラミック構造物における熱応力や機械的な応力の低減に関する研究	①中空円筒の溶融金属浸漬時の熱伝達係数と熱応力解析 ②低圧鋳造機におけるセラミック中空円筒浸漬時の熱応力 ③搬送用ロールに生じる最大応力と焼嵌め率の関係
栗　文彬	2012	焼嵌め接合からなる大型円筒セラミックス構造物の高度設計及び解体に関する研究	①搬送用ロールの軸交換のための解体方法の検討 ②搬送用ロールの軸交換のための焼き外しによる熱応力 ③連続酸洗設備用ロールの静的強度と疲労強度
デディ スルヤディ	2015	鋼製軸と焼嵌め接合された加熱炉用セラミックローラーにおける接合部の強度と軸の抜け外れに関する研究	①室温および高温でのセラミックスと鋼の接合法の検討 ②加熱炉用焼嵌め式ハースロールの熱応力 ③焼嵌め式セラミックロールの軸抜け出し現象
酒井悠正	2019	焼嵌め接合で構成されたスリーブ組立式ロールにおける技術課題の解明に関する研究	①スリーブ組立式圧延ロールの円周方向すべりのメカニズム ②スリーブ組立式搬送ロールの静的および疲労強度 ③スリーブ組立式シンクロールの溶融金属浸漬時の熱応力
張　国偉	2019	抜け出し駆動力に注目した曲げ荷重を受けるセラミックスリーブ式焼嵌めローラーの軸抜け出しメカニズムの解明	① 2 次元モデルによる軸抜け出し現象の解明 ②軸抜け出し現象に及ぼす設計因子の影響 ③ 3 次元モデルによる軸抜け出し駆動力の固定

博士論文の題目と具体的内容をまとめて示す．これらの博士論文は「学生と留学生の混成チームによる産学連携研究とグローバル教育の実践」による主要な成果として日本塑性加工学会教育賞を受賞した[2)]．

6.7.5 まとめ

(1) 以下のような企業側の要望から，産学連携事業が始まった．「既存のステンレスロールでは，めっき鋼板の品質が安定しないし，ロスも多いので，次世代ロールであるセラミックロール開発したい．社内で合意を得ていないので，外部資金を取ってやりたい.」

(2) 従来のステンレス製浴中ロールは，通常2週間に1回程度でのロール交換や改削・再溶射を余儀なくされており，その都度ラインを長時間停止する必要がある．そのため，コスト増加や生産性阻害の要因となっている．

(3) ロール全体をセラミックス化した．このようなオールセラミックス化により，必要な耐食性，耐摩耗性が得られ，長寿命化が達成できた．例えば胴部をセラミックス，軸に耐熱鋼を用いたロールも提案されているが，耐熱鋼の膨張によって張り割れのリスクが高い．

(4) サポートロールは，鋼板の表面品質に与える影響が大きいため，胴部には継ぎ目を設けない単体構造とし，シンクロールは，各パーツに分割することにより，パーツごとの取り替えを可能とした．

図6.7.6の写真は左より，開発の先駆者で開発のリーダーである，日立金属元技師長の佐野博士，筆者（野田），日立金属の小川衛介氏，共著者の一人であるコーディネーター客員教授の田中洋征博士である．このオールセラミックロールの開発は，ロール業界から注目を集めるとともに，学会からも高い評価を得て，財団法人素形材センターと，公益社団法人日本設計工学会から，以下の賞を授与された．

2010年　素形材産業技術賞素形材センター会長賞

2020年　日本設計工学会論文賞

以上，これまでに，めっき浴用オールセラミックロールの産学連携による開発を紹介した．以下の補足資料1～補足資料4では，産学連携によって

図 6.7.6 スーパーセラミックロールの完成品（上の写真は左より，開発の先駆者で開発のリーダーである日立金属㈱元技師長の佐野義一博士，筆者（野田，九州工業大学），日立金属㈱の小川衛介氏，共著者の一人 田中洋征元客員教授）.

得られた，いくつかの研究成果の要点を紹介する．これらに示されるように，セラミックロールは，図 6.7.1 のめっき浴用にとどまらず，酸洗浴用（図 6.7.9），加熱炉用（図 6.7.11），搬送用（図 6.7.13）など，製鉄機械分野の，種々の用途へ応用することが期待されている.

共著者の一人である田中洋征博士（当時 地域共同研究センター）には本製品の重要性を高く評価していただき，外部資金獲得・プロジェクト推進に多大のご助言ご援助を賜った.

補足資料 1：焼嵌め接合で組み立てられたセラミックロールの溶融金属への浸漬について [3〜5]

まずはじめに，6.7.3 節課題解決の項目 (2) で述べたように，図 6.7.1 に示すような溶融亜鉛のめっき浴にシンクロールを浸漬する際の最適な浸漬速度を求めた成果を紹介する [3)]．その熱応力の解析に必要となる熱伝達係数は，ハンドブック等の資料にも十分に示されていないので有限体積法を用いてあらかじめ正確に算出した．図 6.7.7 に熱応力解析モデルの有限要素法モデルの寸法を示す．溶融亜鉛の温度は 480℃，ロールの初期温度は 20℃である．スリーブと軸の接合は焼嵌めであり，その焼嵌め率 $\delta/d = 1.0 \times 10^{-4}$ であ

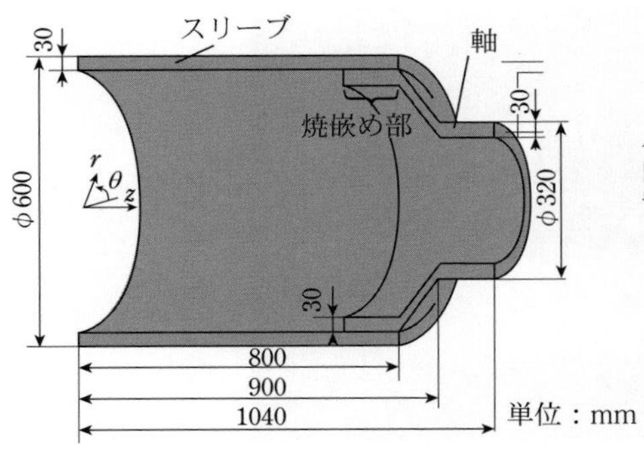

図 6.7.7 浸漬のシミュレーションに用いためっき用オールセラミックシンクロールの形状寸法.

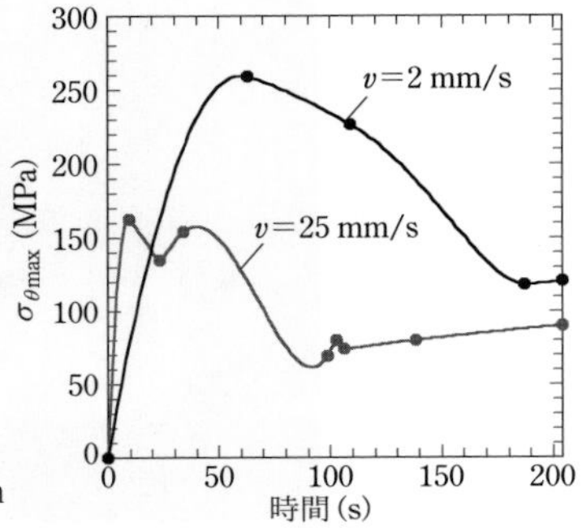

図 6.7.8 シンクロール（図 6.7.6）のめっき浴（図 6.7.1）への浸漬における浸漬速度 v の影響.

る（焼嵌め代 δ, スリーブ嵌め込み部の内径 d）. ロール材料に高熱伝導窒化ケイ素 [11] を使用することで，熱応力を低減できることは，初期のサポートロール開発の共同研究で明らかにされた [12]（6.7.3 節 (1) 参照）.

図 6.7.8 に，シンクロール（図 6.7.7）をめっき浴（図 6.7.1）に浸漬する際のスリーブおよび軸に生じる最大応力 $\sigma_{\theta\mathrm{max}}$ を浸漬速度 $v = 25$ mm/s と $v = 2$ mm/s の場合に示す．ここで $v = 25$ mm/s は，作業上安全に浸漬できる上限値であり，$v = 2$ mm/s は，作業能率良く浸漬できる下限値である．図 6.7.8 より，スリーブでは，浸漬速度が速い $v = 25$ mm/s の場合，$\sigma_{\theta\mathrm{max}}$ の変化は激しいが，その最大値は 160 MPa 程度でありそこまで大きくはない．一方，浸漬速度が遅い $v = 2$ mm/s の場合，$\sigma_{\theta\mathrm{max}}$ の変化は緩やかではあるが，その最大値は浸漬速度が速い場合と比べて 60％も大きくなっている．この理由は，ロールをゆっくり浸漬すると，浸漬部と未浸漬部の温度差が大きくなり，それにより大きな熱応力が生じるためである．このように，大きな温度差を防ぐには，むしろ速やかに浸漬する方が熱応力を低減できることが明らかとなり，現場で用いられるようになった．なお，高熱伝導窒化ケイ素 [11] を使用することで，熱応力を半分程度まで低減できる理由も温度差を防ぐ観点からほぼ同様である．

なお，共同研究の初期 [12] には単純な円筒形状モデルも取り扱われたが，最終的には図 6.7.7 に示すような実物の焼嵌め構造で検討がなされた．そこでは浸漬時に焼嵌め接合部の部分的な分離と再接触が生じることも示された[7]．

補足資料 2：焼嵌め接合で組み立てられたセラミックロールの機械的強度について[6, 7]

図 6.7.9 に酸洗設備用セラミックスリーブ組立ロールの構造と負荷条件を示す．圧延後の熱延鋼コイルには，表面スケールが形成されるが，この除去を目的に塩酸酸洗槽の中で連続的に表面肌を清浄化する連続酸洗設備がある．これらの設備には多数の比較的大きなロールが用いられている．これらのロールには合金鋳鉄，合金鋼およびゴムなどの非鉄材が使用されており，比較的早期にロール表面の摩耗・肌荒れが生じる．ここでは，図 6.7.9 のロールをセラミック化する際の機械的強度に関する考察を紹介する．

図 6.7.9 のロールは，図 6.7.7 などとは異なり，軸とスリーブ以外にスペーサーリングを有することが特徴であり，その内径部と外径部それぞれを，強度上不可欠の焼嵌め法で接合する．ここではスリーブとスペーサーリングの材料をセラミックス，軸部を鋼とする．焼嵌め代 δ をスリーブ嵌め込み部の内径 d またはスペーサーリングの外径で除した値を焼嵌め率 δ/d と定義する．ここでは，スペーサーリング-スリーブ間の $\delta/d = 0.3 \times 10^{-3}$，スリーブ肉厚 $h = 30$ mm の場合を基準モデルとし，接合部の摩擦係数は0.3とする．図 6.7.9 に示すように，焼嵌め後の軸部は単純支持され，胴部スリーブには鋼板に加える張力による分布荷重 (円周方向には集中負荷) が負荷される．

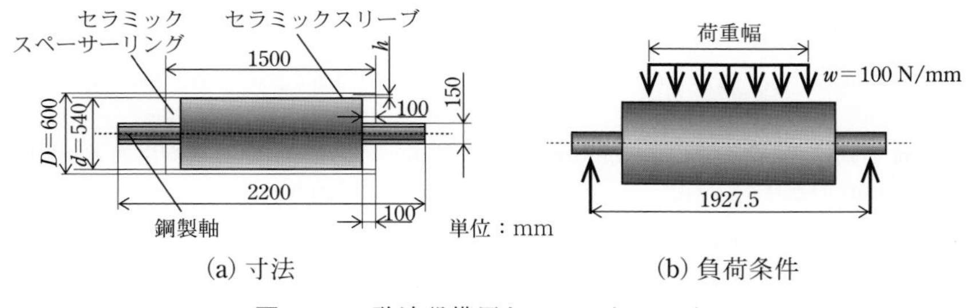

図 6.7.9　酸洗設備用セラミックロール．

図 6.7.10 (a) に，スリーブ肉厚の基準値 $h = 30$ mm のときの，スリーブに生じる最大応力 $\sigma_{\theta\mathrm{max}}$ と焼嵌め率 δ/d の関係を示す．この最大応力は，$\sigma_{\theta\mathrm{max}} = \sigma_{\theta\mathrm{s}} + \sigma_{\theta\mathrm{b}}$ すなわち焼嵌め応力と曲げによる効果の和として表される．焼嵌め率 δ/d がある程度大きければ，最大応力 $\sigma_{\theta\mathrm{max}}$ は焼嵌めのみの焼嵌め応力 $\sigma_{\theta\mathrm{s}}$ にほぼ等しく，曲げによる影響は小さく，$\sigma_{\theta\mathrm{max}} = \sigma_{\theta\mathrm{s}} + \sigma_{\theta\mathrm{b}} \cong \sigma_{\theta\mathrm{s}}$ なる．一方，δ/d が小さい場合は，接触端部での応力集中の影響で $\sigma_{\theta\mathrm{max}}$ はむしろ大きくなる．しかし，焼嵌め率を大きくしていくと減少し，$\delta/d = 0.11 \times 10^{-3}$ 付近で極小値を示す．この限界焼嵌め率を越えると $\sigma_{\theta\mathrm{max}}$ は，増加に転じ，δ/d が 0.15×10^{-3} を超えると $\sigma_{\theta\mathrm{max}}$ は，$\sigma_{\theta\mathrm{s}}$ に接近してほぼ平行に線形的に増加する．

見方をかえて，曲げ負荷による応力増加量 $\sigma_{\theta\mathrm{b}} = \sigma_{\theta\mathrm{max}} - \sigma_{\theta\mathrm{s}}$ に注目すると（図 6.7.10 (a) 参照），$\sigma_{\theta\mathrm{b}}$ は焼嵌め率の増加とともに減少し，0.11×10^{-3} 付近で一定となって，これ以降は δ/d が増加しても変わらない．すなわち，焼嵌め率をある値（限界焼嵌め率）より大きくすると，スリーブとスペーサーリングがしっかりと固着した状態になり，焼嵌め部の部分的接触による応力

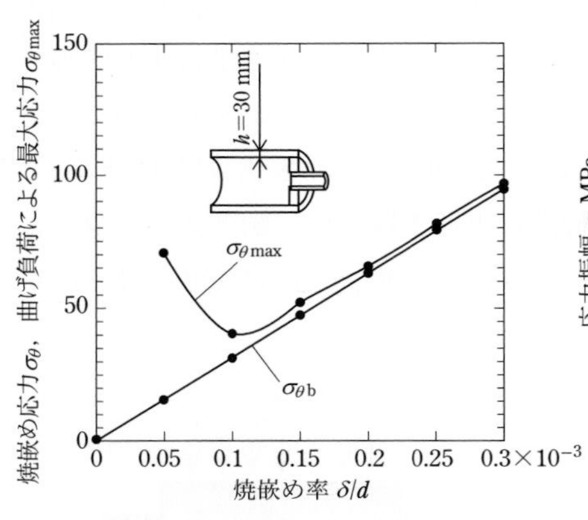

(a) σ_θ と δ/d の関係（$\sigma_{\theta\mathrm{max}}=\sigma_{\theta\mathrm{s}}+\sigma_{\theta\mathrm{b}}$，$h = 30$ mm のとき）

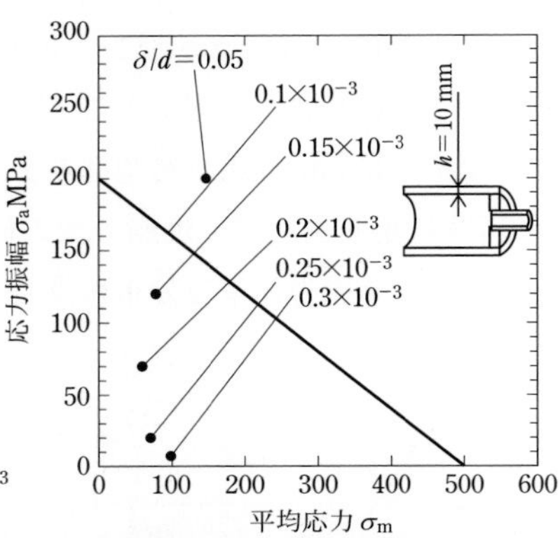

(b) 応力振幅 σ_a と平均応力 σ_m 関係（$h = 10$ mm）

図 6.7.10 酸洗設備用セラミックスリーブ組立ロール（図 6.7.9）の焼嵌め率 δ/d を変化させたときの応力．(a) 焼嵌め応力 $\sigma_{\theta\mathrm{s}}$ と最大応力 $\sigma_{\theta\mathrm{max}}$，(b) 応力振幅 σ_a と平均応力 σ_m.

集中が生じない．

図 6.7.10 (b) に回転するロールの胴部に曲げ荷重が負荷される場合，ロール回転によりスリーブ内面端部に生じる応力振幅の最大値 σ_a に注目し，この部分の平均応力 σ_m の関係を示している．スリーブが十分厚い $h = 30$ mm の場合は，すべての焼嵌め率で疲労による破壊に対して高い安全性を有するが，スリーブが薄い $h = 10$ mm では，特に焼嵌め率が小さい $\delta/d \leq 0.1 \times 10^{-3}$ の場合に，疲労破壊に対するリスクが大きくなる．特に，スリーブが薄い場合では，むしろ焼嵌め率を大きくして接合構造全体を一体化することで疲労に対して安全側となる．

補足資料 3：焼嵌め接合で組み立てられたセラミックスリーブの張り割れの防止について [7)]

自動車用鋼板をはじめとする高級鋼材を生産するための加熱炉 (図 6.7.11 (a)) では，ステンレス耐熱鋼にセラミックス溶射した胴部と，軸部を溶接や焼嵌め等で接合し，中空部を水冷する構造のハースロールと呼ばれるロールが主として用いられている．このロールは，1,000℃以上の炉内で使用されるため，耐熱鋼とセラミックスコーティングの線膨張係数の違い等に起因して，ロール表面にき裂や剥離や摩耗等が発生し，その寿命を短くしている．

図 6.7.11 (b) ~ (e) に，提案する加熱炉中セラミックロールの寸法や温度・荷重の境界条件を示す．胴部をセラミックスにすることで，その寿命の飛躍的な延長が可能となる．また，鋼製軸を焼嵌め接合することで，ロールの交換やメンテナンスに要する時間を短縮できる．内部水冷がないのでスリーブからの熱放出が小さく，熱エネルギーの減少と搬送鋼材の加熱温度を均一にできる．一方で，鋼製軸の線膨張係数がセラミックスに比べ約 4 倍大きいため，焼嵌め接合部において加熱による膨張差がもたらす胴部セラミックスリーブの張り割れが問題となる．

図 6.7.12 は通常のモデル 1 に対して，張り割れを防ぐために考案したモデル 2，モデル 3 を炉内雰囲気温度 1,200℃で比較検討した．すなわちモデル 1 は円筒状軸の肉厚 20 mm の場合であり，モデル 2 はシャフト形状をテーパ

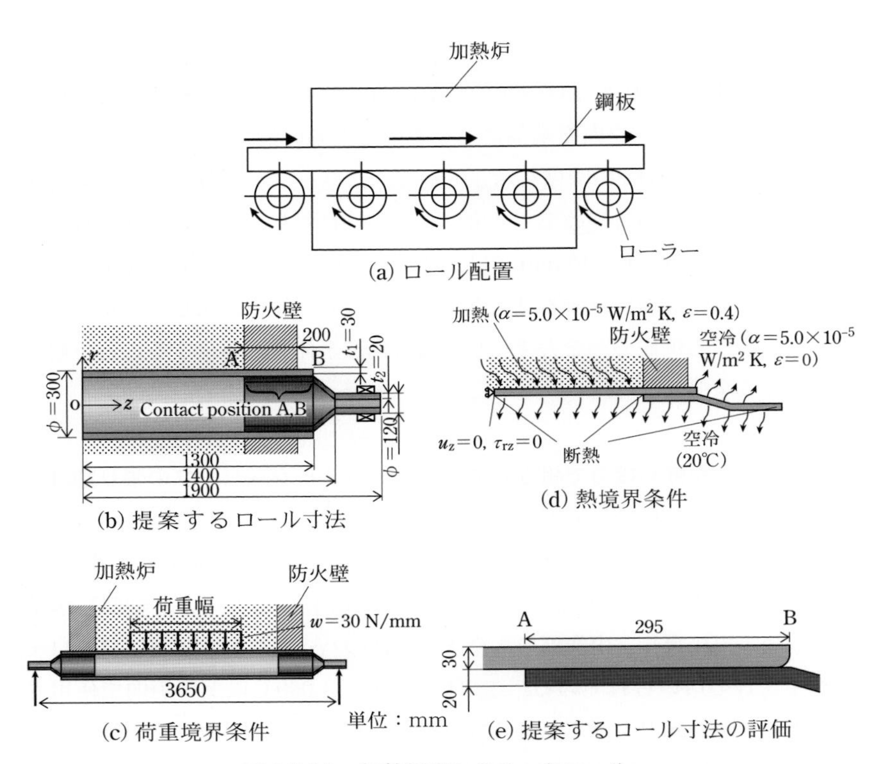

図 6.7.11 加熱炉用セラミックロール.

状にした場合，モデル 3 はシャフト接合部の長さを 120 mm 短くした場合である.

図 6.7.12 (a) の左側に示すように，モデル 1 のセラミックスリーブに生じる最大引張応力$\sigma_{\theta\max}^{\text{sleeve}}=416$ MPa ($z=90$ mm) は，許容応力$\sigma_{\text{al}}^{\text{sleeve}}=333$ MPa を上回るため，スリーブに張り割れのリスクがある．また，図 6.7.12 (a) の右側に示された，モデル 1 の軸の最大応力分布$\sigma_{\theta\max}^{\text{shaft}}(z)$ と軸材料 SCM415 の 0.2%耐力$\sigma_{0.2}^{\text{shaft}}$を比較より，軸端部$z=0\sim90$ mm (図 6.7.12 の黒色の範囲) では$\left|\sigma_{\theta}^{\text{shaft}}\right|>\left|\sigma_{0.2}^{\text{shaft}}\right|$であり，鋼製軸の塑性変形が進行する危険領域となることがわかる.

図 6.7.12 (b) に，スリーブの最大引張応力相当位置の肉厚を小さくしたモ

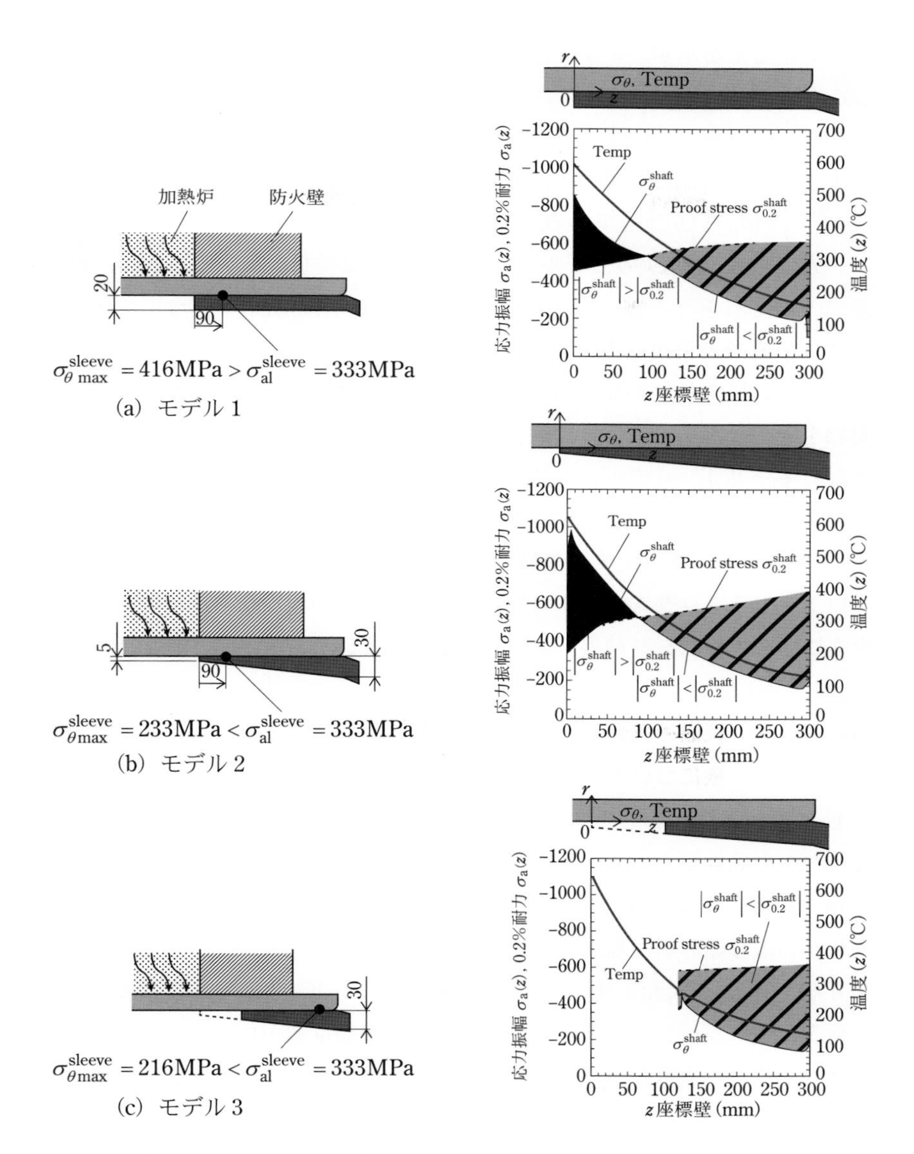

図 6.7.12 加熱炉用ロールのセラミックスリーブに生じる最大応力 $\sigma_{\theta max}^{sleeve}$ と許容応力 σ_{al}^{sleeve} の比較，ならびに鋼製軸に生じる応力 $\sigma_\theta^{shaft}(z)$ と 0.2 耐力 $\sigma_{0.2}^{shaft}$（軸温度 Temp に依存）との比較.

デル2の結果を示す．まず，図6.7.12 (b) 左図に示すように，軸をテーパとしたことによりスリーブの最大応力は$\sigma_{\theta\max}^{\mathrm{shaft}} = 263\ \mathrm{MPa} < \sigma_{\mathrm{al}}^{\mathrm{sleeve}} = 333\ \mathrm{MPa}$となり，張り割れを回避する効果が見られる．しかし，図6.7.12 (b) 右図に示すように，依然として，軸端部$z = 0 \sim 90\ \mathrm{mm}$にかけて塑性変形進行領域$\left|\sigma_{\theta}^{\mathrm{shaft}}\right| > \left|\sigma_{0.2}^{\mathrm{shaft}}\right|$が生じている．

一方，図6.7.12 (c) のモデル3では，軸の接触長を短くすることで，高温部での軸使用を避けている．まず，図6.7.12 (c) 左側に示すように，スリーブに生じる最大引張応力$\sigma_{\theta\max}^{\mathrm{sleeve}} = 216\ \mathrm{MPa} < \sigma_{\mathrm{al}}^{\mathrm{sleeve}} = 333\ \mathrm{MPa}$となり，モデル2以上の低減効果が見られる．また，図6.7.12 (c) 右側に示すように，鋼製軸を短くしたことにより，鋼製軸温度は最も高いところで$Temp = 250$℃となりモデル1，モデル2の最高値600℃より350℃も低い．そのため，鋼製軸の最大圧縮応力$\sigma_{\theta\max}^{\mathrm{sleeve}} = 500\ \mathrm{MPa}$と小さくなり接合部全範囲で$\left|\sigma_{\theta}^{\mathrm{shaft}}\right| < \left|\sigma_{0.2}^{\mathrm{shaft}}\right|$となり，すべて安全領域となる．

以上，セラミックスリーブの張り割れと鋼製軸の塑性変形進行に対する安全性について検討した結果，モデル3が適していることが示された．

補足資料4：焼嵌め接合で組み立てられたスリーブロールの軸の抜け出し現象について[9, 10)]

セラミック製スリーブロールでは，焼嵌め接合が不可欠であるが，セラミックスの脆性から，焼嵌め率を大きくとれないため，稼働中にスリーブから軸が抜け出す場合がある．これまで研究のない新しい損傷であるが，事業化への取り組みの一環として研究された (6.7.4節参照)．その解明のため，図6.7.13 (a) の3次元実体ロール形状 (搬送用ロールの例) で，抜け出し現象をシミュレーションすると，スリーブと軸の接触位置がロール回転により不規則に変化して複雑な挙動を示すだけでなく，膨大な計算時間を要することが，その解明の妨げとなる．

図6.7.13 (b) にストッパーを有する2次元モデルを示す．回転曲げ荷重を受ける3次元モデルで生じる抜け出し現象を，2次元モデルに上下交番荷重を加える方法で再現した．その結果から，図6.7.13 (b) に示すように，軸に

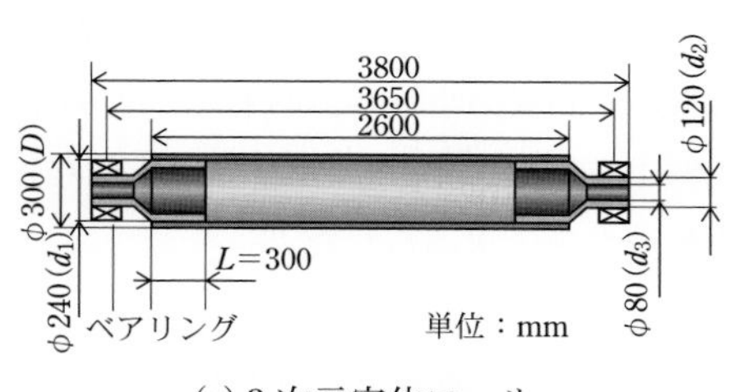

(a) 3 次元実体ロール

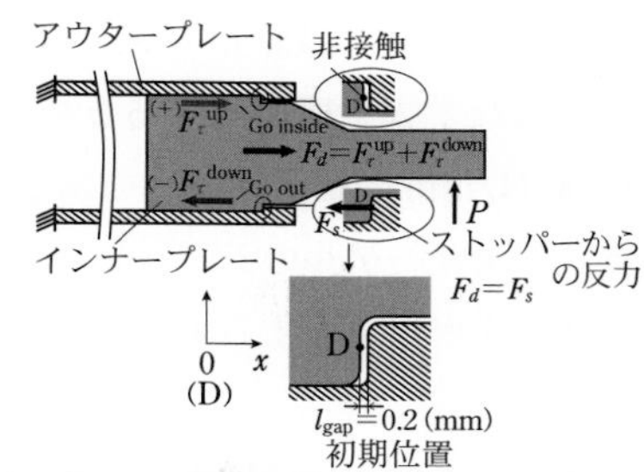

(b) 2 次元交番荷重モデルとストッパー

図 6.7.13　搬送用セラミックロール.

作用する抜け出し駆動力 F_d は内側プレートとの上下嵌合部に生じる 2 つのせん断力 F_τ^{up} と F_τ^{down} との和 ($F_d = F_\tau^{\mathrm{up}} + F_\tau^{\mathrm{down}}$) となることが示された. すなわち，図 6.7.13 (b) に示すように，内側プレートがストッパーと接触したとき，駆動力 F_d は接触力 F_s と釣り合う ($F_s = F_d$). つまり，駆動力 F_d は，ストッパーとの接触力 F_s または上下の結合面に生じるせん断摩擦力 F_τ^{up} と F_τ^{down} の差によって表現できる.

図 6.7.14 に嵌合率 δ/d と抜け出し駆動力 F_d の関係を示す. ここでは，基準とする荷重 $P = 1{,}000$ N/mm の結果と，比較のために $P = 1{,}200$ N/mm の結果も示す. 図中の (　) 内には飽和接触回数 N_c を示す. 図 6.7.14 より，$P = 1{,}000$ N/mm の場合，低嵌合率 $\delta/d \leq 0.2 \times 10^{-3}$ では，駆動力 F_d はほぼ一定で，$\delta/d \cong 0.3 \times 10^{-3}$ の時に最大値に達する. その後は，嵌合率 δ/d の増加に伴い，内側プレートの抜けが困難になって，駆動力 F_d は大きく減少し，δ/d

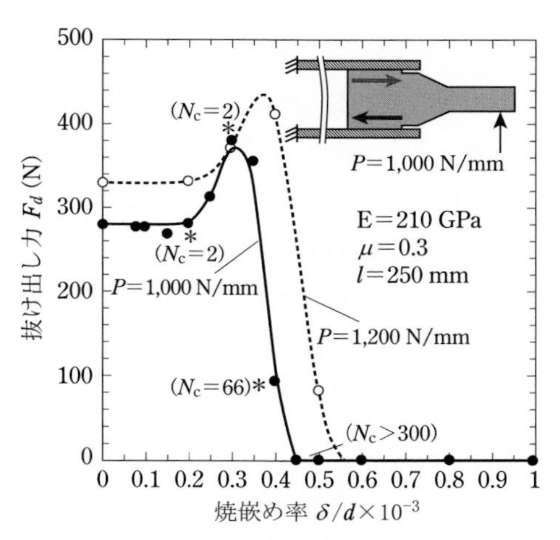

図 6.7.14　軸の抜け出し駆動力に及ぼす焼嵌め率の影響.

$= 0.45 \times 10^{-3}$ では駆動力 $F_d = 0$ となる．このような嵌合率に対する駆動力の特異な挙動を再確認するため，図 6.7.14 には，荷重を 20％増やした $P =$ 1,200 N/mm の結果も破線で示しているが，同様の挙動がみられる．このような 2 次元モデルのシミュレーション結果を基にして，その後，図 6.7.13 (a) の 3 次元形状を有する実体ロールの駆動力も最近求められた[10]．

セラミックロールの種々の応用に関する研究成果（補足資料のまとめ）

(1) 溶融亜鉛のめっき浴（図 6.7.1）にシンクロールを設置する場合，むしろ，速やかにロールを浸漬することによって，ゆっくり浸漬する場合より，熱応力を半分近くまで低減できる（図 6.7.8）．これは，浸漬部と未浸漬部の温度差が小さくなるためであり，ロール材料に，高熱伝導窒化ケイ素[11]を使用した場合も，同様の効果が確認される．

(2) 軸とスリーブに加えて，スペーサーリングも焼嵌め法で組み立てる，大口径セラミックロール（図 6.7.9）の強度が考察された．このロールが外力として，曲げ荷重を受けるとき，その最大応力 $\sigma_{\theta\mathrm{max}}$ は，$\sigma_{\theta\mathrm{max}} = \sigma_{\theta s} + \sigma_{\theta b}$，すなわち焼嵌め応力 $\sigma_{\theta s}$ と曲げによる効果 $\sigma_{\theta b}$ の和として表される．焼嵌め率 δ/d を大きくすると，当然 $\sigma_{\theta s}$ は大きくなるが，全体構造が一体化するため，曲げによる影響 $\sigma_{\theta b}$ は小さくなる．その結果，$\sigma_{\theta\mathrm{max}}$ を抑制できるので，むしろ疲労に対して安全側となることがある（図 6.7.10）．

(3) セラミックロールを，炉内温度 1,000℃以上の加熱炉内で，使用することが検討された（図 6.7.11）．セラミックスリーブに生じる最大応力 $\sigma_{\theta\mathrm{max}}^{\mathrm{shaft}}$ とその張り割れ強度 $\sigma_{\mathrm{al}}^{\mathrm{sleeve}}$ を比較した．また，鋼製軸の応力 $\left|\sigma_{\theta}^{\mathrm{shaft}}\right|$ とクリープ強度 $\left|\sigma_{0.2}^{\mathrm{shaft}}\right|$ を比較した．その結果，鋼製軸をテーパ状にすることで，スリーブの張り割れを防止できることを示した．また，鋼製軸を短くすることで，焼嵌め接合部の全範囲で $\left|\sigma_{\theta}^{\mathrm{shaft}}\right| < \left|\sigma_{0.2}^{\mathrm{shaft}}\right|$ となることを示した（図 6.7.12）．

(4) セラミック製スリーブロールでは，焼嵌め接合が不可欠であるが，稼働中にスリーブから軸が抜け出す場合がある．軸方向外力がないのに，抜け出す理由を調べるため，回転曲げ荷重を受けるロールを，2 次元的にモデル化し，上下交番荷重を加える方法で再現した（図 6.7.13）．抜け出し駆動力 F_d は，上下の結合面に生じるせん断摩擦力 F_τ^{up} と F_τ^{down} の差によって表現できる（$F_d = F_\tau^{\mathrm{up}} + F_\tau^{\mathrm{down}}$）．これらを基礎として，実体ロールの軸の抜け出し駆動力も最近求められた[10]．

参考文献

1）濱吉繁幸，小川衛介，清水健一郎，野田尚昭，岸　和司，古賀慎一：連続溶融めっき鋼板製造ライン用大型セラミックスロールの開発，素形材，**51**-12，(2010)，54-58.

2）野田尚昭，佐野義一，高瀬　康：学生と留学生の混成チームの産学連携研究とグローバル教育の実践，ぷらすとす（日本塑性加工学会誌），**3** (36)，(2020)，746-748.

3）酒井悠正：焼嵌め接合で構成されたスリーブ組立式ロールにおける技術課題の解明に関する研究，九州工業大学博士論文，(2019).

4）高瀬　康，東　佑亮，栗　文彬，佐野義一，野田尚昭：焼嵌めで組立てられたセラミック製ロールを溶融金属に浸漬させる際の熱応力の解析，設計工学，**49**-3，(2014)，138-146.

5）Hendra：Study on How to Reduce Thermal and Mechanical Stresses for Cylindrical Large Ceramics Structures，九州工業大学博士論文，(2010).

6）高瀬　康，酒井悠正，デディ スルヤディ，野田尚昭，佐野義一：焼嵌めで構成された連続酸洗設備用セラミック製ローラーの強度解析，機械の研究，**65**-8，(2013)，650-658.

7）Dedi Suryadi：Strength Analysis and Coming out of Steel Shaft for Ceramic Roller Used in the Furnace under Both Thermal and Distributed Loads，九州工業大学博士論文，(2015).

8）栗　文彬：焼嵌め接合からなる大型円筒セラミックス構造物の強度設計及び解体に関する研究，九州工業大学博士論文，(2012).

9）野田尚昭，張　国偉，佐野義一，酒井悠正：焼嵌め式ローラーにおける軸の抜け出し駆動力に及ぼす設計要因の影響，設計工学，**54**-11，(2019)，745-756.

10）張　国偉：Mechanism Clarification of Coming out of the Shaft from Shrink-Fitted Ceramic Sleeve Roller under Bending Load Focusing on the Driving out Force，九州工業大学博士論文，(2019).

11）日立金属株式会社，今村寿之，祖父江昌久，濱吉繁幸：高熱伝導窒化ケイ素質焼結体およびその製造方法と回路基板，特開 2002-293642，(2002).

12）野田尚昭，山田真裕，佐野義一，杉山茂禎，小林正一：連続溶融金属めっき用セラミックス製ロールの熱応力に関する研究，日本機械学会論文集，A 編，**70** (700)，(2004)，1755-1763.

6.8 HWCVD 法による高耐食性薄膜の開発

6.8.1 研究背景

2004（平成 16）年 3 月筆者（田中）は，九州工業大学を定年退職し，文部科学省派遣のコーディネーターとして引き続き勤務することとなった夏，東洋ステンレス研磨工業㈱の開発部長門谷豊氏（現 社長）が，筆者のところに挨拶にこられた．この出会いがこの事業の発端である．親戚より，九工大に行くなら，地域共同研究センターに行くと良いとのアドバイスがあり筆者をたずねてこられた．門谷部長は「九工大に弊社が探し求めている高耐食薄膜技術のシーズがあり，今後の共同研究を含めて契約したいので挨拶を兼ねてきた」とのことであった．

東洋ステンレス研磨工業㈱は，福岡県太宰府市にあり，ステンレス，アルミ，チタン等の金属表面の意匠研磨技術で世界有数の技術を有している企業である．例えば，図 6.8.1 に示す写真は，2003 年米国ロサンゼルスに建てられた「ディズニーコンサートホール」の外壁パネルの表面処理加工を東洋ステンレス研磨工業が担当し，自社技術で「帆船の帆が波間に煌き，夕日と朝

図 6.8.1　左は米国ロサンゼルスに建てられた「ディズニーコンサートホール」．右はニューヨークに建設中の 76 階建て超高層ビークマンタワー．ディズニーコンサートホールは，外壁全面にステンレスパネルを用いた芸術的な音楽堂である．この表面処理を世界の競争のなかで勝ちぬき一手に受注し，当該企業の世界的特殊研磨技術である物理研磨表面処理にて“帆船の帆が波間に煌き，夕日と朝日で表情を変える感じ”が表現された約 20,000 m^2 のパネルである．

日で表情を変える感じ」を表現したことで世界的評価を獲得している．さらにニューヨークに建設された76階建て超高層ビークマンタワーの外壁も受注し施工しており，世界有数の金属意匠研磨技術を持つ企業である．このような実績から経済産業省の「元気なモノ作り中小企業300社2008年版」に選定され，2013年には第5回ものづくり日本大賞「優秀賞」を受賞，2021年には「はばたく中小企業300社」にも選定されている．

さらに，超繊細意匠研磨仕上げや建築材料等に使用されるショットブラスト処理において自由度の高い，イメージを表現できる表面状態を作り出すことが可能で，その技術は日本製鉄㈱をはじめ国内高炉メーカーや意匠部品メーカー，真空装置メーカー等から非常に高い評価を得ている．

また，その大型研磨技術は材料ロッド間のばらつきを同じ色合い，風合いの安定した表面に仕上げることが可能であり，10,000 m^2 以上の大面積で機能性・意匠性を付加した高耐食性鋼板を製造できる．言わば，世界有数の研磨技術と多彩な表面処理技術の両方を兼ね備えた世界的オンリーワン企業といっても過言ではない企業である．

筆者はこのような高度な独自技術をもつ企業が県内にあることを初めて知ることとなり，この企業を応援することが，地元の発展であり，福岡のさらなる成長・発展に寄与するとの思いが募り，以後積極的に応援することとなった．

現在の高耐食性金属は，ニッケルやモリブデン等のレアメタルを含有する高耐食性ステンレス鋼を研磨してそのまま使用するか，汎用ステンレス鋼に塗装やめっき等の表面処理を施して使用している．しかし，高度に研磨された高耐食ステンレス鋼でも時間が経過すると腐食が始まる．遠くからみれば，まだ光沢のあるステンレスのように見えるが，近くからみれば，手指による指紋等の接触跡や汚れ，さらには酸性雨や電食等の影響により腐食や錆が進行している．よって，10年程度経過すると，建設時の輝きは失われているのが実態である．さらに高耐食性ステンレス鋼はレアメタルを含有することから価格の高騰があるし，今後もさらに高騰すると見込まれているため，価格と入手の両面で非常に困難な環境となってきている．

汎用ステンレス鋼に有機系塗料やめっき等での表面処理をすれば，高度に研磨された光沢のある美麗な地肌を活かすことができないうえ，高温で腐食性の強い環境下においては長期の耐食性を維持することは困難である．例えば，図 6.8.2 に示すように PayPay ドームを有機塗料で塗装すれば，ドラム缶 52 本分のペンキが必要になる．つまり，ドームの建設面積は 72,740 m^2 であるのでペンキ 1 L 当たり 7 m^2 の塗装ができるとすると 10,400 L のペンキが必要である．塗装された面は耐食寿命は短いため，景観を維持するため，再塗装が必要とされてくる．剥がすための処理を含め，手間がかかる．塗料の代替ができれば有機溶剤の低減が可能である．

このような状況から，今後さらに技術を高め世界との競争に打ち勝つには，高価な高耐食性ステンレスではなく，レアメタルを含まない汎用ステンレス鋼に光沢のある研磨仕上げをし，それに透明無機でより耐食性のある皮膜をコーティングする技術が最善である．このことが可能となれば，図 6.8.1 のディズニーコンサートホールに使用した高耐食性ステンレス鋼を，汎用ステンレス鋼で代替でき，材料コストとしては 7 千万円程度の低減となる．

透明無機で耐食性のある皮膜としてシリコン炭窒化 (SiCN) 膜が知られている．この膜は，シリコンと炭素と窒素からなる透明で絶縁性を有し硬くて緻密な耐食性が高い膜として知られているが，この膜の堆積には，特殊高圧ガスに指定され，高い爆発性と毒性を有しているシラン (SiH_4) を用いる必要がある．その使用には，設備投資だけでなく，安全管理・維持費用も必要であり費用が掛かる．

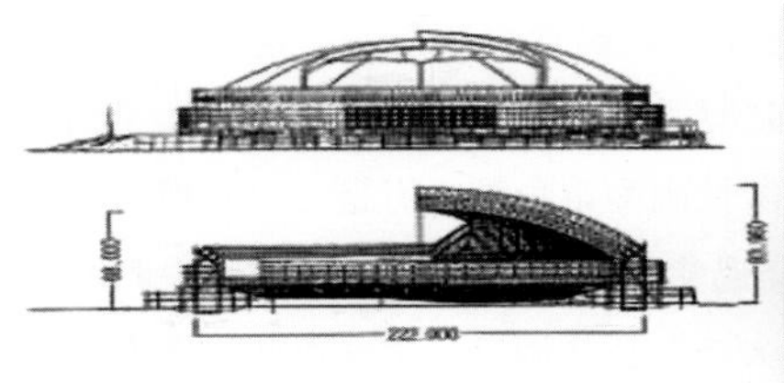

図 6.8.2 PayPay ドーム．建設面積は 72,740 m^2．これを塗布すればドラム缶 52 本分 (10,400 L) のペンキが必要．

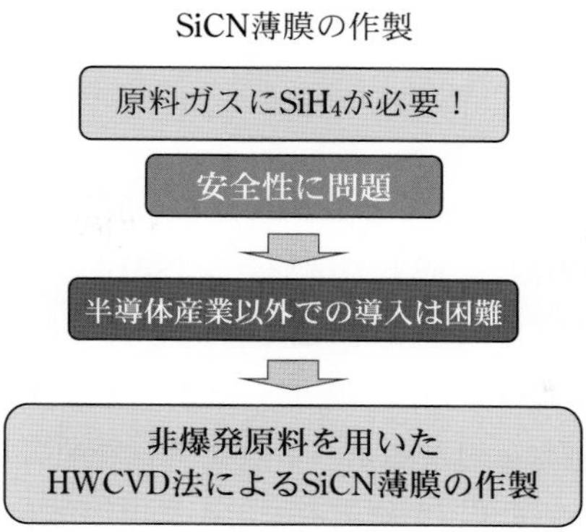

SiCN薄膜の作製

原料ガスにSiH_4が必要！

安全性に問題

半導体産業以外での導入は困難

非爆発原料を用いた
HWCVD法によるSiCN薄膜の作製

図 6.8.3 HWCVD 法による SiCN 薄膜の作製の必要性．SiH_4 は特殊高圧ガスに指定，高い爆発性と毒性を有す．その使用には，安全管理・維持費が必要．

シリコン炭窒化 (SiCN) 膜の特長
- 透明絶縁膜
- 高硬度膜
- 耐候性に優れる
- 環境に優しい

そのため，SiCN 膜は，SiH_4 を使用することが大きな障害となり半導体産業以外の利用は皆無である (図 6.8.3 参照)．

6.8.2 大学シーズ

九州工業大学では，爆発性がなく極めて安全・低コスト (原価がシランの 1/50 以下) のヘキサメチルジシラザン (HMDS) をホットワイヤー化学気相成長 (HWCVD) 法を利用して SiCN 膜を堆積する技術を開発している．

HWCVD 法は，次世代の超 LSI や液晶およびプラズマなどの大型ディスプレイなどの半導体産業における薄膜堆積に利用される最先端のナノテク技術であり，次のような特長を有している．

①室温程度の低温成膜が行える．

②原料ガスの分解効率が高い.

③成膜速度が速い.

④大面積コーティングが容易.

図 6.8.4 に SiCN 薄膜を作成する HWCVD 法の原理図を示す.

SiCN 系薄膜の作成法は，従来ではシラン (SiH_4)，アンモニア (NH_3)，メタン (CH_4) を用いるプラズマ CVD 法で作成されていたが，毒性等が強いため別の方法が求められていた．開発したホットワイヤー (HWCVD) 法は CVD 装置内に加熱触媒体となるホットワイヤーを配置したことで，原料ガスにヘキサメチルジシラザンを使えることを見出したものである．プラズマレスの低温薄膜堆積法とも言える.

この技術は，イノベーションジャパン 2006 で，炭窒化ケイ素薄膜作製技術をキラーアプリケーション技術と日経 BP ニュース記事で紹介された (図 6.8.5).

Hot-Wire (HW) CVD法

従来はシラン，アンモニア，メタンを用いるプラズマCVD法
ホットワイヤー (HWCVD) 法は**プラズマレスの低温薄膜堆積法**
(CVD装置内に加熱触媒体となるホットワイヤーを配置)

①アモルファスシリコン等の半導体膜，窒化シリコン等の絶縁体膜，電子デバイス用薄膜，機械やプラスチック部品の高硬度やさび止め被覆

②金属表面の新規クリーニング・改良法
各種金属の表面洗浄，例えば，インクジェット印刷したCu膜に原子状水素を発生させて還元処理し，ほぼピュアCu膜を作成

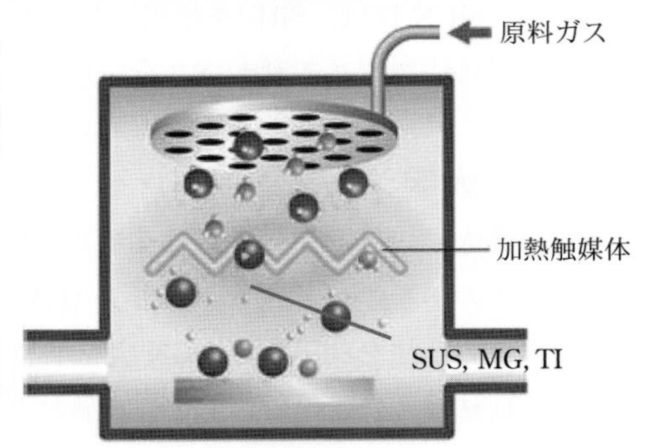

図 6.8.4　SiCN 薄膜を作成する HWCVD 法の原理図．シリコン炭窒化膜が堆積できる装置ホットワイヤー化学気相堆積装置．HWCVD は，ユニバーサルシステムズ㈱に技術移転され，平成 18 年 5 月に研究用として発売された.

現在セラミックスをCVD装置でコーティングし耐食性機能を付加する取り組みを行っているが，現状は固定したHWのため，距離や熱ムラが原因で膜ムラが発生し，均質な膜質を均一にコーティングすることできず，小型試験片レベル（80 mm程度）の大きさにしか適用できていない．東洋ステンレス研磨工業が得意とする建築意匠製材料や厨房機器分野へ実用化するためには，まず少なくとも300 mm程度の面積で「膜ムラ」が発生せず，均質なセラミックス皮膜をコーティングする技術の開発が求められている．また，現在までの研究でHWCVD法によるSiCN膜堆積は，硫酸水溶液など酸に対する耐食性に優れ，紫外から可視領域にわたって透明膜であるなどのコーティング膜として優れた特性があること等を明らかにしているが，大面積基板上に均一な膜厚で堆積することは実現していない．

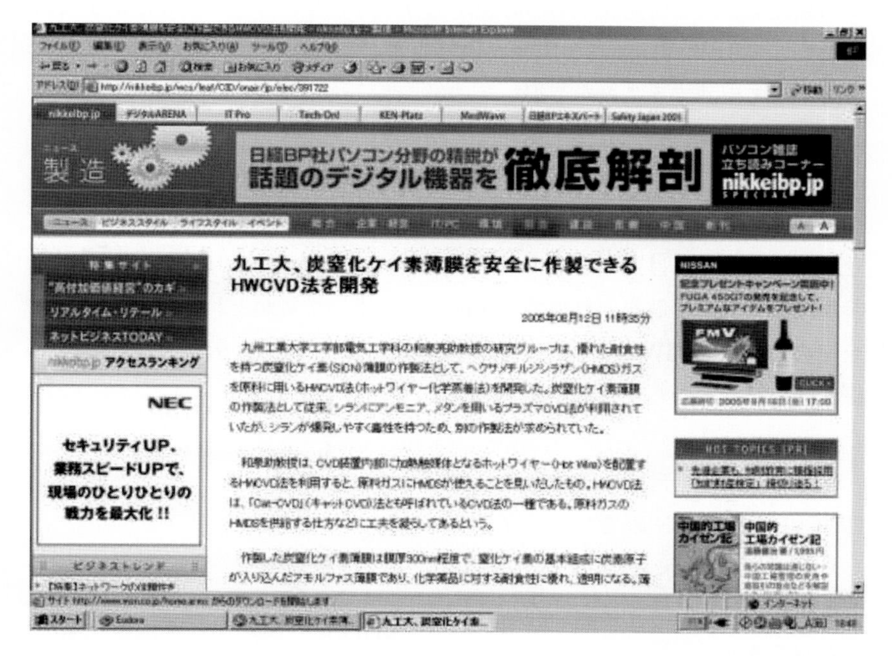

九工大、炭窒化ケイ素薄膜を安全に作製できるHWCVD法を開発

2005年08月12日 11時35分

九州工業大学工学部電気工学科の和泉亮助教授の研究グループは、優れた耐食性を持つ炭窒化ケイ素(SiCN)薄膜の作製法として、ヘキサメチルジシラザン(HMDS)ガスを原料に用いるHWCVD法(ホットワイヤー化学蒸着法)を開発した。炭窒化ケイ素薄膜の作製法として従来、シランとアンモニア、メタンを用いるプラズマCVD法が利用されていたが、シランが爆発しやすく毒性を持つため、別の作製法が求められていた。

和泉助教授は、CVD装置内部に加熱触媒体となるホットワイヤー(Hot Wire)を配置するHWCVD法を利用すると、原料ガスにHMDSが使えることを見いだしたもの。HWCVD法は、「Cat-CVD」(キャットCVD)法とも呼ばれているCVD法の一種である。原料ガスのHMDSを供給する仕方などに工夫を凝らしてあるという。

作製した炭窒化ケイ素薄膜は膜厚300nm程度で、窒化ケイ素の基本組成に炭素原子が入り込んだアモルファス薄膜であり、化学薬品に対する耐食性に優れ、透明になる。薄

図 6.8.5 イノベーションジャパン2006で九工大の和泉亮准教授（現 教授）の炭窒化ケイ素薄膜作製技術をキラーアプリケーション技術と紹介された日経BPニュース記事．

HWCVD 法によるシリコン炭窒化膜の開発に成功した和泉亮准教授（現 教授）は東洋ステンレス研磨工業との共同研究契約を契機にまず，ホットワイヤー(HW) の設置位置を自由に制御できる新型 HW を開発し，300 mm 程度の面積の角基板上に膜厚ムラの少ない堆積技術の確立を図る大型の装置の開発を目指し，予算獲得に悪戦苦闘していた.

科学技術振興機構 (JST) や経産省関連の研究資金をねらって申請するも 2 年間全く研究資金をもらえない状態が続いた．これはコストを低下させる耐食性薄膜の単独研究では技術革新のレベルが低く，いわゆる「なくてはならない技術（頭痛薬)」でなく，「あった方が良いがなくてもかまわない技術（ビタミン剤)」との認識をもたれているのでは，と思えば今後も採用は困難である.

和泉亮准教授の研究を早める必要があり，遅れをとらないようにまず大面積化できる HWCVD 装置の開発を最優先させることにし，他のテーマと抱き合わせて申請することを選択した.

ということで当時，大喜工業と環境調和型非アスベストシール材の開発の準備を進めていたことから，2 社の技術をあわせることで，すなわち高耐食性非アスベストシール材の開発でステンレス鋼に SiCN 膜をコーティングさせるテーマをもうけた．さらに，予算を考慮して大企業枠で応募することで，参加機関全員の了解をとり事業化を進めた．幸い予算がとれたことで事業化を進めるために HWCVD 装置の技術をユニバーサルシステムズ㈱に技術移転し，当該企業から 1 号機が開発された.

図 6.8.6 に，ステンレス鋼製の釘に HWCVD 法で SiCN 膜をコーティングした釘とそのままの釘を九工大の窓に 3 カ月以上放置し錆等腐食状態を観察した写真を示す.

これによると膜処理がないステンレス製釘は十分錆ており，シリコン炭窒

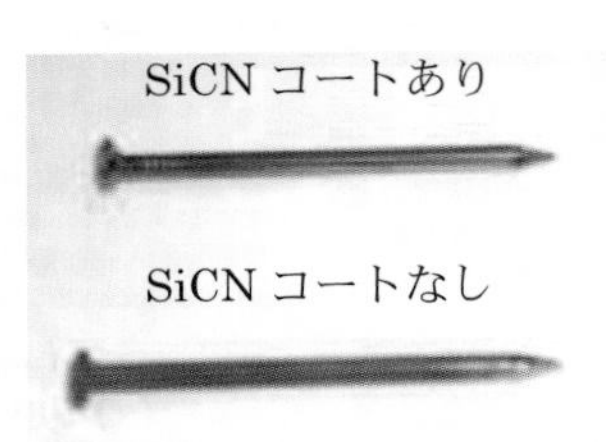

図 6.8.6 ステンレス鋼製の釘に SiCN 膜をコーティングした釘とそのままの釘を，九工大の窓に 3 カ月以上放置し錆等状態を検証した写真.

化膜の効果が確認される．

図 6.8.7 に SiCN 膜を 1％フッ酸（HF）に浸し化学薬品耐性を検証した結果を示す．

SiCN 膜はアンモニア（NH_3）の流量を変えることで膜の組成が変化するが流量に関係なく薬品耐性が高い，SiO_2 膜は 15 分後にほぼゼロになる．

図 6.8.8 に SiCN 膜を 10％硫酸（H_2SO_4）溶液につけて検証した耐食性と濡れ性を示す．コロージョン時間の多小にかかわらず SiCN 膜は安定しているし，濡れ性も良く Al, Cu, SUS の基盤に密着している．付着した汚れ等も洗い流しやすいと言える．

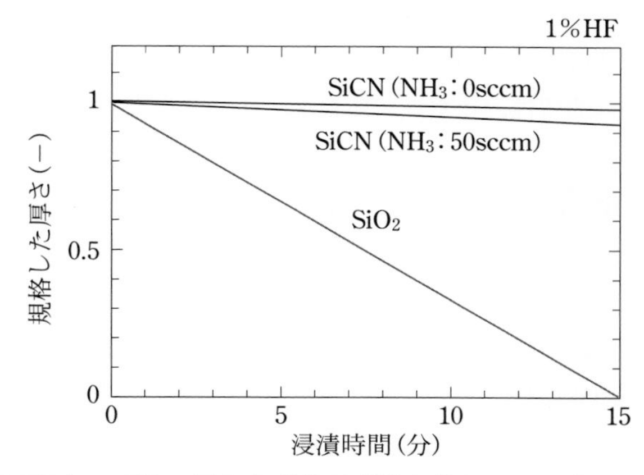

図 6.8.7　1％ HF（フッ酸）に浸し化学薬品耐性を検証．SiO_2 膜は，化学薬品耐性は 15 分後にほぼゼロになるが，SiCN 膜は NH_3 の流量に関係なく化学薬品耐性に優れている．

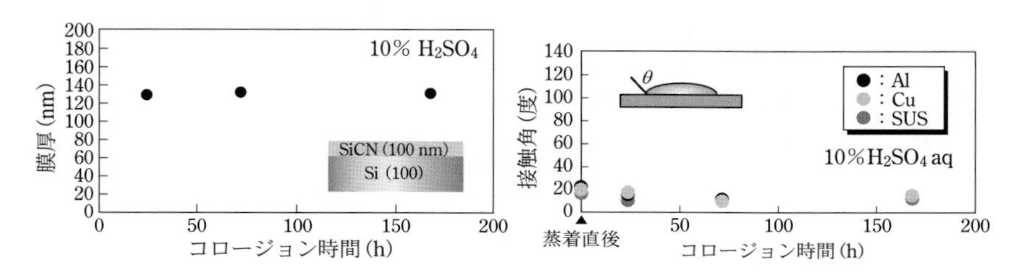

図 6.8.8　10％硫酸（H_2SO_4）溶液中の耐食性と濡れ性を示す．時間の長さに関わらず耐食性があることが認められる．また濡れ性も良好であることが認められる．

6.8.3　HWCVD 法による SiCN 膜のまとめ

開発の必要性

東洋ステンレス研磨工業にとって，世界トップ技術を目指し，品質とコスト低減で圧倒的差別化を図る戦略として，高騰する一方であるレアメタルを含有しない汎用ステンレスを高度に研磨し，研磨した状態を長期に維持できる SiCN 膜が必要である．

SiCN 膜の特徴として

・室温程度でも SiCN 膜の成膜が可能である．
・基盤温度およびNH_3流量を選ぶことによってSiCN膜の組成を制御できる．
・SiCN 膜は条件によって高硬度となる．
・SiCN 膜は高い透明性，親水性，防食性，防錆性を有する．

6.8.4　外部資金導入と事業化

・平成 18 年度経済産業省の地域新生コンソーシアム事業．
・平成 20 年度（財）九州・山口地域企業育成基金（キュウテック）．
・平成 21 年度全国中小企業団体中央会ものづくり中小企業補助金．
・プラント設備内で実際に使用し皮膜性能を評価するために 1,000 × 1,000 mm のサイズが必要である．
・全国中小企業団体中央会ものづくり中小企業補助金（2/3 補助）を得て開発．

6.8.5　産学連携の見えない効果

(1)　中小企業の従業員にとって，仕事の内容，意義を理解した上で仕事を遂行しているより，与えられた仕事を失敗せずにただ黙々をこなす場合が多いだろう．残業はほどほどに願いたい，急にいわれても困ると抵抗する場合が多いと聞いている．東洋ステンレス研磨工業も例外ではなく，従業員に急ぎの仕事に残業をお願いするのも苦労したそうである．しかし，産学連携で最先端の事業が始まりそのことが，新聞に掲載され，いくつかの TV 局がきて報道されるようになると，職員が住んでいる近所の方より，お宅の会社新聞に載っていたね，テレビで放映されていたね，ご主人がでていたねと評判になるにつれて従業員の意識が少しずつ変わっていき，まず，残業を自主的にする者が増え，仕事の失敗も少なくなり業績もあがってきて，見えない効果があったと社長は喜んでいた．

仕事に対する誇りと自信そして責任感が生まれるにつれ，会社への愛着が生まれ退職する従業員もいなくなるとすれば，産学連携の見えない効果があったといえるであろう．

(2) 今回の取材を通じて，社長の門谷氏は産学連携の効果について，さらに次のように述べている．

産学連携で大学のシーズを具現化していく事業，つまり実用化するというプロセスを全社で経験することで，無から有を生み出すことが中小企業でも可能であるという自信につながった．今回でいえば，言わば，ゼロから出発して技術を蓄積し，1,200 mm × 1,200 mm の大面積まで独力で薄膜を堆積できるようになった．この経験が東洋ステンレス研磨工業のさまざまな分野の技術へ波及した．真空装置の自社改造，メンテナンスや新しい研磨加工装置の独力での自社開発など産学連携の経験なくして起こりえなかった成果である．産学連携を始めた当初は，注文を受けて仕事をする受託型製造が中心の東洋ステンレス研磨工業が，現在意匠金属材料メーカーとしてビジネス展開を行い，自社ブランド商品を販売するまでに変化しているとのことである．

大学シーズのHWCVD法による SiCN 膜は，長期にわたって品質が保証できるかの課題が残り，実用化までいたっていないが，これまで会社が独自に蓄積した知見を活かし別のケイ素膜コーティングを商品化して事業化を行うまでに成長してきたとのことである．このように，産学連携事業は，会社を社会的に教育させるという側面があり，期間限定の取り組みとは大きく異なる社会的に意義のある事業との評価をいただいた．筆者は大学のシーズは，簡単に事業化はできないケースが多いため，企業が持つ技術や特許を学の力で問題点を解析しそれを克服することで事業化を進めてきた．しかし，産学連携は長期的に取り組むことで新たな展開がひろがるようであり，東洋ステンレス研磨工業の底力を感じた事例である．

6.9 ハニカム構造による ウルトラファインバブル（UFB）生成装置の開発（直列型ハニカム構造）

6.9.1 研究背景

日本は，微細気泡の研究開発や産業界の利用に関して，世界の最先端にあり，国内市場は今後4千億円程度に成長すると見込まれている．2012年に産学官で国際標準化を主導するファインバブル産業会（FBIA）組織が立ち上げられ，国際標準化機構（ISO）に専門委員会設立等を働きかけ，幹事国として多くの技術規格を提案している．現在まで6件の国際規格が制定されているようである．

ウルトラファインバブル（UFB）は，一般に直径1 μm（1/1,000 mm）以下の微細なバブルで，ISOの国際規格として制定されており，マイクロバブルとは異なる特性を持つ．例えば，マイクロバブルは光の屈折から白濁して見えるが，ウルトラファインバブルは光が屈折せずに通過するために白濁せずにほぼ透明であり，目視では見えないし，わからない．

マクロの物理的常識から考えると，気泡は微細化するほど不安定な存在であり，内部の気体が加圧されるため，気体は周囲の水に急速に溶解される．1 μmレベルの極微小気泡では瞬時に消滅してしまうはずである．ところがナノレベルになると刺激を与えなければ安定した気泡として長期に存在しているようである．これは，微細気泡の直径が1 μm以下になると浮力がなくなるようであり，これに関係していると思える．

UFBを含むバブルは，ISOの規格によれば以下のように定義されている．

バブルは直径の違いでファインバブル（100 μm以上），マイクロバブル（1～100 μm未満），ウルトラファインバブル（これまではナノバブルと呼ばれ1 μm以下）に分けられる．ウルトラファインバブルになると浮力がほぼゼロとなり，飽和状態までは容易に水に溶解するが，その後は水中に滞留し過飽和状態になるようである．

浮力の実験では，1 m上昇する時間は，バブル径が50 μmでほぼ30分，バブル径が10 μmと小さくなればほぼ330分かかる．バブル径が1 μm以下で浮力ゼロとなり水中に長期に存在するようである．このことから1 μm以下をウルトラファインバブル（UFB）と称している．

このように，マイクロバブルからウルトラファインバブルに微細化するとその特性は劇的に変化し，有効性が拡大するので産業界の利用は今後とも拡大していくものと思えるが，そのためには，超微細気泡（UFB）を生成する機器の開発は極めて重要である．特に，これからも微細気泡の先進国として先導できるか，あるいは先進国に相応しい研究開発や事業化がなされていくのかは生成装置の開発に依存しており，装置の開発について述べたい．

6.9.2 微細気泡生成装置の現状と開発

気泡を微細化する原理はほぼわかっており，一つ一つの原理を組み立ててイノベーションを起こすような機器の開発が進んでいるか，経済産業省や日本科学技術振興機構（JST）等が開発支援している装置の開発を検証したところ，多種多様な機器が開発されているが，常識の延長線上のものがほとんどで，不連続な進歩をもたらす発明，言い換えればイノベーションを起こす機器の開発はまだ見当たらないようであった．

2007年，筆者らは地方にうずもれ世間にはほとんど知られていない独創的ファインバブル生成装置を見出した．

この年の秋，銀行から丸福水産㈱に出向している常務の橋本正博氏が九州工業大学にこられ「微細気泡の生成とその応用に関し，産学連携で事業化するための外部資金をとりたいといくつかの大学を回ったが，良い返事をもらえず困っている．公的機関等に応募するもこれまで全く採択してもらえていない」とのことであった．微細気泡生成のビデオをもってこられていたので映像を拝見したが，白濁しており，マイクロレベルの気泡生成ではないかと思えた．橋本氏は特許を出願中であると説明されていたので，特許があるならもっと詳しい資料を見たいと言って帰ってもらった．

2週間後，資料をもってこられた．資料は，富山大学の熊沢英博教授（現名誉教授兼丸福水産㈱技術顧問）と環境科学工業㈱の新美富雄両氏の共著で専門誌に連載した食品加工・製造における新規な混合・分散プロセスの開発と新静止型混合器「ラモンド・スーパーミキサー」シリーズ等である.

図 6.9.1 に資料に説明されているラモンド・スーパーミキサーを示す. 当時は微細気泡の生成ではなく, 撹拌器や混合機器として開発されているようであり, そこには, ハニカム構造で水と油のように相互に溶解しない液同士の乳化が, 一様で連続するせん断力によりエマルジョンが容易に生成できることが記載されていた.

この装置は全く筆者の予想を超えていた. 特に,「静止型ハニカム構造の撹拌機」は機械的連続せん断力により微細化するもので, さらに詳しく調査する必要性と興味を掻き立てられた.

丸福水産の代表取締役社長最上賢一氏は, 魚の仲卸業から出発して, 1 代で年商 250 億円レベルの中堅企業に育てられたカリスマ性のある人物であり, 久しぶりにほんものの経営者にあった印象をもった.

この装置の開発は友人で支援していた環境科学工業の新見冨雄氏が発明したもので, 事業化を託されたことおよびハニカム構造で生成した微細気泡は, これまでの気泡と異なる (超微細化されているのではと感じる) 現象があることを説明してくれた. 社長は開発した微細気泡の特性と有効性を知りたく

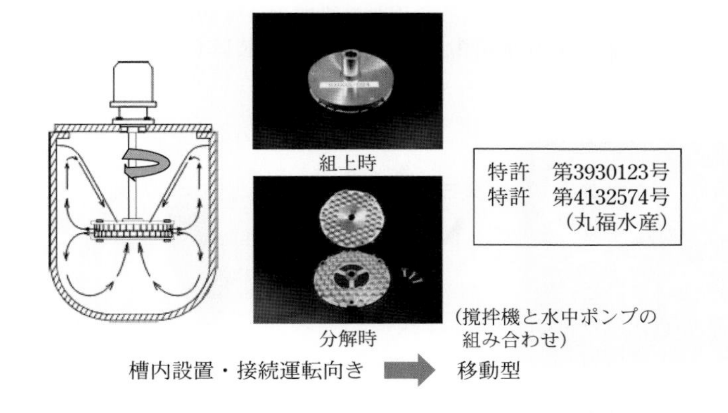

図 6.9.1　新静止型混合器ラモンド・スーパーミキサーの概略図 (1 ユニット).

事業化への意欲を強く感じたことと，筆者も事業化に協力したいとの想いから支援することを約束した.

6.9.3 ハニカム構造による革新的 UFB 生成装置

図 6.9.2 に，平成 22 (2010) 年度経済産業省地域イノベーション創出事業で開発したハニカム構造による革新的 UFB 生成装置の外観写真と，内部構造として5ユニットハニカムおよび1ユニット内を流れる気液の流れ方を示す.

図 6.9.3 に 1 ユニットのハニカムエレメントとその重ね方を示す.

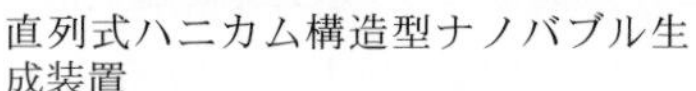

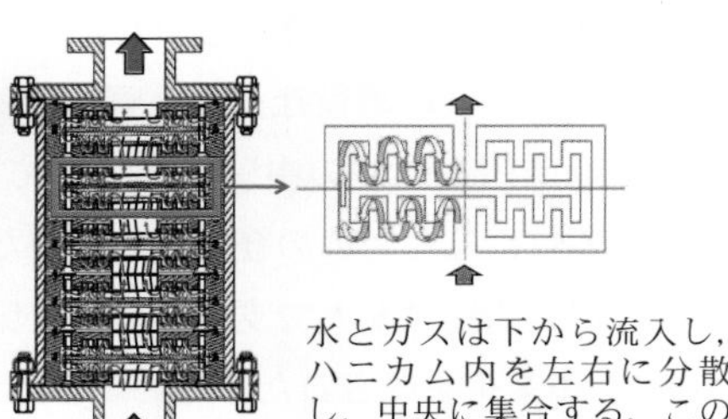

図 6.9.2 ハニカム構造型 UFB 生成装置の概観図．左はハニカム構造体 5 ユニットの直列式 UFB 生成装置の概観写真．中央は直列式 5 ユニットハニカムの構造．右は 1 ユニットハニカム内の気液の流れの模式図．気液は中央下側が入口出口は上側である．［特許：丸福水産㈱，静止型流体混合装置 (ラモンドナノミキサー)，特許第 3016704 号.］

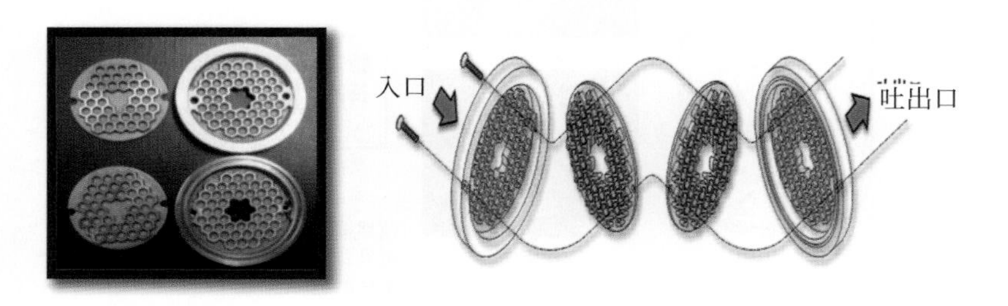

図 6.9.3 1 ユニットハニカム (左右 2 枚でハーフユニット)．右はハニカムユニットの組立て方.

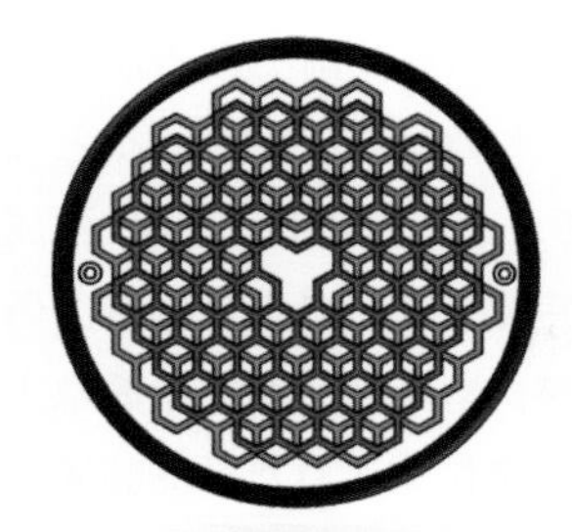

図 6.9.4　左はハーフハニカムユニットの重ね合わせ方．右は混合流体の流による気泡微細化メカニズム．ハニカム・セルの重なりで構成される複雑な流路に，気液混合流体を高圧で通過させることにより乱流が生じる．広い流路から狭い流路へ流れるときに，圧力変化により高せん断場が形成され，気泡が微細化される．循環を繰り返すほど，微細化される．

図 6.9.4 にハーフハニカムの重ね合わせ方とハーフハニカム管路内での気液の微細化のメカニズムを示す．

心臓部である混合器本体は，図 6.9.2，図 6.9.3 に示すようにハニカム形状の溝が掘られた 2 枚の板を互いのハニカムの目がずれるように向かい合わせにしている．この 2 枚の板の間に形成される複雑な管路を通り抜ける過程で気泡が微細化される．

ハニカムが組み合わされてできる管路で，気泡が微細化される過程を模式的に示したのが図 6.9.4 右である．平木先生によれば，管路の断面積が大きく変わり，最も狭くなる部分で流速は最大となって，静圧は低下する．そのため気泡径は増大するといえるが，断面積最狭部では場所が少し異なるだけで速度は全体的に速くなるので，増大した気泡にせん断力が働いて分裂が促進され微細化されたと考えられると説明している．

ハニカム構造体をいくつか組み合わせることで，気液は何層ものハニカム構造体内で混合・分散を繰り返しながら通過するため出口では極めて微細化された気泡が生成される．

6.9.4　気泡径分布測定装置（UFB 装置）

ファインバブルは産業における洗浄，殺菌，水質浄化，さらには植物や漁業の生育促進など，広範囲の産業応用が期待されている技術であるが，これまで気泡径を正確に測定できる装置が開発されていないことがネックとなり，バブルの定量評価ができないのが現状である．このことは，UFB 生成装置を開発したと情報発信しても，その成否は判定できないことになり，偽物の微細気泡生成装置が存在することとなる．本格的な研究や産業振興はまだ不十分な状況と言える．しかし，最近，科学的根拠にすぐれた計測装置が開発された．

一つは，ファインバブル水の気泡径分布の測定に英国 Nano Sight 社によって開発された LM シリーズで，ナノ粒子のブラウン運動を行う粒子の速さを測定する方式（粒子軌跡解析法，粒子トラッキング法）である．液体中でナノ粒子がブラウン運動する様子が観察できる上，少ないサンプルで各種測定ができることが特長である．

二つ目は，島津製作所製 Bubble Sizer で，レーザーを照射して散乱する光の角度と強度分布を測定する方式（レーザー回折・散乱法）である．測定範囲は Nano Sight 社製の気泡径測定範囲は 30 nm ～ 1 μm と狭いのに対し，Bubble Sizer は 80 nm ～ 20 μm である．ここに記す微細気泡の定量解析データーは Nano Sight 社製 LM10 を用いて計測した値である．解析した結果を以下に記す．

図 6.9.5 にハニカム 5 ユニットを用い，水 1 リットルで，ガス流量 0.2 L/min を 10 分間連続運転した時のファインバブル密度数を示す．その時のモード径 103 nm, メディアン径 107 nm で UFB 数は 14.4 億個 /mL である．モード径は最も数の多い粒子径（最大頻出粒子径）で，メディアン径は総密度数 50％の粒子径を示す．

国内大手企業が UFB で国内最高値を生成したと報告している当時の発表は 1 億個 /mL である．ハニカム製品の優れた性能が認められる．

ファインバブル密度数は，水量，ガス流量，流速および稼働時間等に依存しており，生成条件が記入されていないので 1 億個 /mL の発表はメカニズムから相当頑張られた結果と言える．ハニカム式による微細気泡の生成は上に示した生成条件を増やすことで容易に超高密度数 20 億個 /mL レベルを生

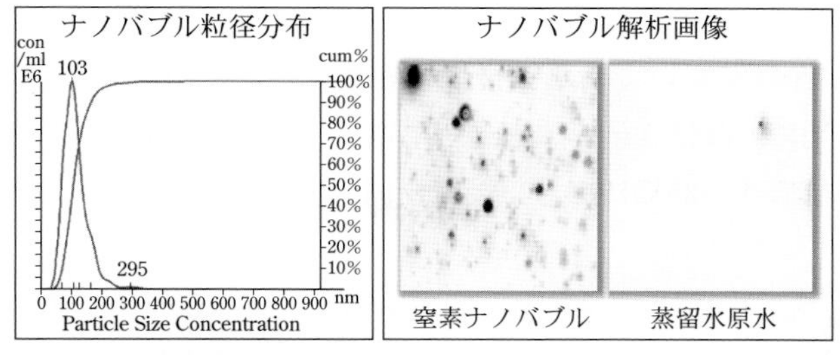

ナノバブル解析結果 (NANO SIGHT LM10-HS-RED)
モード径：103 nm　メディアン径：107 nm
ナノバブル密度：14.40×10^{8}個/ml＝14億4,000万個/ml ＞ 検出範囲：30〜1,000 nm
国内既存装置
最高値1.1億個/ml

蒸留水　1 L,
流体流量：5.5 L/min.
ガス流量：0.2 L/min.
循環時間：10 分間で UFB 密度数 14 億 4,000 万個 /mL を達成.
既存装置の最高値は 1.1 億個 /mL.

図 6.9.5　5 ユニット生成装置の生成密度数 (UFB 密度分布) 等解析結果.

成することも可能であり，実際にその後の実験で超高密度を達成している. なお，水中の気泡数密度を測定する場合，原水に水道水を使用すると，水道水に含まれる不純物等微小なゴミ等をバブルと見なしてカウントするので，原水は蒸留水を使用した.

6.9.5　UFB の特長と機能性調査

ウルトラファインバブルで生鮮魚介類の鮮度保持に対する有効性を検証するため，いくつかの機能性調査をした.

まず，図 6.9.6 に窒素置換による海水中の酸素貧化状態を示す.

これは，窒素ナノバブルを海水中に入れ込んで海水中の溶存酸素量 DO (Dissolved Oxygen) 値を調査することにより，窒素置換による貧酸素化技術の可能性を求めるものである.

水槽容量 1,000 L の海水中に窒素ガス使用量は 0.125 m^3 を投入し，25 分間循環させた結果である. これによると溶存酸素量は急激に減少し，10 分後でほぼ 1 mg/L 以下となり貧酸素状態が実現できる. これは，海水中の好気性菌の増殖が抑えられることを意味している.

図 6.9.7 に真菌に対する抗菌性をペーパーディスク法で検証した結果を示す.

ペーパーディスク法は，抗菌性を確かめるため通常は抗菌薬を含むろ紙を寒天地に置き，細菌の感受性を発育素子円の大きさで判定する試験である．ここでは，カビ混合菌を25℃にて前培養後，生理食塩水にて10^4個 /CFU程度に希釈．寒天培地に，直径9 mmのろ過紙に窒素UFBを0.1 mlを含浸させ，寒天培地中心に置き，25℃にて培養後阻止円の形成を観察した結果，

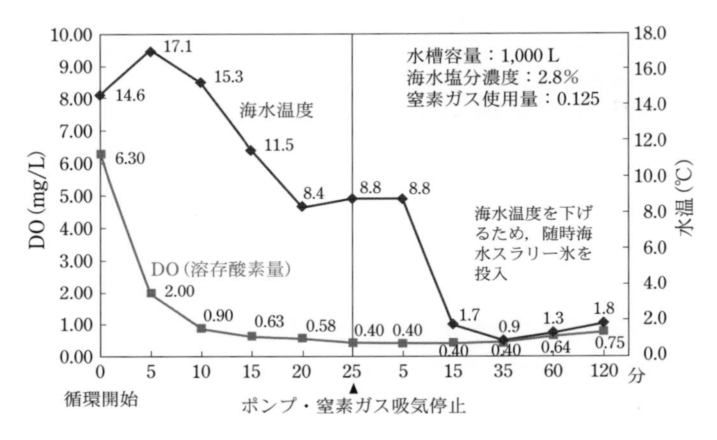

図 6.9.6　窒素ガスを注入後の海水中のDO値（溶存酸素）の変化．通常15℃で6.3 mg/L．窒素ガス注入後25分で0.5 mg/Lを切り，貧酸素状態となる．上側の線は海水の温度を示す．

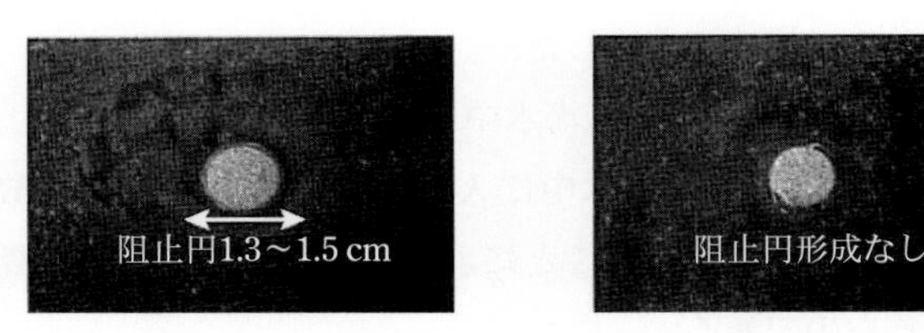

窒素ナノバブル水含浸ペーパー　　コントロール（生理食塩水）

↑

抗菌活性効果あり

図 6.9.7　窒素UFB水の真菌に対する抗菌試験．カビ混合菌を25℃にて前培養後，生理食塩水にて10^4個 /CFU程度に稀釈．寒天培地に接種し，直径9 mmの濾過紙に窒素ナノバブル水0.1 mLを含浸させ，寒天培地中心に置き，25℃にて培養後，阻止円の形成を観察．窒素ナノバブル水は無害．

表 6.9.1　気体種別ナノバブル水の抗菌試験.

対一般生細菌　単位：個 /mL

試料区分	初発菌数	24 時間後	判定結果
窒素ナノバブル水	5.2×10^6	4.0×10^3	◎抗菌性あり
酸素ナノバブル水	5.2×10^6	5.2×10^4	○抗菌性あり
空気ナノバブル水	5.2×10^6	2.3×10^4	○抗菌性あり
オゾンナノバブル水	5.2×10^6	9.0×10^3	◎抗菌性あり
コントロール（生理食塩水）	5.2×10^6	4.0×10^6	×抗菌性なし

一般生細菌を 25℃にて前培養後，生理食塩水にて希釈し，一般生細菌濃度が 10^6 になるように各種ナノバブル水に添加，24 時間経過後寒天培地に接種して一般生細菌の生存菌数を測定.

阻止円の形成が認められる．これにより抗菌性があることが証明された.

これらのことにより，窒素は無害であり，窒素 UFB は安心・安全な抗菌対策として鮮度保持の有効性を確認したことになる.

表 6.9.1 に UFB の真菌に対する殺菌効果を示す．対象にした気体は，窒素，酸素，空気およびオゾンである.

表 6.9.1 によると，酸素や空気 UFB も抗菌性は認められるが，窒素 UFB よりも低い．窒素 UFB は殺菌力があるオゾン UFB と同等の抗菌効果が認められる．産総研の矢野彰理事によると，分子動力学では，数 nm レベルの気泡径では気液界面の電気的極性が揃う特長があり，界面の静電効果により殺菌作用があると指摘している．つまりナノレベルのバブルは表面がマイナスに帯電，プラスに帯電した物質を吸着するのでオゾンと同じように窒素や空気においても殺菌効果があるということではないかと解釈されている.

6.9.6　窒素 UFB による鮮度保持と酸化・腐敗防止実験

小型マグロはえ縄漁船における捕獲マグロの鮮度維持

小型マグロはえ縄漁船は，大型漁船のように冷凍設備がないため，捕獲したマグロは酸化・腐敗しないように防腐剤や脱臭剤をいれた冷海水に保存する．しかし，防腐剤をいれた冷海水に保存しても冷海水には溶存酸素があるので，魚体（特に油脂分）の酸化・腐敗が進行し，水揚げ時にはかなりの痛みや悪臭が発生し，鮮度・味が落ちて魚価が大幅に下がるのが通常である．特に初期に捕獲したものは酸化や悪臭がひどく，生で食することはできず缶詰用となる．

実験船はマグロ基地がある大分県保戸島（ほどしま）の19トン小型マグロ専用漁船である．太平洋上でのほぼ1カ月の操業を終え，宮城・釜石港に寄港した時の冷海水の溶存酸素量は0.07（通常10 mg/L）あり，貧酸素状態を十分に維持しており初期に捕獲したマグロは全く臭みがなかったと従業員は驚きを持って報告している．解体作業においても独特の臭みはなく新鮮な刺身として食することができたことから，関係者より驚きと感嘆の声が上がったということである．

図6.9.8は小型マグロはえ縄漁船が太平洋を23日間操業後，釜石港でマグ

第八寿利丸 19 t（大分県漁協保戸島支店所属）
7/28 大分出稿～ 8/29 宮城県塩釜港にて水揚げ
航海初期漁獲の魚を入れる一番槽（23日経過）内の魚を，氷温ナノ窒素海水（－1℃）で保存したところ，魚の価値を著しく下げる「腐敗によるくさい臭い」がなくなり，外観の色艶も従来と比べ良いと絶賛評価！

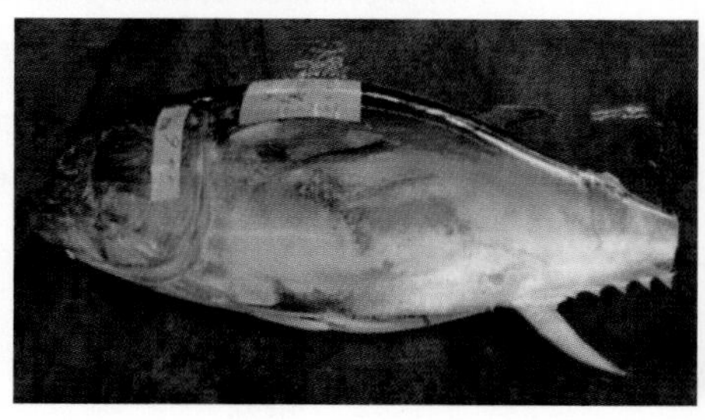

図6.9.8　窒素ナノバブル水の鮮度実証試験．太平洋上でマグロを求めて操業，1番マグロは捕獲後23日経過して宮城県釜石港に入港し，マグロを解体し鮮度を実証した写真．腐敗による臭みがなく鮮度の良さに感嘆の声が上がった．

ロを水揚げし解体した写真である．

小型マグロ漁船は3～5トンの水槽を4槽保持し，操業中に1回の海水替え（水冷0.3℃）を行うが窒素置換時間は，水槽3トンで2時間程度である．これにより，窒素UFB水で貧酸素状態を保持することで鮮魚の鮮度を長期に維持できることが可能であることが認められた．

生鮮魚介類の鮮度維持

図6.9.9～図6.9.11は，生鮮魚介類を窒素UFB水に浸食して鮮度保持を検証した写真であり，いずれも1週間程度の鮮度維持が可能であることを示している．

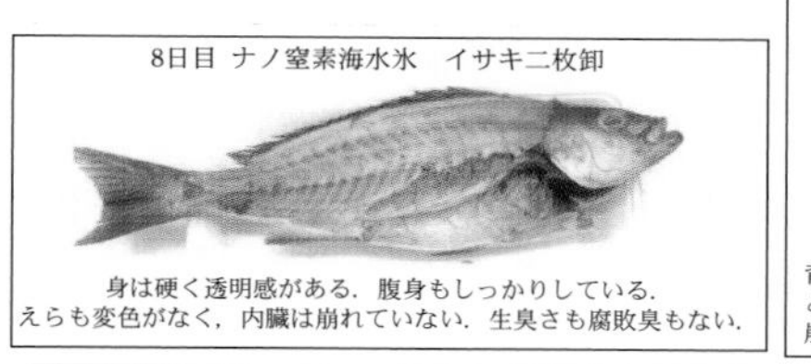

図6.9.9　イサキの鮮度保持の実験．捕獲後8日経過，生臭さ・腐敗臭なし，えらの変化なく，内臓も崩れていない．

図6.9.10　捕獲9日後のイサキの煮付け．鮮度が落ちると身がはせる（曲がる）ことはない．腹身にも臭いがなく，身離れが良く，身もプリプリしている．

図 6.9.9 の写真の漁種は，イサキで捕獲後 8 日に 2 枚におろした状態の写真である．

図 6.9.10 は，イサキ捕獲後 9 日目の煮付けした写真である．活物のように身がはせている．鮮度が落ちると身がはせる（曲がってくる）ことはないそうである．腹身にも臭みがなく，身離れ良く弾力があり身はプリプリしているとのことである．

図 6.9.11 はモサエビを窒素 UFB 水に 30 分浸けた後氷温保存した場合と無処理の場合との比較した写真である．エビは内臓から酸化し，黒ずんでくるが，窒素 UFB 水で処理したエビは 6 日後も黒ずんでおらず酸化しにくいことがわかる．

魚の鮮度は主に血液や油脂分の酸化と腐敗（好気性菌の増加）である．酸素のない海水の中で保存すれば，酸化や好気性菌の増殖を確実に抑制できることが証明できたと言える．

従来の冷蔵庫等による低温管理では刺身用鮮度保持期間は購入後 1 ～ 2 日

開始前

ナノ窒素海水30分浸漬
–1℃貯蔵7日目
頭部黒変度合小

無処理–1℃貯蔵7日目
頭部黒変度合中

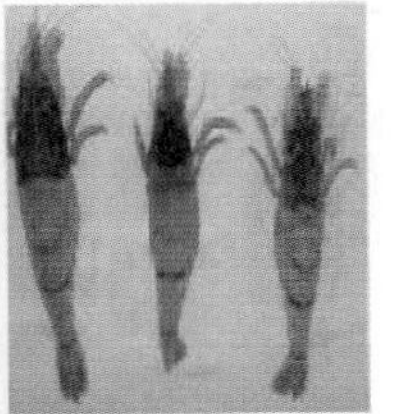
無処理2℃貯蔵7日目
頭部黒変度合大

遊離アミノ酸含有量 (mg/100g)

	処理開始時	30分浸漬区 処理7日目
タウリン	110.3	132.2
グルタミン酸	21.3	38.9
アラニン	178.7	239.4

ナノ窒素海水処理および氷温処理による効果
- 頭部や節の黒変，異臭の発生を抑制
- 甘味旨味呈味性遊離アミノ酸が増加
- 健康機能成分（タウリン）が増加

図 6.9.11　モサエビの鮮度保持実験．左図：窒素海水 30 分浸け，－1℃氷温保存 7 日目，頭部わずかに酸化．中図：無処理，－1℃氷温保存 7 日目．頭部酸 中，右図：無処理，2℃保存，7 日目，頭部酸化大．

間である．これが5～7日間に伸長できれば，生産者にとって需要の拡大が期待でき消費者にとっても安心・安全につながるし，食品ロスの削減に有効と考えられる．

窒素 UFB 水を用いた米飯における酸化・腐敗防止の実験

図 6.9.12 に，窒素 UFB を用いた米飯における酸化・腐敗防止の実験結果を示す．

窒素 UFB にて貧酸素状態にして，米飯を炊飯後，カビ等の汚染挙動を官能評価した．比較対象水として，酸素ナノバブル水と水道水をもちいた．炊飯後，樹脂容器に移し，フタを一部開放して放熱後，フタをして室温にて保管した．

窒素 UFB 水を用いた炊飯は保管後5日まで菌類発生と腐敗臭はなかった．酸素 UFB 水と水道水を使用した米飯は炊飯後3日までは，菌類発生と腐敗臭はなかったが，5日後はカビ菌の発生と腐敗臭が認められた．

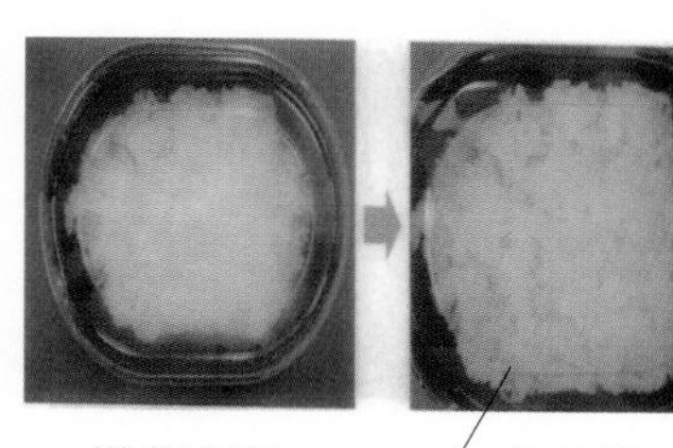

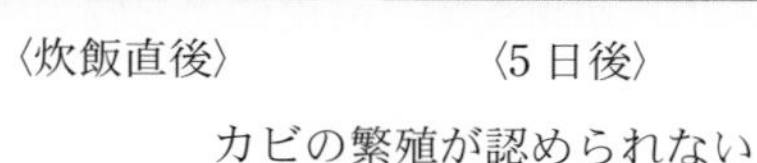

図 6.9.12　窒素 UFB を用いた米飯における酸化・腐敗防止の実験．窒素 UFB で貧酸素状態にして，米飯を炊き，炊飯後のカビ等の汚染挙動を官能評価した．比較対象水として，窒素ナノバブル水と水道水をもちいた．窒素ナノバブル水を用いた炊飯は保管後5日まで菌類発生と腐敗臭もなかった．水道水を使用した米飯は炊飯後3日までは，菌類発生と腐敗臭はなかったが，5日後はカビ菌の発生と腐敗臭が認められた．

窒素UFBは無害・無毒であることから食品の殺菌と短期の常温保存技術に適用できる.

食品の殺菌方法としては加熱殺菌と化学殺菌が代表的であるが，加熱殺菌は過剰になると食味や成分含有量の変化をきたし外観上も問題が生じる．化学殺菌は洗浄剤・殺菌剤が残留する可能性がある．特に生で食する生鮮食品は非熱処理が必要であり，環境・人体への影響が少ない方法が必要である.

常温保存技術の多くは酸化防止剤の使用であり，カット野菜等に見られる洗浄では主に次亜塩素酸が使用されており，残留すると健康上影響がありそうである．また煮炊きした食品を5日～1週間程度常温で放置しても食することができる保存方法はない.

窒素UFB水は酸化による味の劣化や細菌の増殖を防ぎ常温で放置していても5日程度であれば食することも可能である，さらに大量に生産すれば，プールや温泉水の殺菌が低コストで実現できるし農業分野での水耕栽培や嫌気性土壌の改良にも適用できることになる.

6.9.7 ウルトラファインバブル（UFB）水の可能性

飲料水等の酸化防止と保存について述べたい.

窒素ナノバブル水のお茶や紅茶は酸化しないために，長期に褐色に変化せずいれたての緑茶色を保つ．特に，PETボトルに入れた緑茶や紅茶は，さらに長期に本来の鮮やかな色調を保つ.

窒素ナノバブル水で煮炊きした食品は，常温で保存しても1週間程度食することが可能で，酸化による味の劣化も少ない.

酸素富化による養殖魚の飼育中の水質浄化，健康維持・生長促進および活魚の輸送が可能である.

マイクロ・ナノバブルにより水圏全域の溶存酸素量DO（Dissolved Oxygen）値の増大と好気微生物の活性化により有機物の早期完全分解および堆積汚泥中の好気バクテリアの活性化により堆積汚泥の分解，再分化による水圏の浄化が可能である.

陸上養殖における酸素ナノバブル水は極めて有効である．生活排水・工業排水等による水質汚染や赤潮，ウィルスなどの外的要因の影響を受け難い陸上養殖，特に閉鎖循環式は今後確実に増加すると言われている．

酸素ナノバブル水生成装置で，安定した最適溶存酸素濃度，PH 管理，病原菌管理を通じての稚魚死滅の激減と成長促進を図れることが独自の予備試験で可能であることが判明した．

養殖場の飼育水の DO 値（溶存酸素量）を飽和量よりも高く維持・コントロールすることで，飼育魚の成長促進（食欲・消化吸収増進），過密飼育（酸欠防止），魚病の原因菌・ウィルスの抑制による斃死率低減，水質浄化・洗浄効果による飼育設備清掃に係る労力の低減が可能であり，生産性の向上が図れた．例えば，ウマヅラハギは飼育開始から 2 カ月で同ロットの海面養殖の稚魚と比較し，体長がおよそ 2 倍に成長した．

1 月の低水温期で通常は餌食いが悪く成長が止まるオコゼの稚魚が餌をよく食べるため，成長を続けたことおよび殺菌・洗浄効果で，飼育水の一般生細菌数が激減し，稚魚の斃死率が激減した．

筆者は，独創的 UFB 生成装置を世間の多くの専門家や企業に認識してもらい社会に広げるために，ファインバブル基盤技術研究開発事業の採択を始めいくつかの外部資金の獲得と事業化を主導してきた．

事業化には国の事業に採択されることが最も望ましい．平成 22 年経済産業省地域イノベーション創出事業（5,000 万円 /2 年）に応募し採択された．

共同研究機関は以下の通りである．

丸福水産株式会社 開発部長	米沢裕二
富山大学 名誉教授 兼 丸福水産技術顧問	熊沢英博
九州工業大学 准教授	平木講儒（現 教授）
福岡県醤油醸造共同組合	
福岡県工業技術センター生物食品研究所	
管理法人九州産業技術センター	

この事業で，ハニカム構造に基づく UFB 生成装置を開発した．また，気泡数密度や気泡径が測定できる測定装置を購入できた．測定結果は，予測を超える世界最高レベルのデーターを得て，ファインバブルの生成において

世界的に優れた装置であることが立証でき，大いなる喜びを感じた．さらに，機能の高度化，軽量化低コストをはかることを事業としての目標として生鮮魚介類の長期保存を掲げ，再度経済産業省の基盤技術高度化支援（サポイン）事業に平成26年に応募し，採択された．ここで開発した改良装置はNFB密度数が20億個/mLレベルを達成でき，前装より3割アップできた．さらに筆者らを奮い立たせる発表があった．

平成26年1月，経済産業省はファインバブル基盤技術研究開発事業を公募すると発表した．筆者は直ちに平木先生を伴い経産省本省を訪ねて挨拶をするとともに情報収集し，応募したい旨を述べてきた．

平木准教授と共同研究をしている大手企業から，この研究開発事業はファインバブル産業会（FBIA）の会員となっている有力企業が優先的に選ばれるので応募しても無理だろう，弊社は応募しないとの情報をもらった．しかし筆者は地方の審査員と本省（東京）の審査員は異なるとの確信があった．なぜなら，日本が世界の最先端で頑張っているという意識を持つ審査委員と，そのような感覚がない委員では採択基準が異なることを経験してきたからである．そして応募した審査会では，高い評価をしていただき採択された．コーディネーター冥利につきる話である．平成26年度にファインバブル基盤技術研究開発事業に平木准教授の基礎単独研究で1,000万円を獲得できた．

この研究は5年間継続する前提で研究を始めたが，1年後制度自体が中止となった．平木先生は基礎研究を頑張っていただけに残念な結果になった．

平成26年度経済産業省基盤技術高度化支援（サポイン）事業

	9,800万円
九州工業大学 教授	野田尚昭
丸福水産株式会社 開発部長	米沢裕二
富山大学 名誉教授 兼 丸福水産技術顧問	熊沢 英博
東京理科大学 名誉教授	陳　玳珩

6.9.8　全国にPRと事業化

平成22年および26年に経済産業省から研究資金をいただき事業化したこ

とはすでにふれたが，社会へのマーケットを広げるためにJSTの新技術説明会で紹介したいとの思いから，平成25年10月北九州市での開催の新技術説明会で「生鮮魚介類の長期保存を可能とするナノバブル生成装置」で平木先生に講演してもらった．これがきっかけとなり，ハニカム構造式UFB生成装置が日刊工業新聞社から全国版に掲載された．次にTBSより平成26年11月30日 丸福水産の鮮魚の鮮度保持技術が「夢の扉」で全国放映され，この装置の有用性が知られるようになった．さらにNHKから平成27年8月30日「サイエンスzero」で，10月6日にはクローズアップ現代で「小さな泡が世界を変える日本発技術革新は成功するか」でハニカム構造に基づくUFB装置と鮮度保持技術が紹介され，超微細気泡の有用性が広く認識されてきて，漁業，自動車および化学分野等の大手企業にUFB装置を納入することができた．また，中国，インドネシア等の外国からの問い合わせもあり，あらためて，JSTの新技術説明会に始まるテレビ放映までの一連の活動にPRの有用性を認識するとともにこれらの機関に深く謝意を示したい．

参考文献（本節は文中に文献番号を入れず，まとめて記載する）

1) 黒田浩司（経済産業省国際標準課長），矢野 彰（ファインバブル産業界理事），寺崎宏一（ファインバブル産業界理事），黒田俊宏（ファインバブル産業界副会長）：日本が世界を牽引する“泡の力”日本経済新聞社広告，2019年10月28日，22-23面．
2) 柘植秀樹 監修：「マイクロバブル・ナノバブルの最新技術II」，シーエムシー出版，(2010)．
3) 熊沢英博，新美富雄：食品加工・製造における新規な混合・分散プロセスの開発と新静止型混合器「ラモンド・スーパミキサー」I. ラモンドミキサーによる混合・分散の基礎と食品製造への応用，食品と開発，**32**-8, (1997), 45.
4) 熊沢英博，新美富雄：食品加工・製造における新規な混合・分散プロセスの開発と新静止型混合器「ラモンド・スーパミキサー」II. ラモンドミキサーの応用分野の概説，食品と開発，**32**-9, (1997), 44.
5) 熊沢英博，新美富雄：食品加工・製造における新規な混合・分散プロセスの開発と新静止型混合器「ラモンド・スーパミキサー」III. 機械的攪拌機と静止型混合器の設計思想について，食品と開発，**32**-10, (1997), 50.
6) 野田尚昭，任 飛，山本 弥，上田鷹彦，佐野義一，陳 玳珩，高瀬 康，米澤雄二：ハニカム構造体を用いたナノバブル生成装置の設計とその性能，設計工学，**53**-1,

(2018), 111-126.
7) ㈱ナノクス, (online), available from <http://www.nano-x.co.jp>, (accessed 2015-09-18).
8) 平木講儒：窒素ナノバブルを用いた魚介類の長期保存技術, 微細気泡の最新技術, **2**, (2014), 177-183.
9) 平木講儒：北九州学術研究都市産学連携フェア新技術説明会資料, 2013 年 10 月.
10) 野田尚昭, 高田 翔, 川野 凌, 洪方, 佐野義一, 高瀬 康, 米澤裕二, 梅景俊彦, 田中洋征：ハニカム構造体を用いるナノバブル生成法におけるバブル生成密度の考察, 設計工学, **56** (3) (2021), 133-148.

6.10 ハニカム構造による ウルトラファインバブル(UFB)生成装置の開発(並列型ハニカム構造)

6.10.1 研究背景

6.9節において，ハニカム構造によるウルトラファインバブル(UFB)水の生成に優れた直列5ユニットハニカム構造型UFB生成装置を紹介した．水1リットル(L)，ガス流量0.2 L/minを10分間連続運転してファインバブル密度数UFBを14.4億個/mLと世界最高レベルを生成できることを説明した．これまでに開発された生成装置は多数あるが，ほとんどがマイクロレベルであり，既存技術では本格的にナノレベルのUFBを生成することが困難な状況にある．気泡を超微細化するためには一様なせん断力が連続的に発生することが望ましい．ハニカム構造を用いる本開発技術は，その狭い空間内で連続的に水流の変化を起こす．このような一様なせん断力場が100桁以上連続的に発生する機構は世界に例をみない斬新なものである．

ここで再度ナノレベルのUFB(ウルトラファインバブル)について述べておきたい．UFBは一般に直径1 μm以下の微細なバブルを指し，通常のバブルと異なる．UFBは以下のような特性を持つ．

(1) 水中での滞在時間が長く，直径1 mmのバブルは1分間に数m上昇するが，直径1 μm以下のUFBの場合，1カ月以上も溶解状態で水中に存在する．

(2) 自己加圧効果があり，直径1 μmで約3気圧，直径0.1 μmでは約30気圧に達する．

(3) 気体の溶解効果が優れている．比表面積が大きく，自己加圧効果を持つため，直径10 μmのマイクロバブルでも，直径1 mmのバブルに比べて約2,000万倍の酸素や窒素などの気体溶解能を有する．

UFBのこうした特性を利用し，様々な分野への応用が進んでいる．その一つは，溶存酸素量DO (Dissolved Oxygen)を向上させることによる，水質改善であり，化学的酸素要求量COD (Chemical Oxygen Demand)・生物化学的酸素要求量BOD (Biochemical Oxygen Demand)・浮遊物質量を低減させることで効率的な改善がなされるとされる．また，医療分野への応用として，超音波と合わせて用いることで造影剤として利用されているほか，結石の破壊などにも適用されている．化学工業や食品工業分野におけるUFBバブルの有効性も明らかになってきている．最近では，炭酸浴も注目されているので，その応用についてはあとで詳細に述べる．

本節では，5年程前（2017年頃）に開発した並列型ハニカム構造を用いるUFB生成装置について紹介する．図6.10.1に1000 L水槽用大型UFB生成装置を示す．また，図6.10.2に100 L水槽用小型UFB生成装置を示す．この研究では，まず，鮮魚の保存，流通にUFBバブル水を使用することにより，酸化や腐敗を伴う劣化の進行を遅らせること[1～3]に成功した．さらに製造コストの低下と機能の向上および簡素化を目的として，経済産業省の平

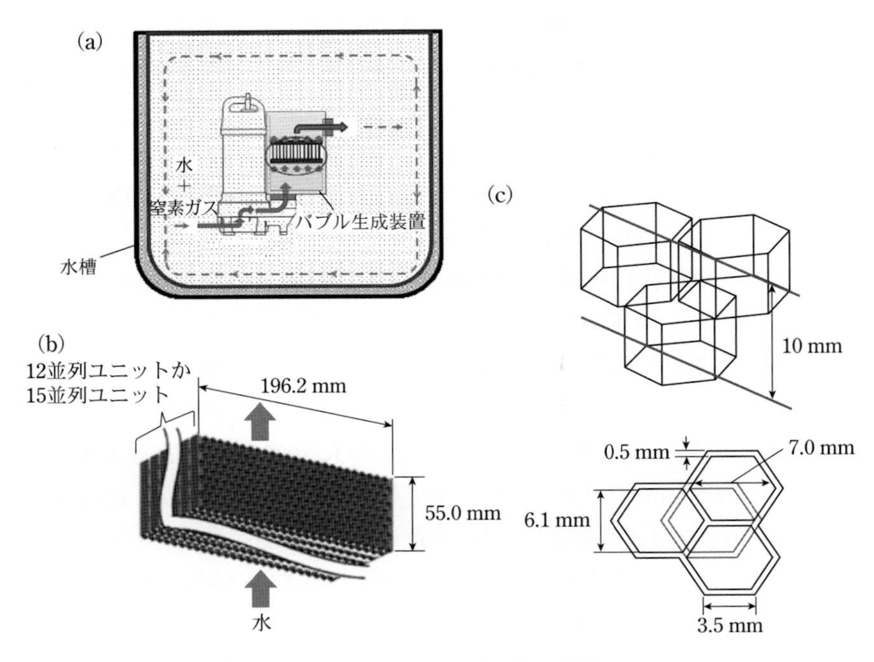

図 6.10.1　1,000 L水槽用大型UFB生成装置．(a) 1,000 L水槽，(b) 12または15ユニットのハニカム構造．(c) ハニカム寸法．

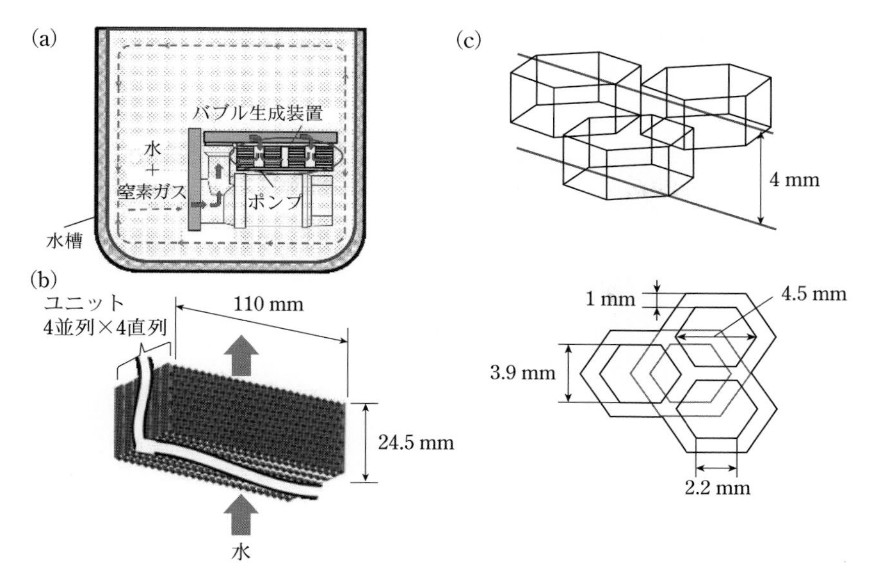

図 6.10.2 100 L 水槽用小型 UFB 生成装置. (a) 100 L 水槽, (b) 4 並列×4 直列ユニットのハニカム構造. (c) ハニカム寸法.

成 26 年度戦略的基盤技術高度化支援事業（サポイン事業）助成を得て開発研究を実施した. その研究プロジェクト名は「生鮮魚介類を長期保存するハニカム構造体を用いたナノバブル生成装置の開発」である.

6.10.2 現状の UFB 生成装置の問題点とその改善策

図 6.10.3 に, 6.9 節に紹介した直列 5 ユニットハニカム構造体による UFB 生成装置を示す. これまでに開発した UFB を生成するハニカム構造式は, ステンレス鋼 (SUS) の鋳造で製作されている. このため軽量化やコストの低減化は簡単ではない. また, 図 6.10.3 では, UFB の密度数を増やすためハニカムユニットを 5 直列につないでいるがその分, 圧損があり, 温度の上昇とコストが高い. さらに, 金属製の生成装置は, 半導体等の洗浄に使えないという課題もあり, 用途が限定的ともいえる.

抜本的改良として, ハニカムユニットを並列化し, 材料を SUS から樹脂

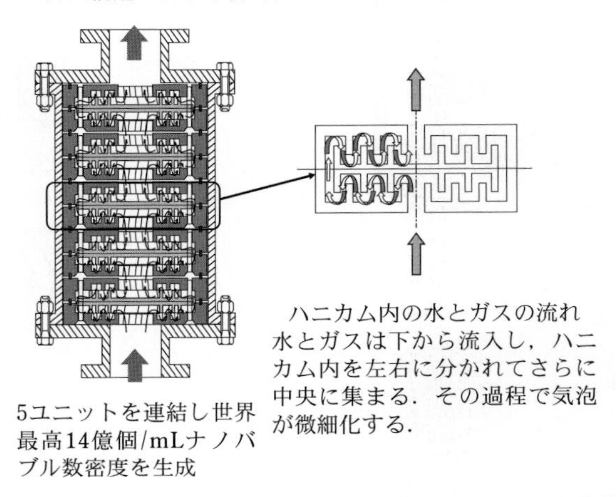

図 6.10.3　直列 5 ユニットハニカム構造体による UFB 生成装置.

(ABS) 製に変更することで上に述べた課題も解決し，機能性が広がることになる.

6.10.3　並列型ハニカム構造を使用する UFB 生成装置

ハニカム式 UFB 生成装置を開発した際のポイントは，以下の通りである.

① UFB の生成効率に優れる並列型ハニカム構造体を金属ではなくプラスチックで製作する.

②並列型ハニカム構造体の UFB の生成メカニズムを解析する.

③構造解析に基づいて最適形状を追求する.

④ナノ粒子解析装置による UFB 生成能力等を評価する技術を明らかにする.

図 6.10.4 にハニカム構造 1 ユニットの詳細とその流れを示す．先行研究では [3]，ハニカム型混合器の内部を模した直列型管路に，水と空気の気液二相流を流入させる可視化実験が行われた．その結果，セル結合部断面を通過するまでに，気泡周囲圧力が気泡内圧より小さくなり，気泡の変形が起こりやすくなり，細長く変形した気泡にせん断応力が作用して気泡の分裂が起こ

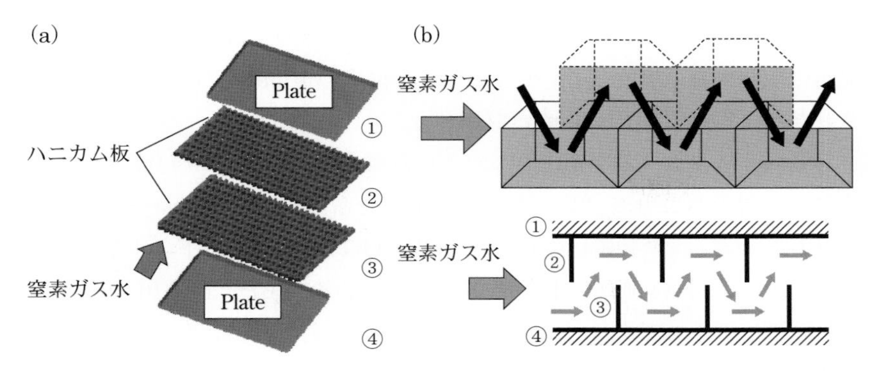

図 6.10.4 ハニカム構造 1 ユニットの詳細とその中の流れ．(a) ハニカム構造 1 ユニットの詳細．(b) ハニカム構造 1 ユニットの流れ．

る，との見解が得られている．

そこで本研究[4〜7)]では，圧損や温度上昇の対策として並列型ハニカム構造を並列に配置することによる UFB 生成能力をナノ粒子解析装置により測定する．また，流体解析や CFD-PBM 解析により実験との関連を考察した．そして，この計測データをもとに，UFB 粒径が微細でかつ高密度に生成される条件を見出し，従前のものより大容量かつ UFB 生成効率の高いナノバブル生成技術の確立を目的とする．

6.10.4 大型 UFB 生成装置と小型 UFB 生成装置の詳細[6)]

図 6.10.1 (a) に 1,000 L 水槽と大型装置の概略を示す．また，図 6.10.2 (a) に 100 L 水槽と小型装置の概略を示す．図 6.10.1 (b)，図 6.10.2 (b) にそれぞれの装置に装着されているハニカムユニットを示す．UFB 生成装置のポンプ入口にチューブを挿入し，ガスを流入する．水とガスは同時にポンプ内を通過する．UFB 生成装置に入る水 (ガスを含む) はハニカムユニット面に対して平行に流入・流出する．図 6.10.1 (c)，図 6.10.2 (c) に，大型装置と小型装置のハニカムセルの各寸法を示す．小型装置のハニカムサイズは大型装置に対して横は 0.64 倍，高さは 0.4 倍である．小型装置は，持ち運びに便利な実用上の観点から設計されており，大型装置に比べ流路内の圧力やせん断応

力が増加するため，セルの壁面を厚くしている．より正確には，大型装置開発時に流れを良くするため，セルの厚さを従来の 1 mm から 0.5 mm に減少させたが，小型装置では 1 mm に戻した．

図 6.10.4 にハニカム構造 1 ユニットの詳細を示す．図 6.10.4 (a) に示すように，一対のハニカムプレートとその両端を密閉する上下プレートを 1 ユニットとする．大型装置は合計 12 並列または 15 並列ユニット，小型装置は合計 16 ユニット (4 並列× 4 直列) を装着している．また，図 6.10.4 (b) の上部に解析モデルの模式図を，下部に窒素ガスを含む混合流体がハニカム構造を流れる状態の 2 次元的な模式図を示す．各ハニカムユニット間で，ハニカムを流れ方向に 1/2 セルずらして装備させるため，ハニカムの重なりで複雑な流路が構成され，そこへ気液混合流体を通過させることにより気泡が微細化される．バブル生成装置を出た水はコンテナ (水 100 L) 内で再び装置内を通る．このような循環を繰り返すたび，微細化効果が連続的に進行する [1)]．

6.10.5　大型 UFB 生成装置と小型 UFB 生成装置の性能比較

実験および流体解析結果から，両装置の性能について比較検討を行った．表 6.10.1 に両装置の実験結果を示す．両装置の能力をみると，30 分後における UFB 密度は大型装置が $N_d^{\mathrm{large}} = 1.7 \times 10^8$ particle/mL，小型装置は $N_d^{\mathrm{small}} = 4.3 \times 10^8$ particle/mL となり，小型装置のほうが優れている．ここで，N_d^{large} と N_d^{small} は，直径 10 nm ～ 1,000 nm (Nano sight の測定可能範囲) のバブルを UFB (ナノバブル) として UFB 密度を測定したものである．

表 6.10.2 に大型・小型装置の両セルの実験結果を示す．セルの能力をみると，1 セル 1 サイクル当たりの生成能力は大型装置では $\rho_d^{\mathrm{large}} = 3.13 \times 10^3$ particle/mL，小型装置では $\rho_d^{\mathrm{small}} = 7.61 \times 10^3$ particle/mL となった．小型装置は大型装置に対して $\rho_d^{\mathrm{small}} / \rho_d^{\mathrm{large}} = 2.4$ であることがわかった．すなわち，1 セル 1 サイクル当たりの生成能力は小型装置が大型装置の 2 倍以上大きい．

次に，両セルにおけるせん断応力の違いを比較するために，入口圧力 p_{in} を等しく，すなわち大型・小型両装置の圧力損失を同一にして解析を行った．

表 6.10.1　並列型ハニカム構造を有する大型 UFB 生成装置（図 6.10.1）と小型 UFB 生成装置（図 6.10.2）の実験結果の比較.

	項　目		大型装置	小型装置
実験条件	出力	Pw (kW)	3.7 (60 Hz)	0.4 (60 Hz)
	流量	Q (L/min)	550	103
	水槽水量	V (L)	1,000	100
	実験時間	t (min)	30	3
実験結果	30 分後の UFB 密度		$N_d^{large}=1.7\times10^8$ (particle/mL)	$N_d^{small}=4.3\times10^8$ (particle/mL)

表 6.10.2　大型 UFB 生成装置（図 6.10.1）と小型 UFB 生成装置（図 6.10.2）の 1 セル 1 サイクル当たりの UFB 密度の実験結果の比較.

	項　目		大型装置	小型装置
実験条件	セル開口幅	w (mm)	6.1	3.9
	セル高さ	h (mm)	10	4
	セル数	N_{cell}	3,510	1,840
	流量	Q (L/min)	550	103
	水槽水量	V (L)	1,000	100
	実験時間	t (min)	30	30
	循環回数	N_{cycle}	33	31
実験結果	1 セル 1 サイクル当たりの UFB 密度		$\rho_d^{large}=3.13\times10^3$ (particle/mL)	$\rho_d^{small}=7.61\times10^3$ (particle/mL)

表 6.10.3　大型 UFB 生成装置（図 6.10.1）と小型 UFB 生成装置（図 6.10.2）の入口圧力 p_{in} を等しくした場合の両ユニットセルの解析結果の比較.

	項　目		大型装置	小型装置
解析条件	入口圧力	p_{in} (MPa)	0.45	0.45
解析結果	平均流速		$v_{large}^{0.45}=0.71$ (m/s)	$v_{small}^{0.45}=0.95$ (m/s)
	圧力低下量		$\Delta p_{large}^{0.45}=0.03$ (MPa)	$\Delta p_{small}^{0.45}=0.07$ (MPa)
	最大せん断応力		$\tau_{max\,large}^{0.45}=24$ (Pa)	$\tau_{max\,small}^{0.45}=56$ (Pa)

表 6.10.3 に大型・小型装置の入口圧力 p_{in} を等しくした場合の両セルの解析結果を示す．同一入口圧力での小型装置のせん断応力 τ_{max} は，大型装置に対して $\tau_{max\,small}^{0.45}/\tau_{max\,large}^{0.45}=2.3$ となる．この最大せん断応力の違いが，1 セル 1 サイクル当たりの生成能力の違いとなって表れているものと考えられる．

なお，圧力低下 Δp は大型装置では $\Delta p^{0.45}_{\text{large}} = 0.03$ MPa，小型装置では $\Delta p^{0.45}_{\text{small}} = 0.07$ MPa であり，$\Delta p^{0.45}_{\text{small}} / \Delta p^{0.45}_{\text{large}} = 2.3$ であることがわかった．このように，圧力変動も小型装置が大型装置より大きいが，これらの圧力変動 $\Delta p^{0.45}_{\text{large}} = 0.03$ MPa や $\Delta p^{0.16}_{\text{small}} = 0.01$ MPa は，他の研究の圧力変動と比べると小さい．すなわち，本装置の圧力変動は，ベンチュリ管等を用いた UFB やマイクロバブルの生成装置の圧力の変動の 1/10 程度であり，その UFB 生成への影響は小さいものと考えられる [6]．

以上の大型装置と小型装置の性能比較と考察により，せん断応力が UFB 生成能力に大きく関係していることがより明確に示された．

6.10.6　バブル直径 x を変化させたときの UFB 密度分布 $N_d^{\text{exp}}(x)$ について

新しいハニカム並列配列によって，どのように UFB が生成されるかを調べることは重要である．図 6.10.5 に，レーザー回折・散乱法を用いたナノ粒子解析装置「Nano Sight LM10-HS」による 30 分間に生成された UFB 密度の測定結果 $N_d^{\text{exp}}(x) = N_d^{\text{exp}}(x)\Big|_{t=30} - N_d^{\text{exp}}(x)\Big|_{t=0}$ を示す．その原理は，サンプル液に紫色のレーザー光を水平方向に照射し，ナノ粒子から

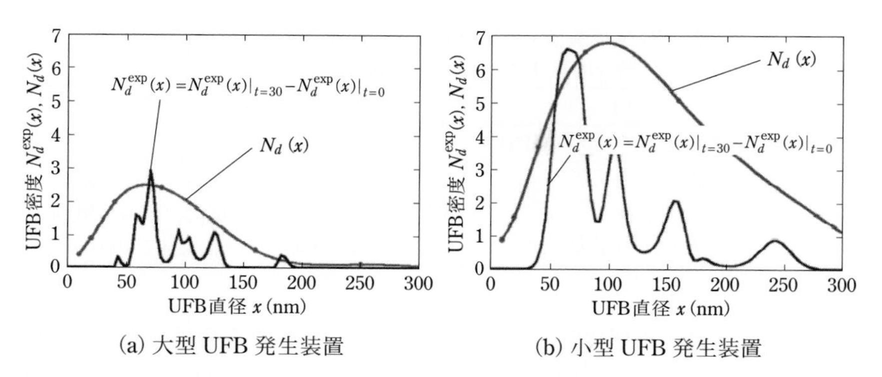

図 6.10.5　レーザー回折・散乱法を用いたナノ粒子解析装置「Nano Sight LM10-HS」による UFB 密度の測定結果 $N_d^{\text{exp}}(x) = N_d^{\text{exp}}(x)\Big|_{t=30} - N_d^{\text{exp}}(x)\Big|_{t=0}$ (30 分間の増加量) と PBM 解析により求めた UFB 密度 $Nd(x)$ の予測値．

の側方散乱光を対物レンズで可視化し，粒子の移動速度から粒径を算出する．レーザー回折・散乱法は粒子トラッキング法と比較し UFB 測定に有効であることが示されている[8]．実験開始前にすでに UFB 密度 $N_d^{\exp}(x)\big|_{t=0}$ が存在しているため，実験 30 分間で生成された 1 mL あたりの UFB 密度 $N_d^{\exp}(x) = N_d^{\exp}(x)\big|_{t=0} - N_d^{\exp}(x)\big|_{t=0}$ を定義し，図 6.10.5 に $N_d^{\exp}(x)$ として示す．なお，図 6.10.5 には，比較のため，気液二層流中のバブルの分裂を，Population balance model (PBM)[9, 10] を用いてシミュレーションすることで得られた結果 $N_d(x)$ も示している．図 6.10.5 に示すように大型装置・小型装置ともに生成された UFB 密度 $N_d^{\exp}(x)$ は，バブル直径 $x = 70$ nm で最大になっている．

図 6.10.6 に，小型 UFB 生成装置における最大せん断応力 $\tau_{\max}$ と $x = 70$ nm での UFB 密度の最大値 $N_d(70)$ との関係を示す．ここで $N_d(70)$ は UFB 密度の代表値として用いる．最大せん断応力 $\tau_{\max}$ が大きくなると，UFB 密度 $N_d(70)$ も増加していく．このことから，最大せん断応力 $\tau_{\max}$ から UFB 密度 $N_d(70)$ を予測できることが示唆された．これより，生成効率に優れるナノバブル装置を効率よく設計できる指針が示された．

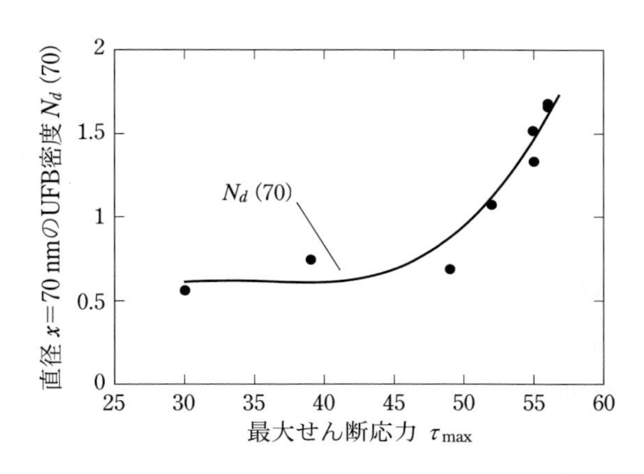

図 6.10.6　小型 UFB 生成装置における直径 $x = 70$ nm における UFB 密度の最大値 $N_d(70)$ と最大せん断応力 $\tau_{\max}$ の関係．

6.10.7　微細気泡 UFB の応用分野について

最近の微細気泡の研究の応用分野を鳥瞰すれば，多種多用な分野でなされている．例えば，環境分野，産業分野，工業分野，食品・水産・農業分野，医療分野等である．具体的内容は環境分野では水処理，水質浄化であり，産業・工業分野では部品・洗浄（工業分野は気泡による油性分除去），機械・加工機の加工部の洗浄・冷却性能および加工効率の向上および燃費低減である．さらに食品・水産・農業分野では，カット野菜等の洗浄，養殖では水質浄化・成長促進，魚介類の鮮度保持，水耕栽培，畜産における環境保全等である．医療分野では，医療器具の滅菌，抗炎症作用や血流促進による生理活性効果等である．しかし，これらの分野での成果は，マイクロバブルでも十分な効果があり，UFB を使う必要性は少ないようである．

そこで，以下では，まだほとんど知られていない医療分野での応用について，特に UFB であることでより効果的になることを中心に述べる．

6.10.8　各種 UFB 液の医療分野への応用について

UFB 液には，殺菌作用があることは 9.9 節で述べた．酸素や空気ナノ液でも殺菌効果があり，窒素ナノ液は，オゾン・ナノ液と同じくらい強い殺菌性がある．

東京医科歯科大学の眞野喜洋名誉教授は，口内炎の発症時に酸素ナノ液で 1 日 2 回うがいをさせたところ 1 ～ 2 回で疼痛が消滅し，潰瘍性病変が 2 ～ 3 日で消失，修復が促進したとしている．また，歯周病への効果として，朝夕 2 回のオゾン・ナノ液によるうがいで，1 週間後には歯牙の部位に無関係に万遍なくポケットが有意に浅くなるばかりか，出血も著しく改善することを報告している．さらにナノ液はその種類と混合比を対象の症状に合わせることで，基本的には生体の有する homeostasis 効果を高め生物学的に正常な平衡を維持するように働くようであり，高血圧，高血糖，高コレステロール等の性状を改善するような機能を有しているとしている．したがって，長期にナノ液を飲用し適度の運動療法と組み合わせることで，メタボリック・シンドローム等の改善予防や生活習慣病の予防にも利用できると説明し，ナノ液を1～5年以上飲用し続けているほとんどのモニターからは，「個体免疫力が高まった」，「体調が良い」，「風を引かない」，「胃腸障害が生じない」，「食用が出た」，「体力がついた」，「熟睡できる」などの報告がきていると述べている．また皮膚疾患であるアトピー性皮膚炎や尋常性乾癬にもナノ効果は大きく，難治性皮膚炎でも完治するケースがあり，これらも自己免疫能が回復した結果であると推量している[11]．

6.10.9　UFB炭酸浴の医療への応用について

炭酸温泉はヨーロッパでは古くから健康維持や治療目的に利用されている．特に，ドイツの温泉療養地の「バートナウハイム」は有名で，炭酸泉の効能・効果を享受しようと世界各地から，毎年多くの人が炭酸泉浴に訪れている．また，ドイツでは高濃度炭酸泉は「療養泉」として，医療機関から生理活性効果があることが認められ健康保険も適用されている．日本では，天然の炭酸温泉は少ないことや炭酸ガスが気化しやすいため，炭酸泉を運んだものでは効能が期待できず，炭酸泉が湧き出す一部の地域のみに利用されている．

近年は，市販の炭酸ガス入浴剤や人工炭酸泉がスーパー銭湯で使用されており，その有効性が知られてきているが，気化しやすいこと，毎日利用できないこと等から効果は限定的で長続きしていない．一方，今回開発した人工炭酸泉は飽和溶解度を超える1,450 ppmを溶解させた5日後でも1,000 ppm未満の高濃度を維持する人工炭酸泉を世界で初めて実現することに成功している．これは，当該グループの装置が，浮力なしのナノレベルの気泡を大量に作れるメカニズムをもっているのに対し，他社製品は，主にマイクロレベルであるため，浮力があり時間とともに気化するからである．

ここで，炭酸泉は以下のように定義される．源泉で25℃以上，お湯1 Lに250 mg (250 ppm) 以上溶解したものをいう．大分県長湯温泉（ラムネの湯）は，400～800 ppm程度，市販の炭酸ガス入浴剤：40℃で50 ppm程度，炭酸飲料（ビール，サイダー等）は，3,000～4,000 ppm程度，天然炭酸泉は，溶解濃度は1,000 ppm程度が限界値であり，飽和溶解後1時間に5～20％

程度気化するので高濃度を維持できないという欠点がある．お湯 1 L に 1 g (1,000 ppm) 以上溶解したものは，高濃度炭酸泉と呼ばれる．

人工炭酸泉は天然の炭酸泉にくらべ，鉄分や硫黄などのミネラルは溶け込んでいないが 1,000 ppm 程度の濃度があると，天然炭酸泉と同じ生理活性効果があることが最近の研究により明らかにされてきた．

6.10.10　病気（ASO の重症化）の原因は老化現象であること

医学教育の基礎を築いたウイリアム・オスラー博士（1849 ～ 1919）は「人は血管とともに老いる」という名言を残している．閉鎖性動脈硬化症（ASO）の重症化の原因は老化現象である．

『血管年齢が若返る「炭酸浴」』の著者[12)]である名古屋市にある偕行会の会長で，循環器系専門医でもある川原弘久医師によれば，「血管が老化すると，血管がもろくなり，血圧の上昇などをきっかけにして詰まったり，破れたりする.」と説いており，さらに，「心筋梗塞，脳出血，脳梗塞はいずれも血管の老化によっておこる病であるため，血流が悪くなると，酸素や栄養がいきわたらないので，細胞や臓器の機能が徐々に低下するし脳にいきわたらなくなると，認知症にもなりやすくなる.」としている．

では，血管年齢を若返りさせるにはどうすればよいか，川原医師は，1995 年透析学会において，重症の閉塞性動脈硬化症（ASO）の患者が炭酸浴治療で劇的に改善したとの研究が発表されたことにヒントを得た．そして，炭酸浴設備を導入し，透析患者や脳血管障害に多発する ASO の治療・研究に従事し，足の切断を宣告された患者，脳血管障害に苦しむ重篤患者の命を救うなど目覚ましい治療効果を報告している．さらに著書のなかで，1 日 15 ～ 20 分の高濃度炭酸浴（足湯）で血管年齢が若返り「健康寿命を延ばすことが可能」であるとしており，図 6.10.7 に示すように，動脈硬化症患者の治療を始めて 3 カ月で著しい改善効果があることを報告している．これは炭酸泉に入浴すると，炭酸ガスが皮膚の毛穴を通じて毛細血管に吸収されて末消血管を拡張させ，血流を促進することで改善されるためである．炭酸泉は普通のお湯（風呂または足湯）に比べ約 3 倍の血流をもたらすと説明している．

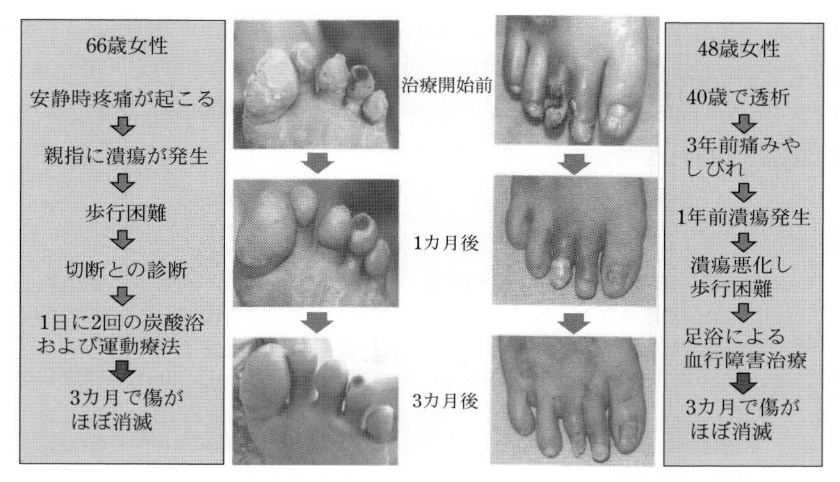

図 6.10.7　ASO 患者の高濃度炭酸浴の治療効果（文献 12）より抜粋．

さらに最近の研究[13]でわかってきたことを以下に記す．

1．血流促進による効能：血液の循環がよくなることにより動脈硬化や心臓病など循環器系疾患の症状の緩和と糖尿病，神経痛・リウマチの疼痛緩和，冷え性・高血圧・肩凝りや血行障害の改善など，幅広い効能が報告されている．

2．褥瘡（床ずれ）治療に有効：床ずれは血行不良などが原因であることから血行促進により改善されることでも注目を集めている．

3．心臓に負担をかけない：心臓に負担をかけずに血液の循環をよくすることができることからドイツでは炭酸泉は「心臓の湯」とも呼ばれている．もともと温泉療法が体によいということは広く知られているが，さら湯の場合は入浴直後に血圧が急上昇し，その後やや下がるものの，入浴後に高めに推移する．そのため高血圧の人は注意が必要である．

6.10.11　炭酸ガスの安全性について

炭酸ガスは皮膚から吸収されて血流により肺に運ばれ，呼吸により吐出する．炭酸泉浴による炭酸ガスの吸収量は，50 mL/分，安静時の肺からの

CO_2 排出量は 200 mL/分，激しい運動時の炭酸ガスの体内生産量は 1,500 mL/分であるから，炭酸泉浴は極めて安全である．また，炭酸ガス濃度は空気中で 5,000 ppm に達すると人体に危険となる．通常は 400 ppm 程度であり，換気扇をつければさらに安全である．

参考文献

1）野田尚昭，任 飛，山本 弥，上田鷹彦，佐野義一，陳 玳珩，高瀬 康，米澤裕二：ハニカム構造体を用いたナノバブル生成装置の設計とその性能，設計工学，**53**-1，(2018)，111-126.

2）㈱ナノクス，（online），available from <http://www.nano-x.co.jp>，(accessed 2015-09-18)．

3）平木講儒：窒素ナノバブルを用いた魚介類の長期保存技術，微細気泡の最新技術，**2**，(2014)，177-183.

4）野田尚昭，高田 翔，川野 凌，翟 洪方，佐野義一，高瀬 康，米澤裕二，梅景俊彦，田中洋征：ハニカム構造体を用いるナノバブル生成法におけるバブル生成密度の考察，設計工学，**56** (3) (2021)，133-148.

5）F. Ren, N.A. Noda, T. Ueda, Y. Sano, Y. Takase, T. Umekage, Y. Yonezawa and H. Tanaka: CFD-PBM Approach for the Gas-Liquid Flow in a Nanobubble Generator with Honeycomb Structure, Journal of Dispersion Science and Technology, **40**-2, (2019), 306-317.

6）野田尚昭，高田 翔，川野 凌，佐野義一，高瀬 康，翟 洪方，任飛，上田鷹彦，米澤裕二，梅景俊彦，田中洋征：ハニカム構造体からなるナノバブル生成装置の生成能力に及ぼす異なるセルサイズと流れ特性の影響，混相流，**35** (2)，(2021)，269.

7）N.A. Noda, H. Zhai, K. Takata, Y. Sano, Y. Takase, F. Ren, R. Kawano, T. Umekage, Y. Yonezawa and H. Tanaka: Flow Characteristics in a Honeycomb Structure to Design Nanobubble Generating Apparatus, Chemical Engineering and Technology, **43**-6, (2020), 1176-1185.

8）S. Maeda, M. Kobayashi, J. Tokuda, T. Fujita, K. Terasaka and S. Kuwabara: Measurement of Nano-Bubble Generated by Nano GALF Using Three Types of Particle Size Measuring Equipment, The Japanese Society for Multiphase Flow Annual Meeting 2011, (2011).

9）T. F. Wang, J. F. Wang and Y. Jin: Population Balance Model for Gas-Liquid Flows: Influence of Bubble Coalescence and Breakup Models, Industrial and Engineering Chemistry Research, **44**, (2005), 7540.

10) L. M. Li, Z. Q. Liu, B. K. Li, H. Matsuura and F. Tsukihashi: Water Model and CFD-PBM Coupled Model of Gas-Liquid-Slag Three-Phase Flow in Ladle Metallurgy, ISIJ International, **55**, (2015), 1337.

11) S. Uesawa, A. Kaneko, Y. Nomura and Y. Abe: Bubble Behavior and Flow Structure on Bubble Collapse Phenomena in a Venturi Tube, The Japanese Society for Multiphase Flow, **26** (5), (2013), 567-575 (doi: https://doi.org/10.3811/jjmf.26.567).

12) 川原弘久著 監修，山田哲也，森山善文：血管年齢が若返る「炭酸浴」，幻冬舎出版，(2014).

13) 真野喜洋：マイクロバブル・ナノバブルの最新技術 II，シーエムシー出版，(2010)，237-245.

6.11　高齢者・障がい者の自立歩行を支援する半自動引き戸装置の開発

6.11.1　研究背景

世界一の超高齢化社会になり介護を必要とする高齢者・障がい者が急速に増えてきている．

総務省の発表したデータから2025年の後期高齢者数を推定すると，団塊世代800万人が75歳に達し，国民の4人に1人が後期高齢者になる．その数ほぼ2,200万人で超高齢社会が定着すると言われている[1)]．要介護，要支援認定者は2000年は218万人で2021年は666万人と介護保険制度開始以来3倍に増えている．認知症患者は2025年で320万人に達すると予測されている[2)]．

掴まり立ちできれば，手摺を伝って自立歩行が可能であり，介護者に頼ることなく，入浴やトイレ，あるいは人との交流のため部屋から部屋への移動は自力で行きたいと強く願うものである．他者の手を借り車椅子に乗せられての移動はできれば避けたい，特に排せつは，世話を受けることが多い分迷惑をかける．掴まり立ちでき手摺があれば，自力でトイレに行き自力で処置したい，人間の尊厳にかかわる行為である．

ケイ・プロダクツ㈱の久保社長は，平成17年に建築に関する各種設計・施工，建設事業コンサルタント等の事業でベンチャー企業を立ち上げて間もないころ，父親の1年間にわたる闘病生活の介護経験で，掴まり立ちで歩行する高齢者，障がい者は，手摺がないところでは先に進めないため，自力で移動できないこと．既存の引戸装置は，手摺りが枠に干渉し開けられないことから，部屋から部屋への移動に自力歩行できないことを痛感した．「部屋」から「部屋」への移動が可能であれば，入浴，トイレは1人で行けるし，介護者の負担も減るばかりでなく介護そのものが不要になるのでないかとの思いをはせ「引き戸装置」の開発を決意した[3)]．3年間の試行錯誤の末に実用性がある世界初の「半自動引き戸装置」を実現した(図6.11.1)．しかし，完成はまだほど遠い状態であること，メカニズムの優秀性とさらなる改良および安全性の検証をしたいとの思いから，筆者（田中）を頼って大学に相談にこられた．社長の熱い気持ちとこれからの超高齢社会に対してなくてはならない開発であるとの思いから，一緒にやりましょうと協力することを強く約束した．しかし，産学連携で開発資金をいただくのは困難を極め5回連続，外部資金の獲得に失敗した．そして6回目に経済産業省の新連携補助事業にやっと採択された．これは資金がない個人企業が開発から事業化まで大学と苦楽をともにしながら10年以上を要した苦闘と努力の事業である．

審査委員から認められなかった要因の第一は，審査委員の理解不足である．審査委員は経済的に豊かで，元気であり，歩くことに不自由しないことから，ある審査委員は「たかが手摺ではないか」車いすで十分であると言われた．他の多くの審査委員も同じような感覚であり必要性を理解してもらえなかったことに尽きる．

自社開発がかなり進んだころ，モニターをお願いした80歳代の女性は，元気で1人歩きができるため，最初は迷惑だなーと思ったそうである．しかし，転んで骨折し，1人では歩きにくくなると，お風呂に入ることやトイレにいくことも嫁の世話に頼ることに悩むようになったが，引き戸装置を付け

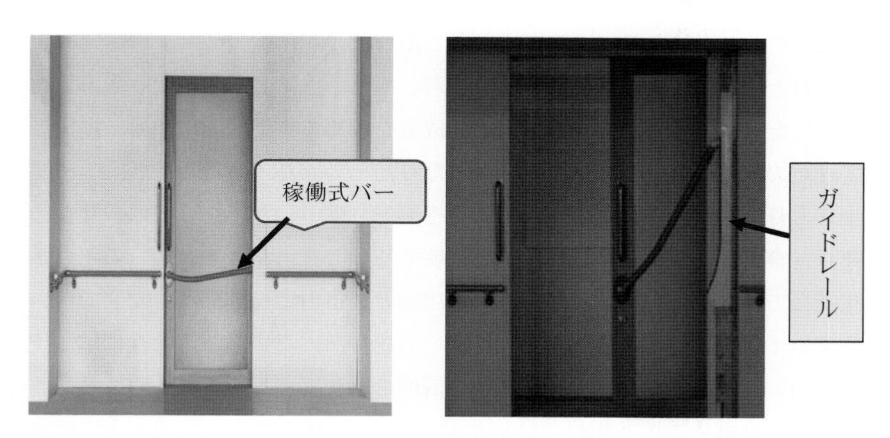

図 6.11.1 自立歩行を支援する半自動引き戸装置．写真左：稼働式バーをゆっくり上に押すことでガイドレール（写真右）に沿ってバーがスムーズに上昇しドアーが開く，閉まるときは自動的に稼働式バーが元に戻る．

たことに元気づけられたとともに，自力で歩けるようにリハビリに励み1年後にはほぼ回復できたと喜びと感謝の言葉を述べられている．さらに5回連続不採択の原因は，「なくてはならないもの」との認識より，「なくてもかまわないもの」との審査委員の認識不足である．これに反し，使ってくれた障がい者の全員が1日でも早く実用化してほしいと嘆願された．しかし，開発資金はない，採択される見込みも暗い．さらに，実用化するには重要部品である稼働式バーハンドル（パイプ）等の量産化が必要である．現在は試作品であるため，手作りによる一品製作でよいが，障がい者・高齢者の多くの方々に使ってもらうためには量産化が必要であるが，協力してくれる企業の目途もなくお先真っ暗であった．社長は，開発の継続性と事業化が見込めないため，袋小路に追い込まれ断念を日常的に考えるようになった．

筆者はこの環境を脱出するため，福岡県の塚本前商工部長（当時福岡県科学技術振興財団専務）を訪ね，住宅建材メーカーである朝倉市の会社を紹介してもらった．さらに，福岡銀行が産学金連携で九州工業大学にアプローチをしてきたので，この事業を紹介し，飯塚市で自動車向けのパイプ加工の専門企業の会社ワイ・ビー・エム（YBM）を紹介してくれた．朝倉の会社もYBMも新規事業を模索しており，社長の提案を好意的に受け止めくれ協力してくれることになり，事業が再び動き出した．

それと同時に審査委員長に事前に理解してもらうことがなによりも重要と判断した．筆者らは，これまで国の助成等を求めて申請書を何十回と提出してきたので，いろいろな審査委員はかなり知っており，顔見知りも多い．提出6カ月ほど前，採択されるためのご指導をお願いしたいを口実に，社長を連れて審査委員長の会社を訪問し，説明する機会を得た．これからの超高齢化社会では，障がい者や高齢者等の健康弱者が自力で歩き回れ，安全で使いやすいインフラ設備が必要であることを力説した．幸い，この会社には，技術に明るい専門家がおられ，こちらの説明を聞いて進言をしてもらえる幸運もあり，理解を得て6年目に経済産業省の平成26年度中小企業・小規模事業者促進支援事業（新連携）でやっと認められた．社長の喜ぶ姿がいまも印象的である．

6.11.2 現状の引き戸装置の問題点

障がい者や高齢者等の健康弱者用の住宅や介護施設，病院等では図 6.11.2 に示すように，介護者なしでもつかまり歩きができるように，廊下全長にわたり手摺が装着されている．しかし，廊下の途中に引き戸がある場合，引き戸のあわされる面に手摺を装着すると手摺りが枠に干渉し引き戸が開かない．よって引き戸の開閉ができなくなるため，通常手摺は装着されていない．このため，手摺なしでの歩行を要する箇所が生じており，健康弱者は自力でトイレや浴室に行くことが困難となり，歩行動線が途切れることから全長をつかまり歩きができないという課題がある．これは，安全性と強度を併せ持つ手摺付き引き戸装置が取り付けられないためであるが，安全で機能的な引き戸製品が社会にないことに尽きる．

図 6.11.3 に，これまでに開発されている類似製品の一例を示す．回転式手摺付き引き戸である．

これは回転棒を引き戸に取り付けたものである．引き戸を閉めたときは，バーを水平にして手摺として使用する．戸を開ける時はバーを 90 度回転さ

図 6.11.2 健康弱者用の介護施設．廊下全長にわたり手摺が装着．しかし，廊下の途中に出入口があり引き戸が設置されている場合．歩行動線が途切れ伝え歩きが困難である．

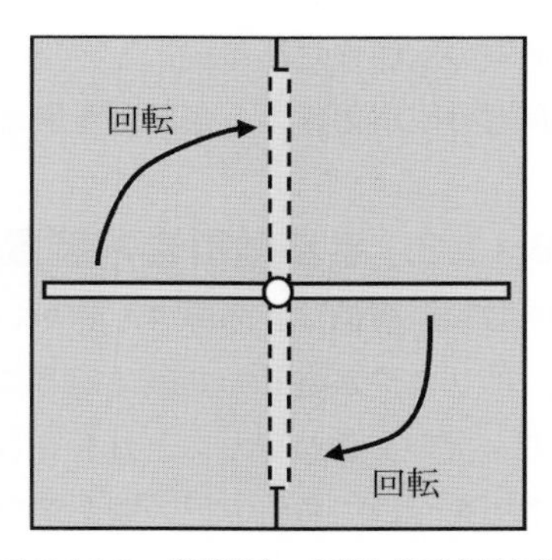

図 6.11.3 類似品．回転式手摺付引き戸．

せ垂直に固定する．問題点は手摺に体重をかけると引き戸がレールから外れ倒れる恐れがあることである．また，水平から垂直へとバーを安全に回転させることが困難である．アイデア商品ではあるが，安全性と機能性に課題があり，ひとりでは安心して使用できないという欠点がある．

図 6.11.4 類似品．跳ね上げ式引き戸用手摺．

図 6.11.4 は，跳ね上げ式引き戸用手摺である．専用のバー取り付けスタンドを採用し，バーを手で跳ね上げて開閉する方式である．強度的には配慮されているが，この手摺の問題点は安全性が基本的に考慮されておらず以下の欠点がある．

- 跳ね上げるため使用者の姿勢が不安定になるし，速度の制御がないので常に転倒の危険性がある．
- 構造的に，建物構造によっては天井に固定できない難点がある（使用者共倒壊の危険性がある）．
- 長期の使用に耐える強度が考慮されていないため破損する可能性が高い．

6.11.3 半自動引き戸装置の課題解決メカニズム

開発する商品は，高齢者，障がい者が自力で容易に部屋から部屋を移動でき，排せつや入浴等を介護に頼ることなく自立生活できるように開発するもので，次のようなメカニズムを有している．

①手摺をつけても引き戸の開閉ができるように，手摺は稼働式バーとガイドレールに別れているが一体的に動作するシステムである．このような一体式の装置は日本初である．

②引き戸を開くには稼働式バーを，右に押すと回転支点を軸としてガイドレールに沿って上方に移動する．

押す力は高齢者・障がい者の筋力の衰えを考慮して3 kg以下でスムーズに上昇するようにした．稼働式バーハンドルは手摺の役を兼ねており，これも日本初である．

③引き戸を閉じる時は，自動でゆっくりと稼働式バーが下がる．引き戸の開閉の動きは，上がるときは手動，降りる時は自動であるためメカニズムとして半自動である．

④高齢者・障がい者が長期に使用するため故障しないように野田研究室で20万回の耐久試験を実施し[4~8]，壊れないことを確認している．

図6.11.5に半自動引き戸装置の稼働式バーの動作の軌跡図を示す．

半自動引き戸装置は稼働式バー（収納式手摺），回転支点A，稼働式バー

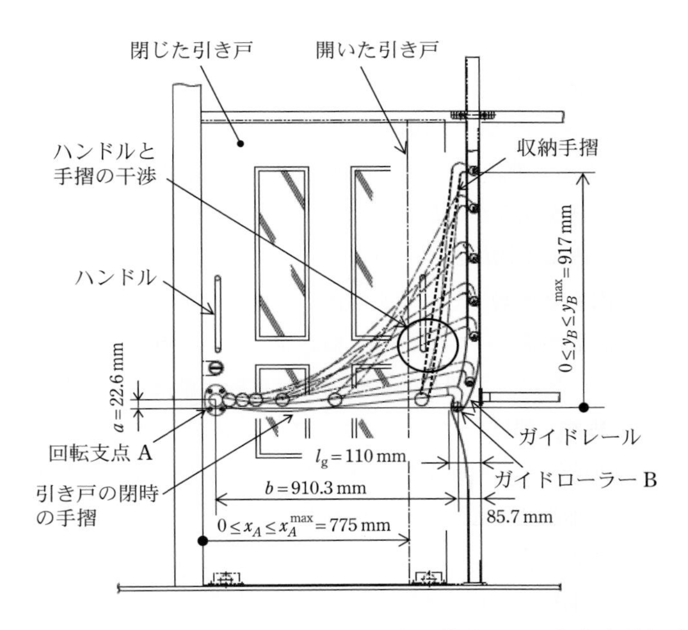

図6.11.5　開発した半自動式引き戸装置（手摺）の軌跡図．半自動式引き戸装置は，引き戸，収納手摺，回転支点A，可動式バー端部のガイドローラBとその転走面であるガイドレールで構成さている．引き戸を閉じた状態で手摺が水平状態．引き戸を開くと手摺は上図に示す軌跡のようにAを軸にしてガイドローラBが，ガイドレールスタンド内部の転走面に沿ってスムーズに上方に移動する．

端部のガイドローラBとその転走面であるガイドレールで構成されている．引き戸を閉じた状態では稼働式バーが水平状態になり，手摺としての機能を果たす．引き戸を開口する動きで，稼働式バーは図6.11.5に示す軌跡のように回転支点Aを軸にして，手摺端部のガイドローラBが，ガイドレールスタンド内部の転走面を上方へスムーズに移動する．

引き戸を閉じる動きは，稼働式バーがガイドレール内部の転走面を伝い，下方へ自動的に移動する．開ける時は弱い力で，閉じる時は自動的に閉まる半自動式がこのシステムの最大の特長である．

開発者の久保社長は，筋力に劣えがある障がい者が容易に開閉できるように，軽量化と稼働式バーの静止角度・形状をどのようにするかに知恵を絞り，ガイドレールを含めた実験を繰り返し，現在の状態に落ち着いたと後に説明してくれた．

また，人間工学の観点から，高齢者が持ちやすい手摺の条件が，高さ710～800 mmであることと，手摺棒が円形断面であり，その直径が32～36 mmである[9]こと，および引き戸の開閉操作をしやすい持ち手が，バーハンドルであることを明らかにした[10, 11]．その条件下での設計過程において，引き戸全開時に直線手摺棒とバーハンドルの干渉が発生した．そこで，独創的な曲線形手摺棒を考案して干渉を解決し，現在の形状となった．

さらに，上記稼働式バーの安全性を検証するため，野田研究室での有限要素法解析の検討の結果，手摺を取り付けた金具周辺部は，いずれも耐久限度線の範囲内にあり，強度的に安全であることを確認した．さらに，20万回繰り返し荷重負荷による疲労試験を行った．その結果，金具取付下部の板材の表面と裏面の両者のひずみとも，繰り返し回数とともに大きな変化は認められず，大きな損傷は生じていないことを確認した[4～7]．

次に，引き戸の開閉寿命の判定として，全閉状態から全開状態までの1往復を1回として，2×10^5回繰り返し，引き戸のレールとローラーの損傷がないことを野田研究室において目視確認した．

図6.11.6は，引き戸繰り返し開閉試験状態を示す．

図6.11.7 (a)は20万回繰り返し開閉試験した引き戸開口力の推移試験結果

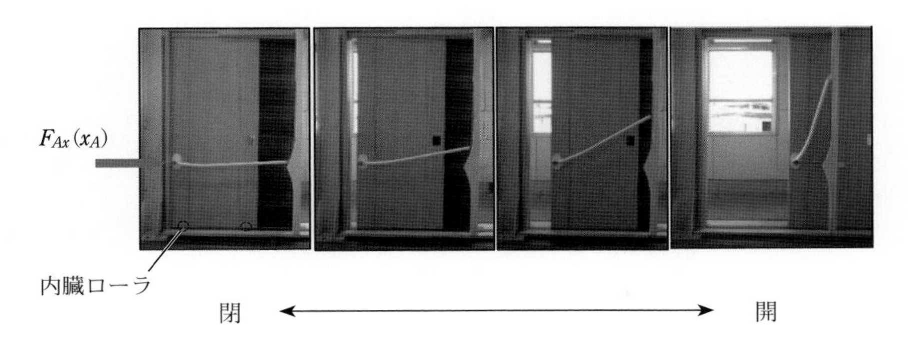

図 6.11.6 引き戸開閉試験装置の開閉状態．20 万回繰り返し開閉した結果，ひずみやき裂の発生は認められなかった．

を示す．

図 6.11.7 (a) に示すように引き戸開口力は 20.5 ～ 23 N で推移し，大きな変化はなかった．

図 6.11.7 (b) ではガイドレールの摩耗変形異常およびローラー異常摩耗はなく，試験作動中の異音もなかった．この試験で JIS 規定 (JISA1513 建具の性能試験方法通則 [12] および JISA1530 建具の開閉繰り返し試験方法 [13]) を満足した．

図 6.11.8 は，左足大腿骨以下に義足を装着した男性高齢者がショールームで行ったモニタリングである．図 6.11.8 に示すように，この男性は通常の歩行はロフストランド杖を使用している．図 6.11.8 (b)，(c) に男性が稼働式バーを使用しているところを示す．この男性は稼働式バー使用後の感想から，障がい者が従来の手摺の途切れた引き戸のところを杖なしで歩くことの大変さと，転倒して骨折することへの恐怖を語っていたが，開発された半自動引き戸装置は転倒への恐怖心もなく自立歩行ができることを喜んでいた．

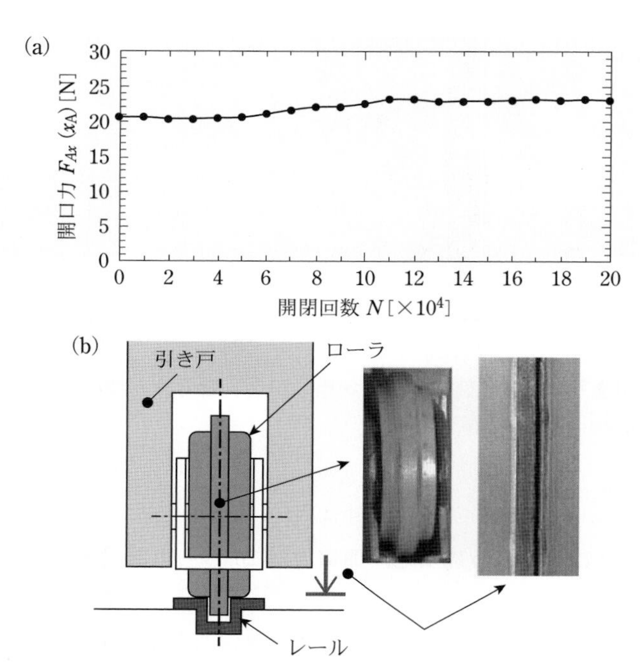

図 6.11.7 (a) 20 万回繰り返し開閉試験の引き戸開口力の推移．開閉力は，20.5 ～ 23 N で推移し，大きな変化なし．(b) 試験後の引き戸レールとローラ．目視では損傷は認められない．

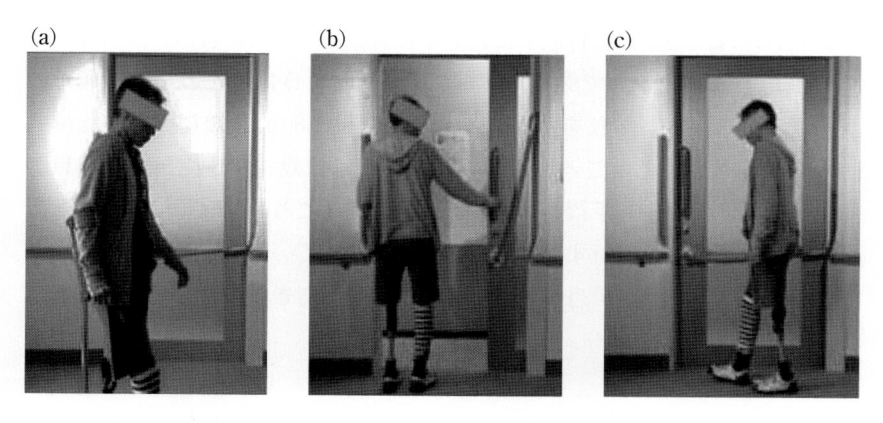

図 6.11.8 片足に障がいを持つ男性高齢者の歩行状況．(a) 従来の杖による歩行．(b) 引き戸開口操作．(c) 手摺伝い歩き．

6.11.4 超高齢化社会の課題

国は増え続ける高齢者・障がい者の福祉政策として，これまでの介護の方針では，増大する社会保障費を賄えずいずれ破たんすることを懸念し，平成23年度より社会保障費削減へ舵をきった．すなわち，在宅介護へ「自立可能な住まいの確保」等の政策を新たに打ち出し，介護なしの自立生活を推進しだした．言い換えれば「健康寿命」の延伸を推進せざるを得なくなっている．

寝たきりとなれば完全介護が必要となる．そうならないために，寝たきりにならないための対策が求められる．その意味においても自立歩行を支援する半自動引き戸装置の開発は極めて有効であると思っている．

6.11.5 自立歩行が重要である理由と効果

自立歩行の維持は，介助される本人のためだけでなく，介助する側の経済的，精神的，肉体的負担を軽減できる．例えば，介助・介護の長期化による老人虐待や老々介護を苦にした自殺の防止，高齢者の孤独死を減少させる．

自立歩行の維持で自立生活を維持できれば，認知症進行の抑制に寄与する．寝たきり老人の減少と増え続ける高齢者医療費の抑制に基づき福祉財政の負担の軽減に寄与する．

6.11.6 アンケート調査の実施

久保社長は，開発中の引き戸付き手摺り装置の必要性を知りたいとの思いから2013年，東京での医療介護機器展 HOSPEX 2013 に出展し医療関係者のみではなく多くの来場者にアンケート調査を実施している．

表6.11.1にアンケートをしてもらった結果を示す．

回答者の87%は引き戸装置の開発は意義があり必要性を感じると回答し，医療関係者は100%が必要性を回答してくれた．

また市場の声（モニターを実施）は自分1人で移動できるようになるので家族に気を使わなくて済む．家族の介護する負担が減るとともに外出できるようになるのでは，と極めて高い評価してくれる声があった．さらに販売の

表 6.11.1　モニター等医療関係者アンケート調査結果.

	ご意見の内容
モニター	自分ひとりで家の中を動けるようになったので家族に気を使わなくてよくなる. 歩けるようになるので外出できるようになる.
モニター家族	1 人で動いてくれるので介護する負担が減った. 祖母が元気になり，家の中が明るくなった.
ハウスメーカー	高齢者・障がい者施設運営事業を積極的に展開していくので採用したい. トイレや風呂場には手摺がついているので，開口部のところに採用したい. リフォームでも介護に対する要望が増えてきた．販売時期を知りたい.
障がい者	これがあれば，家族に迷惑をかけなくて済む. 室内の移動に不安がなくなり，引きこもりが解消できる. 早く実現してほしい．今すぐ必要です.
施設関係者	転倒防止や体力（筋力）低下予防防止など，残存機能を保持でき，介護予防効果がある. 室内・室外両方に設置できるようにしてほしい．他の建材，フロア，腰壁等とセットで PR してほしい.

時期につての問い合わせが住宅大手メーカー数社からあり，高いニーズがあることに開発の必要性を改めて感じるとともに自信を深めた．さらに，半自動引き戸装置の開発にあたり，共同事業社である YBM が本腰をいれて協力をしてくれ，いくつかの技術を共同開発したことは大きな励みになったと久保社長は評価している.

図 6.11.9　独居老人用に取り付けられた半自動引き戸装置.

2021 年にこの事業の初期に手

伝ってくれた斉藤金次郎氏が共著者の一人である野田教授指導のもと学位論文をとることができた[8)]．その過程で発表した論文[4~7, 14, 15)]が福祉事業に進出している大手運輸会社の目に留まり，久保社長のもとに問い合わせがきた．その後はコロナ下で話が中断してそのままになっているが，事業化は2021年に高齢者で一人暮らしの老人用に需要があり，この装置の取り付けが始まるなどやっと動き出してきている（図6.11.9）．

6.11.7　終わりに

人生100年時代の長寿社会が始まっている．筆者の一人は，80歳になった．昨年，ある航空会社より，100歳まで月1,000円の掛け金で死亡時に150万円を支払う保険に加入しませんか，と案内がきた．

このような保険がはじまったことで，人生100年時代の長寿社会を実感したが，そうなれば，子40～50歳，両親70～80歳代，祖父母100歳代で，子が両親，祖父母たちの面倒を看る時代がくるのか，それはまだ想像の世界であるが，健康寿命の持続がキーワードである．改めて歩行機能の維持が人間の尊厳の維持につながると信じている．

健康を保つ秘訣は，6.10節で述べたように血管を老化させないことであることから，筆者らは開発した人工高濃度炭酸泉での入浴と山歩きを実行している．願わくは100歳まで，人に頼ることなく自立した生活をおくりたいと健康の持続を目指している．

参考文献

1）総務省平成28年版高齢社会白書（全体版），人口及び割合の推移．

2）厚生労働省，「介護保険事業状況」報告，月報（暫定版），令和3年2月分．

3）金 憲経，吉田英世，鈴木隆雄，石崎達郎：高齢者の転倒関連恐怖感と身体機能―転倒外来受診者について―，日本老年医学会雑誌，**38**-6,（2001），805.

4）斉藤金次郎，野田尚昭，佐野義一，高瀬 康，村井克成，王 鐸鋒，李 蘇瓊，劉 瀟，田中洋征，久保嘉孝：健康弱者の自立歩行を支援する手動収納式引き戸装置の開発（第1報，引き戸を開ける力のシミュレーション），設計工学，**52**-8,（2017），503-512.

5）斉藤金次郎，野田尚昭，佐野義一，高瀬 康，李 蘇瓊，王 鐸鋒，村井克成，劉 瀟，田中洋征，久保嘉孝：健康弱者の自立歩行を支援する手動収納式引き戸装置の開発（第2報，収納式引き戸の強度解析と実験的検討），設計工学，**54**-12，(2019)，843-854.

6）斉藤金次郎，野田尚昭，佐野義一，高瀬 康：機械構造設計における木質材料強度の考え方，設計工学，**55**-10，(2020)，607-613.

7）K. Saitou，N.A. Noda，Y. Sano，Y. Takase，K. Murai，Z. Wang，S. Li，X. Liu，H. Tanaka and Y. Kubo: Semi-automatic retractable handrail utilizing opening/closing movement of sliding door supporting elderly people to walk independently, Accessibility and Design for All, **11**-1, (2021), 1-19.

8）斉藤金次郎：健康弱者の自立歩行を支援する手摺収納式引き戸装置の強度設計と製品開発，九州工業大学博士論文，(2021).

9）田中眞二，赤澤堅造，布田 健，佐藤克志：高齢者の使用を考慮した引戸の適正な開閉力と操作部形状に関する基礎的検討，生体医工学シンポジウム2004発表(2004)，147.

10）2001年度高齢者対応基盤整備計画研究開発第2編データベース整備（動態・視聴覚特性），人間生活工学センター，210-212，222-229，32-68.

11）八高隆雄，山本圭治郎，小山昌洋，兵頭和人：円筒物体把握における握りやすさの感性評価，日本機械学会論文集C編，**62**(602)，(1996)，3999-4004.

12）JISA1513，建具の性能試験方法通則，日本規格協会，(1996).

13）JISA1530，建具の開閉繰り返し試験方法，日本規格協会，(2014).

14）K. Saitou, N.A. Noda, Y. Sano, Y. Takase, S. Li, H. Tanaka and Y. Kubo: Semi-automatic retractable handrail utilising opening/closing movement of sliding door supporting elderly people to walk independently: proposed and satisfied design specifications for elderly people, Journal of Medical Engineering & Technology, July 8, (2022), 1-17. doi: 10.1080/03091902.2022.2094009.

15）K. Saitou, N.A. Noda, Y. Sano, Y. Takase, Z. Wang, S. Li, H. Tanaka and Y. Kubo: Semi-automatic retractable handrail utilising opening/closing movement of slidng door supporting elderly people to walk independently: Strength analysis of sliding door and experimental verification, Mechanics Based Design of Structures and Machines, Jan 23,(2022), 1-26. https://doi.org/10.1080/15397734.2023.2168692

6.12 海底資源の有効活用のための「ネック」を解決する技術開発

6.12.1 研究背景

海底熱水鉱床は，海底下の水が暖められて上昇し，海底面に噴出したものである．かかる熱水には，多くの有用な金属成分が溶け込んでおり，いわゆる多金属硫化物鉱床で，世界で350カ所程度発見されているとの報告がある[1]．とりわけ，日本の周辺海域においても，（独）海洋研究開発機構（JAMSTEC, Japan Agency for Marine-Earth Science and Technology）や（独）石油天然ガス・金属鉱物資源機構（JOGMEC, Japan Oil, Gas and Metals National Cooperation）等による調査が行われており，図6.12.1に示すように，沖縄トラフ周辺や伊豆・小笠原海域に多数の存在が確認されている[1]．とくに，沖

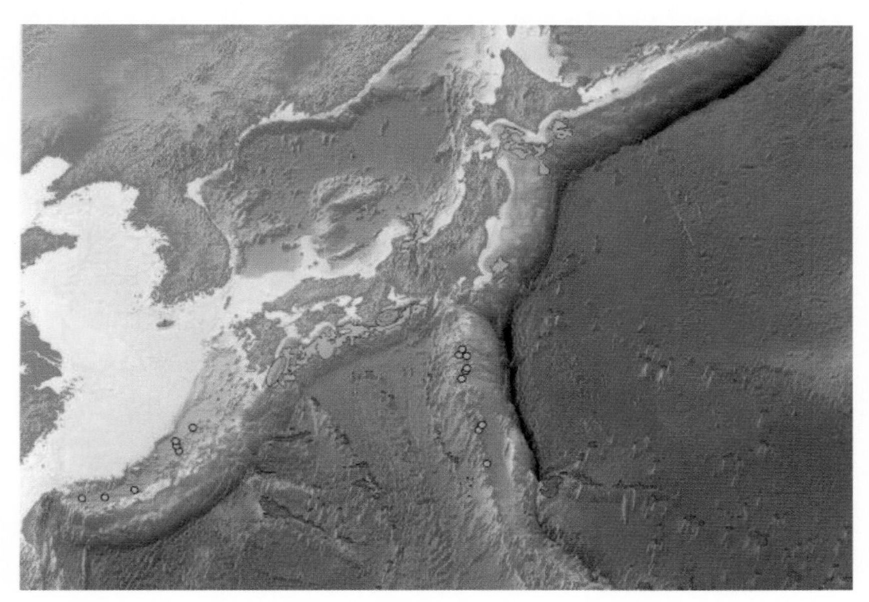

○熱水活動域　●鉄マンガンクラスト※1　○メタンハイドレート※2　○泥火山　●レアアース泥
※1　白井ほか（1994）に基づく
※2 メタンハイドレート資源開発研究コンソーシアム（2009）のBSR分布図に基づく

図 6.12.1　わが国近海の海底資源の分布状況[1]．

表 6.12.1　海底熱水鉱床の鉱石の品位分析結果[2)].

試料	銅（重量%）	鉛（重量%）	亜鉛（重量%）	金（g/t）	銀（g/t）
鉱石①	4.8	15.0	36.8	3.6	820.0
鉱石②	21.1	0.4	0.8	1.1	88.0
鉱石③	26.4	0.5	1.0	0.3	80.0
鉱石④	13.4	2.3	6.7	0.5	141.0
鉱石⑤	1.1	9.9	18.5	1.6	384.0
鉱石⑥	11.0	3.1	10.2	3.3	443.0
平均	13.0	5.2	12.3	1.7	326.0

（分析所：ALS Canada Ltd.）

縄県を中心とするいわゆる八重山列島の海底に，膨大な量の「熱水鉱床」が確認されており，有望視されている．この熱水鉱床とは，海底において，地底から噴き出している熱水が海水によって冷やされて，数千万年あるいは数億年間に，熱水中に含有されている多くの金属成分が析出・沈殿してできた「鉱床」のことである．したがって，その範囲は八重山列島を含む広大な範囲であろうとの推定がなされている．そのごく一部がサンプルとして採取されており，表 6.12.1[2)] に示すように，極めて有用な鉱石であることもわかっている．

このような熱水鉱床による海底資源を有効活用しようとする動きが，すでに今から十年ぐらい前から開始されている[3)]．そして，2015 年には，第一次集大成とも言うべき大掛かりなシンポジウムが開催され[4)]，約 200 名以上もの参加者が確認されている．このような有効成分が豊富に含有されている鉱石を採取し，それらを利活用することによって，わが国への，とくに沖縄県への経済的インパクトは測り知れないものがあると想定される．

次の段階は，鉱石の利活用の実施に移る必要があるが，これに関しては，残念なことに，まったく具体的な進展が見られない．それには，以下のような「技術的課題」が存在しているためであると考えられ，それを解決する方法をここに提言する．

6.12.2　海底資源の利活用のための「技術的ネック」を解決する技術開発

海底熱水鉱床の揚鉱検証の例

表6.12.2に，海底熱水鉱床の揚鉱検証を実施した例を示す[5,6]．これは，あくまでも海底熱水鉱床から鉱石をサンプルとして，揚鉱したもので，商業的に行おうとしたものではないと考えられる．この表に示すように，2017年8月中旬から9月23日までの間，1回当たり数十分以上かけて，計16回で，合計16.4 tfの鉱石を収集している[6,7]．ここに示す数値からわかるように，一応，鉱石は採取することができたけれども，いまだ商業ベースからは程遠いことが理解できよう．それゆえ，連続的にかつ能率よく鉱石を収集することができる技術開発が，「喫緊の課題」であるといえる．

表6.12.2　海底熱水鉱床の揚鉱検証[2]．

(1) 実施機関：JOGMECおよび民間企業から三菱重工業，新日鉄住金エンジニアリング（現 日鉄エンジニアリング），住友金属鉱山，清水建設など7社が企業連合を結成して参加．
(2) 期間：実験は，2017年8月中旬から9月23日．
(3) 目的：沖縄近海で鉱石回収の実証実験を行い，今後の商業化に向けての海底資源の明確な埋蔵量の調査や経済性の評価に資するため．
(4) 内容：水深1,600 mの海底から噴出する金，銀，銅，鉛，亜鉛などが沈殿して形成される海底熱水鉱床から鉱石を回収，鉱石を海底で約ϕ 3 cmに粉砕し，大型水中ポンプを使って，汲み上げ，直径ϕ 10 cmの導管を通じて，洋上の運搬船まで海水とともに引き上げた．
(5) ポンプ形式：ターボ型（遠心）ポンプ採用．1回あたり数十分程度の引き揚げを16回実施し，計16.4 tfの鉱石を回収した．この種のものとしては，世界で初めての実証試験に成功した．

鉱石の利活用のための工程と技術的ネック

一般的に，海底熱水鉱床の鉱石は，図6.12.2に示すような工程によって利活用されると考えられる．ここで示す「上工程」と，「下工程」は何かで規定されているものではなく，筆者（西田）が便宜的に表示したものである．

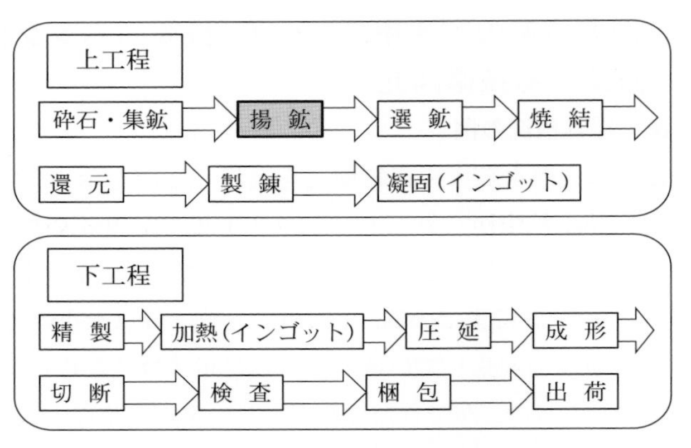

図 6.12.2 鉱石の採取～製錬・出荷までの工程.

例えば，上工程において，揚鉱を除く工程は，既存の技術で十分にカバーできるものと考えられる．さらに，下工程は，インゴットから，種々の「一次製品」までを加工する工程であり，これも汎用技術で解決できるものである．「問題」は，海底からの「揚鉱」作業であり，これが最大のネックであることがわかる．言うまでもなく，海底資源は，海底に眠っている資源である．その深さは場所によって多少は異なるが，海面下 700 ～ 1,600 m と言われている．鉱石は，海面下の底面に堆積していると考えられ，海底で粉砕した鉱石を集めてから，海面上に揚鉱する必要がある．ところが，例えば通常の「渦巻ポンプ[8)]」を利用しようとした場合，回転子である羽根車の耐久性あるいは，鉱石による閉塞問題があり，長期に渡って安定的に稼働させることができにくい[7)]．

そこで，かかる問題を解決するのに，最も有望と考えられる方法を開発・提言した企業とそのやり方について紹介する．

6.12.3 技術的「ネック」を解決する揚鉱システムの提案

技術開発の概要

ジェット・ツィスター・ポンプ(JTP，Jet Twister Pump) および水位差ポンプ(WDP，Water-level Difference Pump) による揚鉱問題の解決[9)]：この技術を開発した企業を紹介する．㈱東亜技研（代表取締役社長 阪本裕司，〒 811-2124 福岡県粕屋郡宇美町若草 2 丁目 5-14，Tel.092-410-8420）である．

通常，ポンプといえば，「渦巻ポンプ」が代表的である．これは，インペラー（Impeller）と称する羽根車を回転させることによって，水にエネルギーを与える機械である．この羽根車（インペラー）は，通常 2 枚の円盤状の間に渦巻型（Volute）と称する複数のらせん状の仕切板を設けている[8]．これにより，羽根車が回転したとき，吸い込んだ水に運動エネルギーを与える構造となっている．かかるポンプを使用して，例えば深海 1,600 m から揚鉱しようとした場合，鉱石と羽根車との接触が発生するために，あたかも砥石で研摩するような現象が起こり，羽根車は長期的な使用に耐えなくなってしまうことが考えられる．さらに，鉱石は比較的狭い羽根車の空隙を通過するために，鉱石の種類または大きさによっては，お互いに干渉して，閉塞状態を発生する恐れも想定されている．いずれにしても，かかる工程において，「渦巻ポンプ」は，長期的に安定した使用に耐えることができないと考えられてきた．そこで，かかる問題をクリヤするために考案されたのが，ジェット・ツィスター・ポンプ（JTP）および水位差ポンプ（WDP）による揚鉱問題の解決である[9]．

本揚鉱システムの特徴

図 6.12.3 に，海底熱水鉱床の揚鉱作業の概念図を示す．まず，ジェット・ツィスター・ポンプ（JTP）とは，「導管」と称する円筒部の一部において，その周辺部の複数孔からジェット噴流（高圧水）を噴出させる．かかる噴流は，導管の周辺部に設置した高圧ポンプから吐出される．また，噴流の吹き出す方向は，円周方向および半径方向にそれぞれ「適切な角度」を設けている．この角度により，導管の内部で流体は回転力が与えられて，その軸方向に大きな推進力で動き出すようになる．導管内で，かかる流体の軸方向の運動に伴い，同時に周辺の物体を吸引することで，目的の鉱石を搬送しようとするものである（図 6.12.4 および図 6.12.5 を参照のこと）．このジェット・ツィスター・ポンプ（JTP）を，必要に応じて，複数個設けることは容易である．

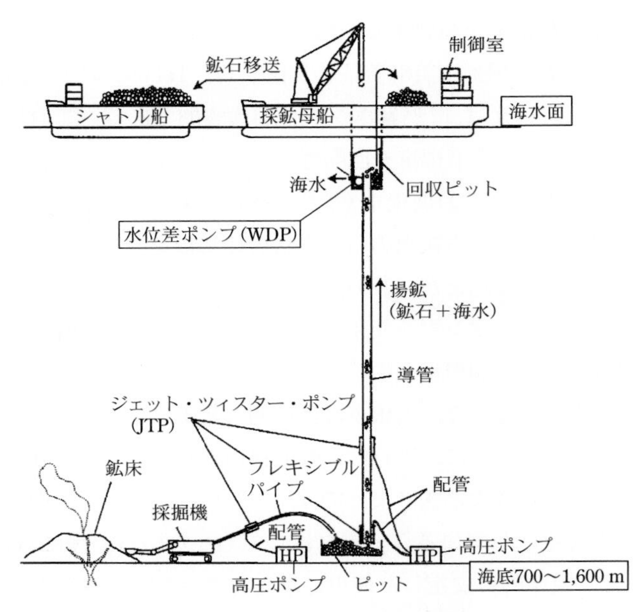

図 6.12.3 海底熱水鉱床の揚鉱作業の概念図.

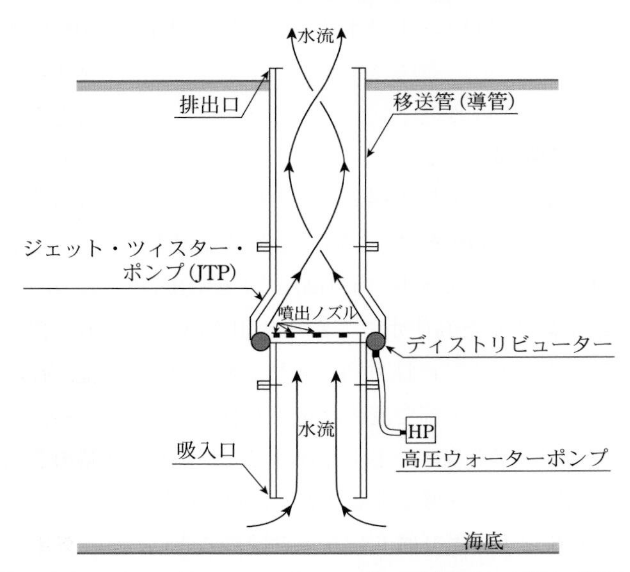

図 6.12.4 ジェット・ツイスター・ポンプ(JTP)の原理の概要.

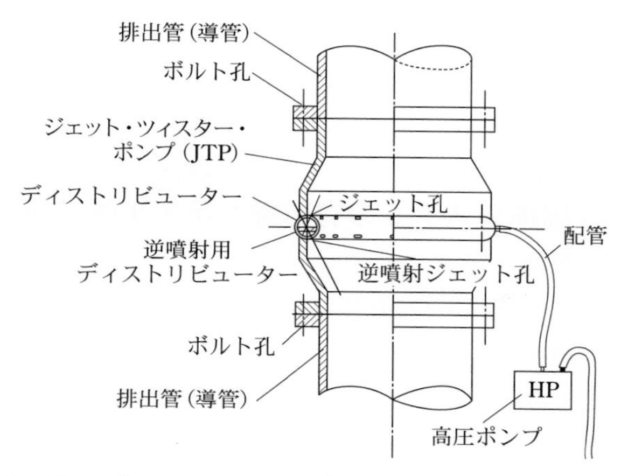

図 6.12.5　ジェット・ツィスター・ポンプ (JTP) の噴出ノズル部の詳細.

次に，水位差ポンプ (WDP) とは，水面と導管の最上部との間に「水位差」を設けることによって，稼働時に外部から何らエネルギーを付与することなしに，液体を汲み上げるシステムである．もちろん，最上部の「回収ピット」に貯まる液体は，適宜汲み出さないと，水位差ポンプ (WDP) の機能を果たさなくなってしまうので，そこでは当然汲み出すためのエネルギーが必要となってくる．この水位差の大きさがポンプ能力に比例すると考えられる．

このように，上記のジェット・ツィスター・ポンプ (JTP) および水位差ポンプ (WDP) の両方またはどちらか一方のみの採用によって，海底から「鉱石」を搬送するシステムとなっている．

この技術の特徴として，以下の点を挙げることができる．

(1) 鉱石は，導管の内部を，円周方向および半径方向から適切に傾斜した噴流の吸引力により，軸方向にほぼ垂直に揚鉱されるために，鉱石による導管の摩耗および導管内での閉塞現象は，ほとんど発生しないと考えられる．

(2) 揚鉱のためのメカニズムが極めて単純なために，稼働時のトラブルの発生の心配がほとんどないと考えられる．

(3) 高圧水によるエネルギーは，揚鉱に使用されるために，効率的にかつ連続的に初期の目的を達成することができる．

(4) 万が一，導管内で閉塞が発生した場合，導管の下部に取り付けられたジェット・ツィスター・ポンプ (JTP) により，逆噴出させることで，閉塞問題をクリヤすることができる (図 6.12.5 参照).

6.12.4 本揚鉱システムの有望性を示す実験結果

揚鉱実験装置の概要

揚鉱状態をシミュレートするために，高さ 5 m，内径 ϕ 1.6 m の水槽を製作した．その外観を図 6.12.6 に示す．この水槽の一部には，外部から内部を観察できるように窓を設けて，そこには透明のアクリル板を張り付けている．また，揚鉱をシミュレートするために，導管として，内径 ϕ 10，40 および 100 mm の 3 種類の透明のプラスチックパイプをセットしており，それ

図 6.12.6 揚鉱作業をシミュレートするための実験装置．内径 1,600 mm，高さ 5,000 mm の水槽を設け，内部に導管 ϕ 10，ϕ 40 および ϕ 100 mm を設置．各導管には，高圧ポンプから複数のノズルを通じて，高圧水が導入されるシステムとなっている．

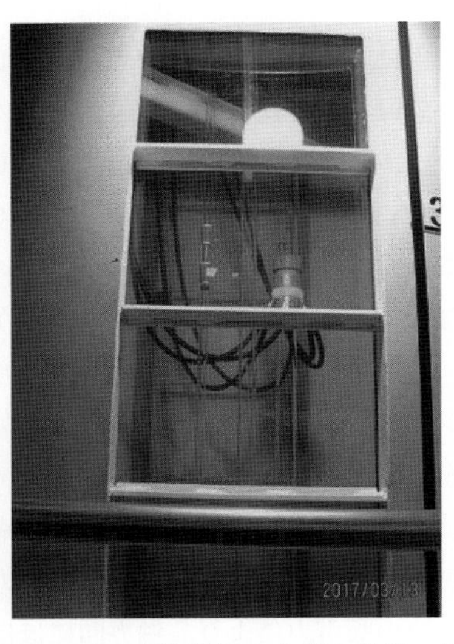

図 6.12.7 実験装置の内部の外観．円筒 (貯水槽) の内部には，左から順に ϕ 10，40 および 100 mm の導管が設置，それぞれの導管の一部にジェット・ツィスター・ポンプ (JTP) のノズルが取り付けられるようになっている．

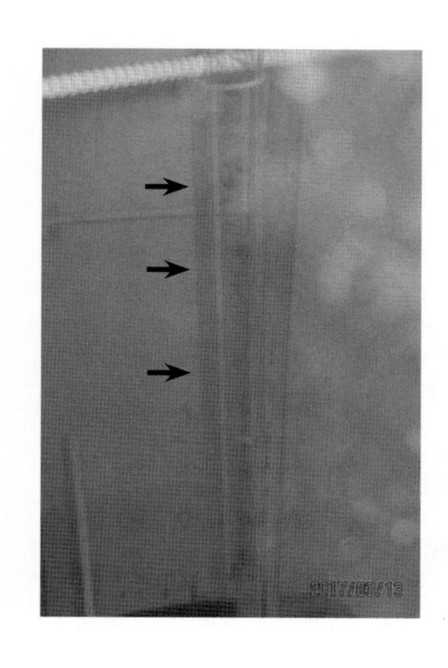

図 6.12.8　揚鉱実験の一部．導管（ϕ 100 mm）の内部を砂礫（ϕ 20 ～ 30 mm，矢印で示す）が上昇している様子が見える．

ぞれ縦方向のほぼ中間部分に，高圧ポンプからホースを通じてノズルに直結されている．各導管には，この高圧ポンプから発生させた高圧水を，複数のノズルを通して導入されるようになっている．

図 6.12.7 に，高圧ポンプから直結されたパイプおよびノズルへの導入外観を示す．鉱石に代替するものとして，砂礫を使用した．その砂礫は，大きさ ϕ 数 mm，10 ～ 20 mm および 50 ～ 80 mm の 3 種類を使用した．この図で，ϕ 100 mm の導管を使用して揚鉱実験を行った砂礫の外観を示す．このように大きな砂礫であっても，簡単に揚鉱実験を行うことができている．さらに，図 6.12.8 に，プラスチックパイプからなる導管（ϕ 100 mm）内を，砂礫が浮上している様子が認められる．

揚鉱実験結果の例

表 6.12.3 に，ジェット・ツィスター・ポンプ（JTP）と水位差ポンプの併用による揚鉱実験の例を示す．実験装置における水深は，約 5 m である．使用ポンプは，㈱鶴見製作所製，機種；型式，HPJ-1060 であり，これは，ジェット・ツィスター・ポンプ（JTP）用に使用した．稼働時の条件は，吐出量 40 L/

表 6.12.3　ジェット・ツィスター・ポンプ(JTP)と水位差ポンプ(WDP)との併用による揚鉱実験.

水深：5 m
使用ポンプ：㈱鶴見製作所製.
機種：型式，HPJ-1060，ジェット・ツィスター・ポンプ(JTP)として使用，40 L/min,
吐出圧力：4 MPa.
水位差ポンプ(WDP)として，－70 cm
推定される流速：JTPによる流速＝約10.6 m/sec
：WDPによる流速＝約2.3 m/sec.
計12.9 m/sec
実験結果:導管はφ40 mm. －5 mの水底からかなりの速度で上昇した砂礫（されき，約φ10 mmの玉砂利）1回の実験で投入した砂礫の量は，約10 kgfである.
注）φ100 mmの導管の場合，φ30 mmの砂礫が浮上していくためには，0.95 m/sec以上の流速が必要[10].

表 6.12.4　ジェット・ツィスター・ポンプ(JTP)のみによる揚鉱の実験.

高圧ポンプの種類：㈱鶴見製作所製，HPJ-1060E3
圧力：5 MPa以上のところ，4 MPaで使用
導管の直径：φ40 mm
ノズル径：φ2.0 mm×3本
流量：約800 L/min（平均値）
流速：3.46 m/sec（流量からの換算値）
噴出高さ：650 mm

表 6.12.5　水位差ポンプ(WDP)のみによる揚鉱の実験.

水位差：－50 cm，導管の直径：φ100 mm
流量：92 L/min（平均値）
流速：1.97 m/sec（流量からの換算値）
水位差のみで，揚鉱実験を実施
砂礫の大きさ：(70～78)×(50～60) mm，[図6.12.7参照]

「仮定」もし，これを高圧ポンプを使用して，揚鉱する場合，
高圧ポンプの流量：45～60 L/min（ポンプ能力から推測）
圧力：5 MPa以上に相当する.

min，吐出圧力 4 MPa である．また，水位差ポンプとしては，水位差 70 cm で実験を行った．その時の推定される流速は，両者で合計 12.9 m/sec である．実験結果として，φ 40 mm の導管に対して，−5 m の水底に置いた砂礫（約 φ 10 mm）は，かなりの速度で吸引されて上昇することを確認できた．1 回の実験で，投入した砂礫の量は，約 10 kgf である．なお，別途机上計算した結果[10] によると，φ 100 mm の導管において，φ 30 mm の砂礫が浮上していくためには，0.95 m/sec 以上の流速が必要であるとのことであるから，導管の直径は異なるかもしれないが，実験の結果は十分な流速であると言えよう．

表 6.12.4 に，ジェット・ツィスター・ポンプ（JTP）のみによる実験結果の例を示す．高圧ポンプは，㈱鶴見製作所製の HPJ-1060E3 で最高圧力 5 MPa のところを，4 MPa で使用した．導管の直径は，φ 40 mm である．高圧ポンプからのノズル数は，φ 2.0 mm × 3 本である．流量は，約 800 L/min で，流速は 3.46 m/sec となっている．この場合，導管上端部から，水の噴出高さは 650 mm となった．

表 6.12.5 に，水位差ポンプ（WDP）のみによる実験結果の例を示す．この表からわかるように，水位差は，50 cm である．導管の直径は，φ 100 mm である．水位差のみによる流量は，92 L/min で，流速は，1.97 m/sec となっている．表 6.12.3 およびここに示す値からもわかるように，これらの流速で充分に砂礫を浮上させることができると考えられる．この水位差のみで，浮

図 6.12.9　φ 100 mm の導管による揚鉱実験．

上させた砂礫の外観写真を図 6.12.9 に示す．砂礫の寸法は，いずれも (70 ～ 78) × (50 ～ 60) mm であり，実証試験における鉱石の寸法よりも大きい．なお，この水位差ポンプ (WDP) を，高圧ポンプを使用して揚鉱する場合に換算すると, 流量 45 ～ 60 L/min, 吐出圧力 5 MPa 以上に該当すると考えられる．

以上，述べてきたように，海底からの熱水鉱床の揚鉱に際しては，ジェット・ツィスター・ポンプ (JTP) および水位差ポンプ (WDP) の両方またはどちらか一方のみによっても，砂礫を容易に浮上させることができることを実証してきた．現実的には，ジェット・ツィスター・ポンプ (JTP) が，主力ポンプとして稼働し，水位差ポンプ (WDP) は，使用しないか，あるいはエネルギー節約のために，補助的に使用されるのではないかと想定している．いずれにしても，後者の水位差ポンプ (WDP) は，見かけ上，稼働のためのエネルギーを必要としないので，極めてユニークなポンプ・システムではないかと考えられる．

本揚鉱システムの特徴

すでに述べてきたことなどから，容易に理解できると考えられるが，ここで改めて本揚鉱システムの特徴をまとめてみよう．その結果を表 6.12.6 に示す．この表からわかるように，主な特徴を 5 つ挙げている．

(1) 本揚鉱システムは，導管，高圧ポンプおよびこれに直結した複数のノズルから構成されている．このように，使用する機器は，極めて少ないので，

表 6.12.6　本揚鉱システムの特徴．

(1) 本揚鉱システムは，導管，高圧ポンプおよびそれと直結した複数のノズルから構成されている．
(2) 簡単な原理に基づいているために，エネルギー的にも効率的であると考えられている．
(3) 鉱石は，導管を素通りするので，導管との摩擦や導管内での閉塞等のトラブルの恐れがない．
(4) 鉱石を連続的に揚鉱可能である．
(5) 揚鉱の距離や高低差などに制限がない．等．

揚鉱に際しては，コスト的に有利であると考えられる．

(2) 簡単な原理に基づいているために，エネルギー的にも効率的であると考えられる．すなわち，ランニングコストを低く設定することができると考えられる．

(3) 鉱石は，導管を素通りするので，導管との摩耗や導管内での閉塞等のトラブルの恐れがない．さらに，メンテナンスにかける費用を極めて安く設定できるので，実用化に向けて優位性を保つことができると考えられる．

(4) 鉱石を連続的に揚鉱可能である．したがって，稼働率を高く設定できるので，揚鉱に際してかかる費用を低くすることが可能となる．

(5) 揚鉱の距離や高低差などに制限がない．実用化に向けての実証化試験を行う際においても，その費用の見積り等を低く，かつ信頼性の高い数値でもって，行うことができると考えられる．

6.12.5 本揚鉱システムの主な用途

表 6.12.7 に，本揚鉱システムの主な用途の一覧を示す．

(1) 沖縄県近海の海底に認められた熱水鉱床の利活用がターゲットであった．しかし，その存在は，海底面下 700 ～ 1,600 m という深海からの揚鉱作業を伴うために，その実現までには多くのクリヤすべき課題が横たわっている．沖縄県には，海底熱水鉱床が発見された当初から，地元の有志か

表 6.12.7 本システムの主な用途．

(1) 海底からの鉱物資源の揚鉱
(2) 池に落下したゴルフボールの回収
(3) 港湾，河川，ダム等の浚渫
(4) 水中養殖植物の効率的移送
(5) 水環境繁茂雑草の除去
(6) 海底の珊瑚を覆う砂礫の除去
(7) 海底火山の噴火に伴い発生した軽石の除去
(8) ウニ，ヒトデ等の除去と利活用
(9) ヘドロの除去による環境改善，等．

らなる「研究会」を発足させ[3,4]，鋭意その実現に向けて努力を重ねてきているが，いまだ具体的なスケジュールも作成されてはいない．そのために，一朝一夕に実現されるのは，ムリであると判断し，まずは，より手軽に実現できるターゲットを見つけて，それらに向けて鋭意努力するようにと考えている次第である．

(2) 周知のごとく，ゴルフ場では，池が配置されており，ゴルフプレイヤーがゴルフを楽しんでいる最中に，ゴルフボールを池に打ち込む例は珍しくはない．そこで，定期的にゴルフボールを回収する必要があるが，その仕事は意外と重労働のために，希望する作業従事者が現れにくい．例えば，ϕ 100 mm の導管に，小型の高圧ポンプをセットすることで，比較的簡単にゴルフボールを回収することが可能となる．

(3) とくに最近，気候変動が激しく，港湾，河川，ダム等において，多くの土砂が流れ込んでいるため，浚渫を必要としているところが増加している．手軽に浚渫を行うために，本揚鉱システムの転活用が期待されている．さらに，

(4) 養殖の鯛を輸送のためのトラックに移し替えようとした場合，1 匹ずつ網ですくって，荷台に設けたプールに運ばなければならなかった．導管と高圧ポンプとの組み合わせによるシステムで，効率的に移し替えをすることが可能となる．

以下の (5) ～ (8) については，説明が不要と思われるので，ここでは詳述を省略する．

6.12.6 まとめ

以上，述べてきたことを以下のごとく，総括することができる．

(1) 海底熱水鉱床を利活用するための最大のネックは，揚鉱過程にある．揚鉱を，簡単な原理で，商業的に適用できる技術開発が決め手となると考えられる．

(2) 本節で言及してきた導管と，高圧ポンプから導入された複数のノズルからなるジェット・ツィスター・ポンプ (JTP) および付加的に水位差ポンプ

(WDP)とにより，上記揚鉱問題を解決する切り札となると考えている．

(3) (2)に示す方法は，導管の中を鉱石が通過するシステムのため，渦巻ポンプのような羽根車を採用する場合に予測されるような摩耗や閉塞問題の発生は考えられない．

(4) 上記のシステムは，単に揚鉱作業だけでなく，身近に存在する種々の問題点の解決のためにも利活用することが期待できる．

謝　辞

本事業の一部において，㈱テラル（取締役技術部長 関本正明氏）からご支援をいただいた．ここに記して，厚くお礼申し上げます．

参考文献

1) (独)石油天然ガス・金属鉱物資源機構（JOGMEC, Japan Oil, Gas and Metals National Cooperation）発行，パンフレットによる．

2) 琉球大学，産学官連携推進機構，海洋資源利用と支援拠点形成に向けた可能性調査事業報告書，(2015.3)，pp.84.

3) 2012年10月6日，第1回融資による沖縄近海における海底資源開発調査事業に関する情報交換会．

4) (社)OSR，未来をひらく海底資源シンポジウム2015，(2015.11.29)，場所，沖縄県産業支援センター大ホール．

5) 経済産業省ホームページに公表(2017)．http://www.meti.go.jp/press/20170926001/20170926001.html

6) 例えば，毎日新聞朝刊，2017年9月27日(水)，6面．

7) 私信，(2017.10.5)．

8) 例えば，日本機械学会，機械実用便覧，(昭和62)，pp.513.

9) 阪本裕司，西田新一：ジェット・ツィスター・ポンプとそれを備えた資源回収装置，特許証特許第6789556号，令和2年11月6日．

10) 福岡県工業技術センター，機械電子研究所，流体研究Gr.による試算，(2018.2)．

(注) 上記3)の「情報交換会」は，4)「海底資源研究会」→「OSR，(社)沖縄資源開発機構，Okinawa Seabed Resources Industrial Development Organization，(2015年7月1日発足)」へと体制充実．

7
総　括

本著は，産学連携の必要性についての理解を得た後に，産学連携をぜひ行ってみようと志す研究者・技術者達への指針として，活用していただきたいとの思いから上梓に至ったものである．したがって，その内容は実用的な観点からまとめたもので，でき得る限り必要にして充分な項目を網羅したいと考えてきた．

7.1　経済的に失われた 30 年間

すでに述べてきたように，わが国では，明治維新以後，「富国強兵」を合言葉に，ひたすら欧米先進国から技術の導入政策を取り続けることにより，従来の農業や漁業などの一次産業中心から工業化への転換をはかり，国力ひいては軍事力の増強を推進してきた．さらに，第二次世界大戦後は，敗戦により一面の焦土と化し，すっかり荒廃してしまっていた国土にもかかわらず，まずは生きていくために必要不可欠な衣食住の確保が叫ばれ，農業，漁業，林業等の「**第一次産業の復興**」がなされてきた．続いて，繊維，紙・パルプ，セメント等の「**基礎資材産業**」の復興・育成に努めてきた．さらに鉄鋼，造船，機械，電気，化学等のいわゆる経済的に豊かになるための「**主要産業の台頭**」を推進してきた．とくに，後者の場合などは，わが国産業の根幹を成し，今日の経済発展の原動力となっていったので，「**基幹産業**」と呼ばれ，世界に名だたる諸産業が育っていき，わが国を GDP（国内総生産，Gross Domestic Product）で世界第 2 位の経済大国にと押し上げることに大いに役立ってきた（現在は，世界第 3 位）．さらに，自動車，エレクトロニクス，精密機械，情報（IT）等の「先進型産業」が続くことで，日本がとくに経済面で先進国として，世界的に認知され，貢献してきたのは周知のとおりである（図 1.2[1,2] 参照）．

このように経済的に著しい進展を，まさに国民総出のごとく一丸となって推進してきたお陰で，経済的にもゆとりが生まれるようになってきた．そして，一人当たりの収入も大幅に増加し，その一方で高くなった人件費のために，国内で生産する場合，海外であるとくに東南アジア等の製品とでは価格競争に勝てなくなってしまい，しきりに海外生産が主流になってしまった．すなわち，製造業の海外流出が問題になったくらいである．それゆえ，わが国の労働者の給料は，世界中でも最も高額になっていると思っていたし，世間の人達もそう見做していたのではないかと考えられる．ところが，実はそうではなかったということを知って，正直のところ愕然としている．

図 7.1 に，主要先進 7 カ国における 2020 年の収入の比較を示す[1]．この図からわかるように，先進 7 カ国中では，最低の収入となっている[1]．この

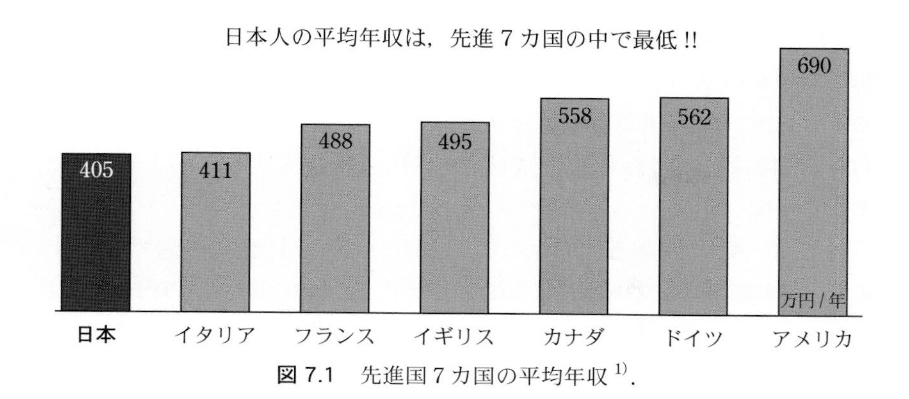

図 7.1 先進国 7 カ国の平均年収 [1].

図を見て，多くの日本人は「信じられない !!」という印象を持つのではなかろうか．つい最近まで，日本人の人件費が高いために，とくに製造業を中心として，中国などの東南アジアに生産拠点を移してきた，という事実が明白に存在していた.それゆえ，いまだに多くの日本人は，我々の受取っている給料が，世界トップレベルの高さを維持していると思い込んでいるのではなかろうか．ところが，事実は，そうではなくなってしまっており，お隣の韓国にすら水を開けられているのである．

表 7.1 に，平均給料国別ランキング (1 ～ 20 位) を示す [2]．これは，2017 年の比較と考えられるが，この表からわかるように，日本は 18 位となっており，決して高いレベルにあるとは言えない．

表 7.1 平均給料国別ランキング (1 ～ 20 位)

順位	国	平均給料
1 位	スイス	1,073 万円
2 位	ノルウェー	921 万円
3 位	ルクセンブルク	899 万円
4 位	デンマーク	835 万円
5 位	オーストリア	791 万円
6 位	アイルランド	767 万円
7 位	オランダ	685 万円
8 位	アメリカ	645 万円
9 位	ベルギー	641 万円
10 位	カナダ	638 万円
11 位	スウェーデン	624 万円
12 位	イギリス	614 万円
13 位	フィンランド	608 万円
14 位	オーストラリア	599 万円
15 位	ドイツ	547 万円
16 位	フランス	541 万円
17 位	イタリア	431 万円
18 位	**日本**	**429 万円**
19 位	イスラエル	408 万円
20 位	スペイン	403 万円

注）1 ドル = 113 円 (2017 年 12 月時)

また，図 7.2 は，国別年収ランキング (2020 年のデータ) である．これは，2000 年からの 20 年間で，1 位のアメリカと 2 位のアイスランドはともに約 25%も上昇，3 位のルクセンブルクと 4 位のスイスはともに約 15%の上昇，お隣の韓国は約 44%も上昇しているのに対して，日本は 0.4%の上昇にとどまっている．

例えば，メディア報道 3) によると，「出稼ぎに行く日本人」というタイトルで，美容師がオーストラリアで働くことで，これまでの 3 百万円 / 年が 8 百万円 / 年に，また寿司職人が米国で働くことで給料が約 3 倍にもなり，5 年間働いて店も持つことができたとのことである．これらは，給料の安い日本人の象徴的な話ではなかろうか．

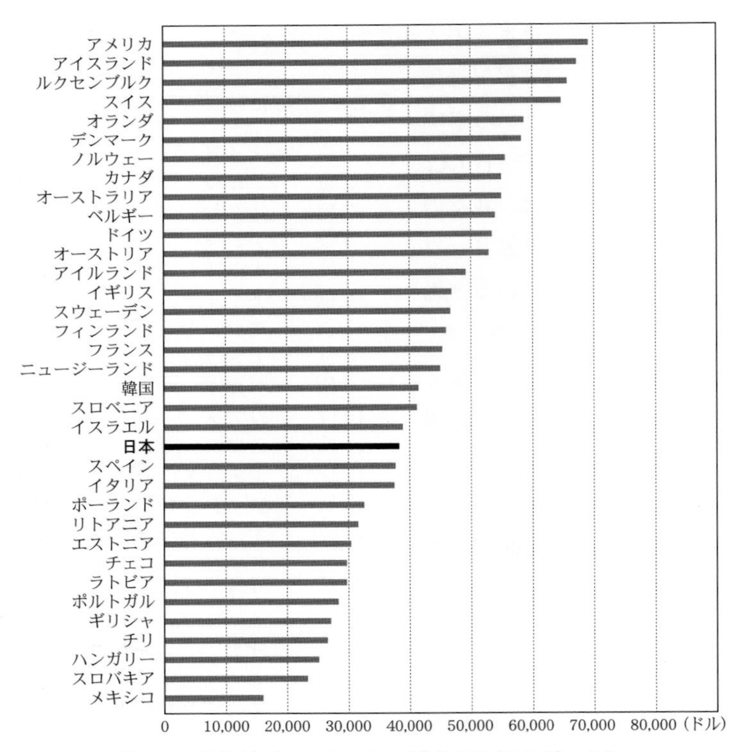

図 7.2 国別年収のランキング (2020 年のデータ)．

7.2　なぜ，経済的に失われた 30 年間が生じたのか

現在においても，なお多くの日本人は，その年収が世界的レベルを維持していると思い込んでいるのではなかろうか．しかし，事実は，図 7.3 に示すように，日本人の年収は，ほぼ 30 年間ほとんど上昇していないのである．なぜ，このようなことが生じたのであろうか．

図 7.3 に，先進 7 カ国の平均収入の年代別推移を示す[2)]．この図からわかるように，2000 年頃から，あるいはそれ以前から，わが国を除いた他の国々の収入は，右肩上がりであるのに対して，わが国の場合はずっと横ばい状態である．イタリアの場合は，わが国の場合に類似しているが，過去数年間で上昇に転じたものと考えられる．

なぜ，このようなことが起きたのであろうか．その疑問に対して，わが国の「雇用スタイル」が原因であるとの指摘がある．すなわち，「終身雇用」と

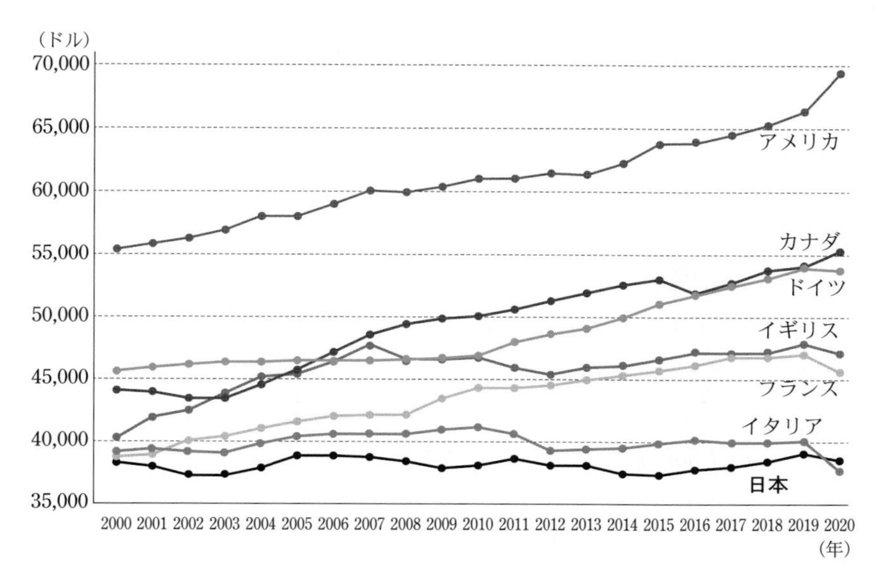

図 7.3　わが国の年代別年収の推移 (先進国と比較)[2)].

「年功序列」の人事制度である．確かに，このような勤務体系であると，とくに若い人達にとって，いくら一生懸命に働いても，それ相応には報われないので，適当に働けばよいのではないか，というような気持ちにさせられるかもしれない．しかし，一方では，少なくとも定年までは「雇用」が保証されているので，短期的に成果を上げることは必ずしも必要ではなく，腰を落ち着けて仕事に取り組むことができるので，基本的観点から問題点解決に取り組むことができるのも事実であろう．さらに，会社の経営者も，欧米のような「期限付きの雇われ経営者」がほとんどいないので，長期的視野に立って会社運営を遂行することも可能であると考えられる．

一方で，戦後荒廃してしまっていた産業を復活・復興させて，世界第二位の経済大国にまで，成長を遂げてきたという自負心と安心感からか，国民の多くは満足感を享受し，経済システムにおいて「動脈硬化」現象が発生したのかもしれない．さらに，会社においては，万が一の場合に備えてせっせと「**内部留保**」に努めて，社員への給料アップに疎かになっていた．また，雇用システムも，従来の「正社員」と働く時間を選択できる「非正規社員」という二重構造を進めてきた．確かに，働きたいときだけ働ければ，というような人もいることはいるが，この非正規社員の増加が，日本人の給料アップの妨げとなってきたことは否めない．この非正規社員の増加は，時間さえ働いていれば良いとの考えが基本的にあるので，社員の質の向上への努力を損なってきたのではないかと想定される．また，会社全体としての人件費抑制にはつながっては来ているが，その「生産性向上」という観点から，貢献してこなかったと考えられる．

すなわち，わが国において，戦後「猛烈社員」で代表されるように，「働け，働け」とがむしゃらに働いてきて，まさに右肩上がりに経済成長を遂げてきた．そして，GDP が世界第 2 位の経済大国にまで，成長することができた，という満足感からふっと肩の力が抜けてしまい，右肩上がりが「水平」になったというだけのことではないかと考えている．確かに，これまで美徳と考えられてきた「終身雇用」と「年功序列」の人事制度もこれに関与したかもしれない．それに付け加えて，収益の一部を内部留保に注ぎ込んできたこと，さらに会社の社員を正社員と，人件費節約のための非正規社員の「二重構造」にして，非正規社員の割合を増やしてきたこと，等．これらのことなどが，**「経済的に失われた 30 年間」**と呼ばれる，給料の上昇を妨げてきた主な要因ではなかろうか，と考えている（表 7.2 参照）．

表 7.2 先進 7 カ国中，日本の平均年収額が最も低い理由．

(1) 労働組合の弱体化
(2) 非正規雇用者割合の増加（4 割弱）
(3) 少子高齢化
(4) 企業の内部留保の増加（460 兆円以上，万が一に備えるため，経営者が先行き不安感）
(5) 規制緩和の遅れによる賃金の低迷
1997 年：467 万 3 千円をピークに低下（指数：100）
2017 年：432 万 2 千円，2022 年現在：「失われた 30 年間」
他の先進国は，すべて 15.3 ～ 38.4％上昇，
日本のみ　−10.3％（もし平均並みに増加，584 万円に）
∵国際競争力の低下←「技術力」のさらなる向上

7.3　経済的に一流国に復帰するためには

長くわが国の雇用制度の美点といわれてきていた「終身雇用」や「年功序列」システムに伴うデメリットを是正するために，徐々に改善されるようになってきている．例えば，一般社員の場合，ある程度年齢を経た場合，そのまま会社に残って業務を続けるか，あるいは早期に退職して他に仕事に就くか，といった選択制度を採用している会社もある．また，55歳になるとすべての管理職社員は，その肩書がなくなり一般社員として，定年まで働くことができるというシステムの会社．さらに，ある年齢になると，関連会社に出向，または移籍するシステムを採用している会社など，一応，雇用は維持しているが，年功序列が事実上崩れてしまっている場合も珍しくはない．また，年齢を経るにつれて，かつての部下がいつの間にか上司になっていたという例もある．これは，いわゆる年功序列に伴う高齢者の給料の上昇を是正する意味も含まれているが，同時に年金支給年齢の遅延化に伴う苦肉の策ともいえないこともない．かかる意味で，年功序列制度もなくしている会社も存在している．しかし，完全には「終身雇用」および「年功序列」システムがなくなってしまったわけではない．かかる状況のもと，わが国の社員の給料をもっと先進国並みの高給に上げるにはどうしたら良いのであろうか．以下の二つのことを提言したい．

その一つは，個々の「**社員の能力アップ（リスキリング，Re-skilling，学び直し）**」を計ることである．すなわち，できるだけ元気な時期に，自分自身のスキルアップを計り，他の社員には見られないような「技術」を身に付けておくことが，高給で雇用され続ける一つの方法であると考えられる．すなわち，他の社員との「差別化」である．そのような技術を身に付ける方法の一つとして，業務の傍ら，どのような能力が重要であるのか，見極めることである．そして，それに対して，どのようにすれば，最も効果的に目的に達することができるのか，よく考えて，「**創意工夫**」そして「**実行**」することに尽きると考えられる．このように，他との「差別化」された能力を有する人材がいれば，当該の会社としては，重宝せざるを得なくなるし，そのように重宝されている社員が在籍している会社には，自然と高い能力を有する人材が，さらに集まってくるようになる．また，万が一そのような人材を会社が大切に扱おうとしない場合，その能力で会社の外に出ても十分に通用するので，個人で事務所を開いて働いても良いし，あるいは他の会社でその能力を生かすようにすればよい．

次に，個人的には能力アップを図ることは比較的簡単ではあるが，個人での生産性向上には限界がある．そこで，同じような考え方の者達が集まって，「**生産性向上委員会（仮称）**」を立ち上げて，会社の生産性を大幅にアップするにはどうしたら最も効果的かを検討することである．なお，ここで意味する生産性とは，量産化を計って，コストダウンする意味とは限らない．要するに，今まで以上に「**付加価値を上げること**」が生産性向上を意味すると解釈していただきたい．いずれにしても，生産性を上げなければ，社員の給料も上げることは困難である．先に，社員の給料を上げることで，やる気を向上させてから生産性を上げる方法もないことはないが，思うようにいかなかった場合，会社のピンチを迎えることとなり，この方法は勧められない．「生産性向上委員会（仮称）」で，提言されたいくつかの「案」うち，最も効果的と思われる方法について，実行に移すべきである．ここで，「効果的」との判断は，「コスト最低」で，効果が「最も大きい」ものをあらかじめ評価を下しておけば，自然とその順番通りに実行していけば良いので，社内的に何らもめることは少ないであろう．もちろん，この案の中には，**産学連携による生産性向上法**も含まれていることを期待したい．例えば，会社内で発生するすべての課題を社内の人員だけで解決しようとしても，自ずから限界が存在する．適宜，社外の能力（ここでは「学」の力）を借りることが，生産性向上に寄与すると考えられる．一方，学においても，より高度な有用な研究成果を挙げようとした場合，研究費の裏付けが必要となる．研究費は，国や地方行政などからのものを期待することができるが，必ずしもそれだけでは十分とは言えない．そのためには，産との連携が欠かせない．すなわち，会社として，できるだけ「**技術力**」**を向上**させることである．技術力が伴っておれば，他社が真似のできないような，すなわち付加価値の高い商品を販売することができ，生産性向上を達成することが可能となる．

このように，個人においては，スキルアップを図ること，そして会社全体としては，生産性を向上させること．そして，収益が上がったら，直ちに社員に還元していくこと．社員の給料が上がれば，それに伴って，国内における消費が活性化されることにつながる．すると，社員はますます働く意欲が増して，会社への貢献度が増し，生産性向上，社員の給料アップ，ひいては購買意欲が増強されてきて，国全体として「**好景気の循環**」を引き起こすことにつながる．

7.4　本著の総まとめ

以上のような前提に立って，本著の内容について総括を試みることにする．総括においては，とくに本著の「特長」ともいうべき具体的事例を集約している第6章に焦点を当てて，以下のごとくそれぞれの「要旨」を提示したい．

(1)　食品用サニタリー新型ガスケットレス管継手の開発：

パイプとパイプをつなぐ管継手は内部の気体や液体の漏れを防ぐために，通常パッキンが挿入されている．しかし，パッキンは使用することで，熱等の環境因子から経年劣化し，いずれ，漏れが発生する．すなわち，食品用の配管や継手は薬品，熱水，水蒸気等により殺菌を毎日定期的に繰り返し実施しているし，多品種の飲料等を扱うプラントでは，香りを除去する必要があり洗浄工程を必要としている．このようなことからパッキン不用の継手は極めて有用である．パッキン不要の継手の開発は，継手部に円形の突起と切り込みを設けて，ばね効果を利用して気密性の高いガスケットレス継手を開発した．（野田）

(2) インテリジェント力制御を用いた木材研磨ロボットシステムの技術開発：

福岡県大川市に日本最大の家具業界がある．家具の製造工程で最も重要であるが作業者に嫌われる仕事は，NC 加工後の木地研磨と塗装後の塗膜研磨である．研磨と塗装を何度も繰り返して仕上げていくが，粉塵が舞うこと，塗料が有機溶剤であることから典型的な 3K の現場である．このようなことから，家具業界においては木材の 3 次元研磨ロボットの開発は長年の悲願であった．そこで，パソコンから制御可能なロボットコントローラを使って，工具を位置制御しながら，力制御を併用することで磨きを行う習い制御システムを開発した．これにより，機械作業が困難な形状も適用可能で作業環境において大幅に改善ができ，インテリジェントサンダー・ロボットとして販売できた．しかし，このころになると，家具業界は世界競争の真っただ中で，年々売り上げが減少し，最盛期の半分以下に半減した．このため，ロボットはほとんど売れない状況に陥った．そこで，この

サンダー・ロボットは適用範囲の拡大を目指し，金型磨き加工が可能なロボットへ進化発展させた．（田中）

（3）耐疲労・耐緩み性兼備のねじ締結体の開発：

言うまでもなく，ボルトは部材の締結部に使用されるために，危険断面であり，破損件数が最も多いと考えられる．しかも，破損件数の90％以上は，「疲労」に起因しており，ボルトの「疲労特性向上」は，実用的に極めて有用と考えられる．また，ボルトの疲労破壊は，繰り返し応力による「緩み」を伴う場合が多いので，「耐緩み性の向上」も重要視されている．ところが，耐緩み性に関しては，すでにいくつかの商品が販売されているが，値段が高い，繰り返し使用が不可，埋め込みボルトには使用できない，等の問題点があった．そこで，ボルトの疲労特性に及ぼす4つの要因を明らかにし，それらのすべてに対処する方法を開発し，かつめねじとの勘合時に，軸方向に発生する反力を耐緩み性に活用することで，「耐疲労・耐緩み性兼備のねじ締結体の開発」に成功した．（西田）

（4）極めて緩みにくいボルト・ナットの開発：

ねじ締結体で最も大事なことは緩まないことである．しかし，ねじの緩み防止は，摩擦力のみで緩まないようにしている構造がほとんどであるので，激しい振動を受けると，緩みやすくなる．そこで，摩擦力と機械的に二重にロックすることで極めて緩みにくい2種類のねじ締結体を開発した．世界で最も過酷な規格である米国航空規格（NAS3354）の30倍100万回の振動試験でも緩むことがなかった．第1号は，二重ねじ機構に基づくスーパーロックボルトの開発である．1本のボルトに2種類のねじ山（並目と細ロピッチ2対1）を加工する．ねじ山が異なる2つのナットは移動量が異なるので同時に回転できず極めて緩みにくくなる．第2号はスーパースリットナットである．ナットの側面に切り込み（スリット）をいれ一定の力でプレスをかけて湾曲させ位相差を設ける．内部のねじ山はスリットを境目に上部ねじと下部ねじでボルトとの接触面が異なる構造のため，ボルトに締め込む際に，上部ねじと下部ねじで相反する力が働きねじは緩まなくなる．このねじに東京大学酒井信介教授が興味を示し，なぜ緩

まないか詳細な研究をして，機械学会に論文発表してくれたことで全国的に知られるようになった．（田中）

(5) 環境調和型非アスベストシール材の開発：

アスベスト（石綿）は耐熱性があり管の漏れを防ぐ優れたシール材であるが，危険な化学物質であり，深刻な健康被害を引き起こすため，国は2008年までに全面禁止することを決めた．そこで，アスベストに代わる金属板に二重の円形凹凸を設けることで，締付時にそのばね効果を活用することで，優れたシール性を確保することができた．例えば，ヘリウムガスによる漏洩試験結果，既存のシール材に比較して100倍のシール性があることを実証することができた．また，最適設計の第一歩として，有限要素法モデルによって，ひずみ等の解析結果と漏洩試験結果と比較し，モデルの高精度化も行っている．（田中）

(6) 軽量化と安全性を考慮した自動車用衝撃吸収部材の開発：

自動車の安全性を高めるために用いられる衝撃吸収エネルギー部材（クラッシュボックス）の形状は，円形や角形が多く用いられている．しかし，これらの形状のみでは，衝突時に不安定破壊を起こしエネルギー吸収効果が悪いという欠点がある．さらに，衝突時に大きなピーク荷重が発生するため，乗員の安全性の確実性が低下する．このため，吸収効果を高めるためにこれに隔壁をつけて補強しているが，依然として一部に不安定破壊とピーク荷重を残しており，安全性と軽量化に課題がある．そこで，これまでのエネルギー吸収部材と異なるメカニズム，膨張–圧縮型エネルギー吸収部材を開発した．このタイプは円筒の軸方向圧縮と円周方向の膨張でエネルギーを吸収することで，既存の課題を解決するものである．すなわち，ピーク荷重がなく安定した変位モードを示し，乗員の安全性を高めることができる．（田中）

(7) 焼嵌め接合で構成されためっき鋼板用セラミックロールの開発：

めっき鋼板用ロールは，数百℃の液体金属中において繰り返し使用されているため，ロール交換などに時間がかかり，生産性向上に支障が生じていた．ロール全体をセラミックス化することにより，耐食性，耐摩耗性が得られ，長寿命化が期待できる．そこで，高靭性・高熱伝導窒化珪素（従来の2倍以上の熱伝導性を有するセラミックス）を使用することで，ロールを溶融金属中に浸漬する際の熱応力を半分以下に低下できるようにした．さらに，セラミックス同士を特殊接合させて，ロールの真円度を＋5 μm以内に抑えるなどの精密加工技術の適用を行った．これらの対策により，シンクロールをオールセラミックス化することにより，必要な耐食性・耐摩耗性を確保することができ，長寿命化が見込まれるロールの開発に成功した．（野田）

(8) HWCVD法による高耐食性薄膜の開発：

研磨された表面を有するステンレス鋼板といえども，長期間風雨に曝されていると錆が生じてくる．そこで，透明無機で耐食性の高い皮膜としてシリコン炭窒化膜（SiCN）の被覆が考えられるが，この膜の堆積には，高い爆発性と毒性を有するシラン（SiH_4）を用いる必要があり，安全管理等に費用が掛かる．そこで，ホットワイヤーCVD法（HWCVD）を利用して，SiCN膜を堆積する技術を開発・適用することとなった．これは，CVD装置内に，加熱触媒体となるホットワイヤーを配置し，プラズマレスの低温薄膜堆積法である．この方法により薄膜堆積された部材は，優れた耐食性を有することが認められている．（田中）

(9) ハニカム構造によるウルトラファインバブル（UFB）生成装置の開発（直列型ハニカム構造）：

ウルトラファインバブル（UFB）は直径1 μm以下の超微細なバブルで，浮力はゼロとなり，水中に長期に存在するといわれている．この超微細バブルを短時間に多量に生成することは，微細気泡の研究や産業界の利用に関して世界のトップレベルにある日本においてもかなり困難であり，まだ実現されていない．そこで，ハニカム構造体で機械的連続せん断力により微細化する装置を開発した．すなわち，2枚のハニカムをハニカムの目がずれるように向かい合わせることで管路を流れる液体の流れが変わり，それにつれて圧力変化が起こり，せん断力により液体が微細化される．直列式5ユニットハニカム構造型で実験した結果，圧倒的世界最高レベルの超微

細気泡 (UFB) 数が生成できた．この装置で窒素 UFB を生成し，鮮魚の保持実験を鮪やイサキでしたが，窒素 UFB は抗菌性が高く，驚くほどの鮮度維持効果が確認された．(田中，野田)

(10) ハニカム構造によるウルトラファインバブル (UFB) 生成装置の開発 (並列型ハニカム構造)：

UFB を直列型ハニカム構造体で生成することで世界最高レベルのナノ (ウルトラファイン) レベルの気泡数を生成することを証明できたが，生成装置を金属で作れば，半導体の洗浄には適さないこと，海水や腐食環境では寿命が短くなりすぐに使えなくなる恐れがあること．製造コストが高い等の課題があり，このことを解決する手段として，これまでの直列型ではなく，並列型で樹脂 (ABS) 製の生成装置を作製した．結果として，せん断応力が UFB 生成能力に大きく関係しているので，並列型においてもナノレベルの気泡を大量に作れるメカニズムを有していることが実験から確認された．また，UFB の応用分野として，環境，産業・工業，農水産，食品および医療等広範囲な分野への応用が有望視されている．とりわけ，医療分野では炭酸泉 (炭酸 UFB) は血流を促進することから動脈硬化症等への対処療法などに効能があることが報告されている．(野田，田中)

(11) 高齢者・障がい者の自立歩行を支援する半自動引き戸装置の開発：

わが国は，世界一の超高齢化社会になり介護を必要とする高齢者・障がい者が急速に増えてきている．高齢者・障がい者は，掴まり立ちできれば，手摺りを伝って自立歩行が可能であり，介護者に頼ることなく，入浴やトイレ，あるいは部屋から部屋への移動は自力で行きたいものである．しかし，既存の引き戸装置は，手摺りが枠に干渉し開けられないことから，部屋から部屋への移動に自力歩行ができないのが現状である．そこで，引き戸に稼働式バーとガイドレールとからなる一体的に動作する「半自動引き戸装置」を開発して部屋から部屋への自力移動を可能とした．すなわち，稼働式バー (引き戸) は，閉じた状態では水平であり，手摺りとしての機能を満たし，稼働式バーを上に押すことでガイドレールに沿ってバーがスムーズに上昇しドアーが開くシステムである．さらに，「半自動引き戸装

置」は安全性を確認するため 20 万回の耐久試験を実施した．（田中，野田）

（12） 海底資源の有効活用のための「ネック」を解決する技術開発：

海底熱水鉱床は，海底下の水が暖められて上昇し，海底面に噴出したもので，多金属硫化物鉱床で，沖縄県を中心とする八重山列島の海底に膨大な量が確認されている．ところがかかる鉱石を利活用しようとした場合，海底（700 ～ 1,600 m）から揚鉱しなければならない．通常の「渦巻きポンプ」を使用すると，回転子である羽根車の耐久性，あるいは鉱石による閉塞問題がある．そこで，ジェット・ツィスター・ポンプ（JTP）および水位差ポンプ（WDP）による揚鉱問題の解決を提言している．直径 ϕ 1.6 ×高さ 5 m の水槽内に貯水し，鉱石を通過させる導管として，内径 ϕ 10，40 および 100 mm のプラスチックパイプを設置して，高圧ポンプから複数のノズルを介して，導管内に高圧水を導入することで，シミュレート実験を行い，容易に鉱石にみたてた砂礫の回収ができることを実証した．（西田）

7.5 結びの言葉

さて，本章の締めくくりとして提言したいことがある．それは，本著に示した例を読んで，何かのヒントあるいは勇気づけの効果を発揮して，まだ「産学連携」に参画したことのない人達に，一人でも多くの方が関心を寄せていただければ幸いと願っている．産学連携は，あくまでも各自が持っていない能力を連携し合うことで，新しいものを創造していこうとする試みの一つである．それゆえ，それはオープン・イノベーション (Open innovation) 等にも相通ずるものであると考えられる．そして，これらに参画するメンバーの各自は，創意工夫し，実行することで，初期の目的を達成することができると信じている．「学問の自由」という名のもとに，大学が社会から隔絶した状態で，生きることはできなくなっており，学問を通じて，社会に何らかの貢献を果たすことが求められている．それゆえ，「産」の方は，何か自分達だけで解決できにくい問題に遭遇した場合，気兼ねなく，「学」の扉をたたくことをお勧めする．また，「学」においても，これまで行ってきた研究の成果を「産」の協力を得て実用化されれば，社会貢献になるし，さらには研究費の確保にもつながる可能性が高い．「**叩けよ，さらば門は開かれ**

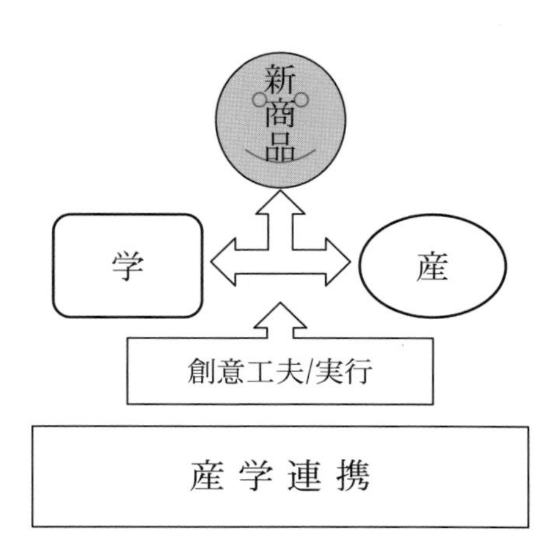

図 7.4　産学連携による効果.

ん」．そして，「産」と「学」の両者がお互いに「**ウィン・ウィンの関係**」を築くことを願っている．さらに，昔から，「**三人寄れば，文珠の知恵**」という諺がある．「産学連携」を，より多くの方々が，より強力に推進することによって，わが国の経済力が，かつてのごとく，先進国と再び比肩できるようになることを願い，総括を締めくくりたい (図 7.4 参照)．

参考文献

1) msn (2021 年 10 月) 検索結果.
2) 岡崎あゆみ (ファナンシャルプランナー)，OECD Stat. 2021 年 12 月のデータをもとに作成，SNS による．
3) RKB 放送，22 時から，ニュースキャスター，(2022 年 10 月 15 日)．

索　引

【か】

【た】

【な】

【は】

【ま】

【や】

【ら】

【わ】

西田　新一（にしだ・しんいち）
1970年　九州大学大学院工学研究科機械工学専攻博士課程修了.
同　年　新日本製鐵㈱（現 日本製鉄㈱）入社.
1991年　佐賀大学理工学部生産機械工学科教授.
2007年　佐賀大学名誉教授.
同　年　機械安全設計研究所設立，現在に至る.

田中　洋征（たなか・ひろゆき）
1995年　福岡県工業技術センターインテリア研究所長.
2001年　九州工業大学地域共同研究センター次長.
2004年　地域共同研究センター長.
2005年　文部科学省派遣産学連携コーディネータ.
2008年　九州工業大学および福岡大学客員教授.

野田　尚昭（のだ・なおあき）
1984年　九州大学大学院工学研究科機械工学専攻博士課程修了.
同　年　九州工業大学工学部講師.
1987年　同大学助教授.
2003年　同大学教授.
2022年　九州工業大学名誉教授，現在に至る.

産学連携によるものづくりイノベーション
——事例から学ぶ成功のカギ——

2023年12月30日　初版第1刷発行

著　　者　西田　新一・田中　洋征・野田　尚昭
発 行 者　島田　保江
発 行 所　株式会社 アグネ技術センター
〒107-0062　東京都港区南青山5-1-25
電話 (03) 3409-5329 ／ FAX (03) 3409-8237
振替　00180-8-41975
URL　https://www.agne.co.jp/books/
印刷・製本　株式会社 平河工業社

落丁本・乱丁本はお取替えいたします.
定価は本体カバーに表示してあります.

ISBN 978-4-86707-015-4 C0050